D1409006

BASTEI
LÜBBE
TASCHENBUCH

TIMUR VERMES

ER IST WIEDER DA

DER ROMAN

BASTEI LÜBBE TASCHENBUCH
Band 17 178

Sämtliche Handlungen, Charaktere und Dialoge in diesem Buch sind rein fiktiv. Ähnlichkeiten mit lebenden Personen und/oder ihren Reaktionen, mit Firmen, Organisationen etc. sind schon deshalb zufällig, da unter vergleichbaren Umständen in der Realität andere Vergehens- und Verhaltensweisen der handelnden Figuren nicht vollständig ausgeschlossen werden können. Der Autor legt Wert auf die Feststellung, dass Sigmar Gabriel und Renate Künast nicht wirlich mit Adolf Hitler gesprochen haben.

Dieser Roman ist auch als Hörbuch und E-Book erschienen.

Vollständige Taschenbuchausgabe
der bei Eichborn erschienenen Hardcoverausgabe

Dieses Werk wurde vermittelt durch die
Michael Meller Literary Agency GmbH, München.

Titelillustration: Johannes Wiebel, punchdesign, München
Umschlaggestaltung: Johannes Wiebel, punchdesign
Satz: Urban SatzKonzept, Düsseldorf
Gesetzt aus der Bembo
Druck und Verarbeitung: GGP Media GmbH, Pößneck
Printed in Germany
ISBN 978-3-404-17178-1

8 10 9 7

Erwachen in Deutschland

Das Volk hat mich wohl am meisten überrascht. Nun habe ich ja wirklich das Menschenmögliche getan, um auf diesem vom Feinde entweihten Boden die Grundlagen für eine Fortexistenz zu zerstören. Brücken, Kraftwerke, Straßen, Bahnhöfe, ich habe die Zerstörung all dessen befohlen. Und inzwischen habe ich es auch nachgelesen, wann, das war im März, und ich denke, ich habe mich in dieser Beziehung ganz klar ausgedrückt. Alle Versorgungseinrichtungen sollten vernichtet werden, Wasserwerke, Telefonanlagen, Produktionsmittel, Fabriken, Werkstätten, Bauernhöfe, jegliche Sachwerte, alles, und damit meinte ich auch: alles! Da muss man sorgfältig vorgehen, da darf bei so einem Befehl kein Zweifel bestehen bleiben, das kennt man ja, dass dann vor Ort der einfache Soldat, dem verständlicherweise in seinem Frontabschnitt der Überblick, die Kenntnis der strategischen, taktischen Zusammenhänge fehlt, dass der dann kommt und sagt: »Ja, muss ich denn wirklich auch diesen, diesen, sagen wir einmal Kiosk hier anzünden? Kann der nicht dem Feind in die Hände fallen? Ist das denn so schlimm, wenn dem Feind der Kiosk in die Hände fällt?« Das ist natürlich schlimm! Der Feind liest ja auch eine Zeitung! Er treibt Handel damit, er wird den Kiosk gegen uns wenden, alles, was er vorfindet! Man muss alle, und ich unterstreiche es nochmals, alle Sachwerte zerstören, nicht nur Häuser, auch Türen. Und Türklinken. Und dann auch die Schrauben, und nicht nur die großen. Die Schrauben muss man herausdrehen und sie dann unbarmherzig verbiegen. Und die Tür muss man zermahlen, zu Sägemehl. Und dann verbrennen. Denn der Feind wird sonst unnachsichtig selber durch diese Tür ein und aus gehen, wie es ihm gerade beliebt. Aber mit einer kaputten Klinke und lauter verbogenen Schrauben und einem Haufen Asche, da wünsche ich dem Herrn Churchill viel Vergnügen! Jedenfalls sind diese Erfordernisse die brutale Konsequenz des Krieges, das ist mir immer klar gewesen, insofern konnte mein Befehl auch gar nicht anders gelautet haben, auch wenn der Hintergrund meines Befehles ein anderer war.

Jedenfalls ursprünglich.

Es war nicht mehr zu leugnen, dass sich das deutsche Volk zuletzt im epischen Ringen mit dem Engländer, mit dem Bolschewismus, mit dem Imperialismus als das unterlegene erwiesen hatte und damit seine Fortexistenz selbst auf dem primitivsten Stadium eines Jäger- und Sammlertums, ich sage es schlicht: verwirkt hatte. Von daher hat es auch jegliches Anrecht auf Wasserwerke, Brücken, Straßen verspielt. Und auch auf Türklinken. Deshalb gab ich den Befehl, und ein wenig auch der Vollständigkeit halber, denn natürlich habe ich damals auch gelegentlich ein paar Schritte vor und um die Reichskanzlei getan, und man muss es da unwiderruflich zur Kenntnis nehmen: Der Amerikaner, der Engländer, sie hatten uns mit ihren Fliegenden Festungen in Hinsicht auf meinen Befehl schon großflächig eine beträchtliche Menge Arbeit abgenommen. Ich habe die Umsetzung dieses Befehls in der Folgezeit natürlich nicht in allen Einzelheiten kontrolliert. Man kann sich vorstellen, ich hatte viel zu tun, die Niederringung des Amerikaners im Westen, die Abwehr des Russen im Osten, die städtebauliche Weiterentwicklung der Welthauptstadt Germania und so weiter, aber mit den übrigen Türklinken hätte die deutsche Wehrmacht meiner Einschätzung nach fertigwerden müssen. Und insofern hätte es dieses Volk eigentlich nicht mehr geben dürfen.

Es ist aber, wie ich jetzt feststelle, noch immer da.

Das ist mir einigermaßen unbegreiflich.

Andererseits: Ich bin ja auch da, und das verstehe ich genauso wenig.

1.

Ich erinnere mich, ich bin erwacht, es dürfte früher Nachmittag gewesen sein. Ich öffnete meine Augen, ich sah über mir den Himmel. Er war blau, leicht bewölkt, es war warm, und mir war sofort klar, dass es für April zu warm war. Man konnte es fast heiß nennen. Es war vergleichsweise still, über mir war kein Feindflieger zu sehen, kein Geschützdonner zu hören, keine Einschläge in der Nähe, keine Luftschutzsirenen. Ich registrierte auch: keine Reichskanzlei, kein Führerbunker. Ich wandte den Kopf, ich sah, ich lag auf dem Boden eines unbebauten Grundstücks, umgeben von benachbarten Häuserwänden, aus Ziegeln gemauert, teilweise von Schmutzfinken beschmiert, ich ärgerte mich sofort und beschloss spontan, Dönitz herbeizuzitieren. Ich dachte zuerst gar, wie in einem Halbschlummer, ja liegt denn Dönitz auch hier irgendwo herum, dann siegte die Disziplin, die Logik, ich erfasste rasch die Eigenwilligkeit der Lage. Ich kampiere üblicherweise nicht unter freiem Himmel.

Zuerst überlegte ich: Was hatte ich am Vorabend getan? Über unmäßigen Alkoholkonsum brauchte ich mir keine Gedanken machen, ich trinke ja nicht. Ich erinnerte mich, zuletzt mit Eva auf einem Sofa gesessen zu haben, auf einem Plumeau. Ich erinnerte mich auch, dass ich oder wir dort in einer gewissen Sorglosigkeit saßen, ich hatte meines Wissens beschlossen, die Staatsgeschäfte einmal ein wenig ruhen zu lassen, wir hatten keine weiteren Pläne für den Abend, Essen gehen oder Kino oder dergleichen kam selbstverständlich nicht infrage, das Unterhaltungsangebot der Reichshauptstadt war zu diesem Zeitpunkt, nicht zuletzt auch meinem Befehl gemäß, bereits erfreulich ausgedünnt. Ich konnte nicht mit Sicherheit sagen, ob in den folgenden Tagen Stalin in die Stadt kommen würde, es war zu diesem Zeitpunkt des Kriegsverlaufs nicht vollständig auszuschließen. Was ich aber mit Sicherheit sagen konnte, war, dass er hier so vergeblich nach einem Lichtspieltheater gesucht haben dürfte wie in Stalingrad. Ich glaube, wir hatten dann noch ein wenig geplaudert, Eva und ich, und ich hatte ihr meine alte Pistole gezeigt, weitere Details waren mir bei meinem Erwachen nicht geläufig. Auch weil ich unter Kopfschmerzen litt. Nein, die Erinnerung an den Vorabend brachte mich hier nicht weiter.

Ich entschloss mich also, das Heft des Handelns zu ergreifen und mich mit meiner Situation näher auseinanderzusetzen. In meinem Leben habe ich gelernt, zu beobachten, zu betrachten, auch oft kleinste Dinge wahrzunehmen, die mancher Studierte gering schätzt, ja ignoriert. Ich hingegen kann dank jahrelanger eiserner Disziplin von mir ruhigen Gewissens sagen, ich werde in der Krise kaltblütiger, noch überlegter, die Sinne werden schärfer. Ich arbeite präzise, ruhig, wie eine Maschine. Ich fasse methodisch zusammen, was ich an Informationen habe: Ich liege auf dem Boden. Ich sehe mich um. Neben mir lagert Unrat, es wächst Unkraut, Halme, hier und da ein Busch, auch ein Gänseblümchen ist dabei, Löwenzahn. Ich höre Stimmen, sie sind nicht zu weit entfernt, Schreie, das Geräusch fortgesetzten Aufprallens, ich sehe in die Richtung der Geräusche, sie rühren von einigen Buben her, die dort Fußball spielen. Es sind keine Pimpfe mehr, für den Volkssturm wohl noch zu jung, sie sind vermutlich in der HJ, aber offensichtlich derzeit nicht im Dienst, der Feind scheint eine Ruhephase eingelegt zu haben. Ein Vogel bewegt sich im Geäste eines Baumes, er zwitschert, er singt. Für manchen ist das nur ein Zeichen heiterer Laune, aber in dieser ungewissen Lage, angewiesen auf jede Information, und mag sie noch so klein sein, kann der Kenner der Natur und des alltäglichen Überlebenskampfes daraus folgern, dass keine Raubtiere anwesend sind. Direkt neben meinem Kopfe befindet sich eine Pfütze, sie scheint im Schrumpfen begriffen, es hat wohl vor längerer Zeit geregnet, seither aber nicht mehr. An ihrem Rand liegt meine Schirmmütze. So arbeitet mein geschulter Verstand, so arbeitete er auch in diesem irritierenden Momente.

Ich setzte mich auf. Es gelang mir problemlos, ich bewegte die Beine, die Hände, die Finger, ich schien keine Verletzungen zu haben, der körperliche Zustand war erfreulich, ich war wohl vollständig gesund, von den Kopfschmerzen einmal abgesehen, sogar das Zittern meiner Hand schien fast völlig nachgelassen zu haben. Ich sah an mir herab. Ich war bekleidet, ich trug die Uniform, den Rock des Soldaten. Er war etwas schmutzig, wenn auch nicht zu sehr, verschüttet war ich also nicht gewesen. Erde befand sich darauf, wie mir schien auch Krumen von Gebäck, Kuchen oder dergleichen. Der Stoff roch stark nach Treibstoff, vielleicht Benzin, es mochte daher rühren, dass Eva möglicherweise versucht hatte, meine Uniform zu reinigen, allerdings mit übertriebenen Mengen Reinigungsbenzin, man hätte meinen können, sie hätte einen ganzen Kanister über mich gekippt. Sie selbst war nicht da, auch sonst schien mein Stab derzeit nicht in der Nähe. Ich klopfte den gröbsten Schmutz von meinem Rocke, von meinen Ärmeln, als ich eine Stimme vernahm.

»Ey, Alter, kiek ma!«

»Ey, wat'n det für'n Opfa?«

Ich schien einen hilfsbedürftigen Eindruck zu machen, das hatten die drei Hitlerjungen vorbildlich erkannt. Sie beendeten ihr Fußballspiel, näherten sich respektvoll, das war verständlich, den Führer des Deutschen Reiches plötzlich in unmittelbarer Nähe zu erleben, auf einer Brachfläche, die gemeinhin zu Sport und körperlicher Ertüchtigung genutzt wird, zwischen Löwenzahn und Gänseblume, das ist auch für den jungen, noch nicht voll gereiften Mann eine ungewöhnliche Wendung in seinem Tagesablauf, dennoch eilte die kleine Schar herbei, dem Windhunde gleich, bereit zu helfen. Die Jugend ist die Zukunft!

Die Buben versammelten sich mit einem gewissen Abstand um mich, musterten mich, woraufhin der größte unter ihnen, offenbar der Kameradschaftsführer, sich an mich wandte:

»Allet klar, Meesta?«

Bei aller Besorgnis kam ich nicht umhin, das vollständige Fehlen des Deutschen Grußes zu registrieren. Gewiss, die reichlich formlose Ansprache, die Verwechslung von »Meister« und »Führer« mochte der Überraschung geschuldet sein, in einer weniger verwirrenden Situation hätte sie womöglich ungewollt Heiterkeit hervorrufen können, wie sich ja oft selbst im erbarmungslosen Stahlgewitter des Schützengrabens die bizarrsten Possen ereignen, dennoch muss der Soldat freilich auch in ungewohnten Situationen bestimmte Automatismen zeigen, das ist der Sinn des Drills – wenn diese Automatismen fehlen, dann ist die ganze Armee keinen Pfifferling wert. Ich richtete mich auf, es fiel nicht ganz leicht, ich schien schon länger gelegen zu haben. Dennoch rückte ich den Rock gerade, reinigte notdürftig mit einigen wenigen, leichten Schlägen die Hosenbeine. Dann räusperte ich mich und fragte den Kameradschaftsführer:

»Wo ist Bormann?«

»Wer is'n ditte?«

Es war nicht zu fassen.

»Bormann! Martin!«

»Kenn ick nich.«

»Nie jehört.«

»Wie siehta'n aus?«

»Wie ein Reichsleiter, zum Donnerwetter!«

Irgendetwas war hier absolut ungewöhnlich. Ich befand mich zwar offenbar noch immer in Berlin, war jedoch augenscheinlich des gesamten Regierungsapparats beraubt. Ich musste dringend zurück in den Führerbunker, und, so viel schien mir klar, die anwesende Jugend konnte dabei keine große Hilfe sein. Zunächst galt es, den Weg zu finden. Das gesichtslose Areal, auf dem ich mich befand, konnte überall in der Stadt sein. Aber ich musste ja nur hinaus auf die Straße treten, in dieser anscheinend schon länger andauernden Feuerpause würden wohl Passanten, Berufstätige, Droschkenfahrer genug unterwegs sein, um mir den Weg zu weisen.

Vermutlich wirkte ich den Hitlerjungen nicht hilfsbedürftig genug, sie machten den Eindruck, als wollten sie ihr Fußballspiel wieder aufnehmen, jedenfalls wandte sich der größte nun zu seinen Kameraden um, wodurch ich seinen Namen lesen konnte, den ihm seine Mutter auf das geradezu grellbunte Sportleibchen gewirkt hatte.

»Hitlerjunge Ronaldo! Wo geht es zur Straße?«

Die Reaktion war dürftig, ich muss leider sagen, dass die Truppe so gut wie nicht aufmerkte, einer der beiden Kleineren zeigte jedoch im Gehen schwunglos mit dem Arm auf einen Winkel des Grundstücks, in dem sich bei näherer Betrachtung tatsächlich ein Durchgang andeutete. Ich machte mir im Geiste einen Vermerk im Sinne von »Rust entlassen« oder »Rust entfernen«, seit 1933 war der Mann im Amt, und gerade im Bildungswesen ist kein Platz für eine derart bodenlose Schlamperei. Wie soll ein junger Soldat den siegreichen Weg nach Moskau finden, in das Herz des Bolschewismus, wenn er nicht einmal seine eigenen Befehlshaber erkennt!

Ich bückte mich, hob meine Mütze auf und lief, sie aufsetzend, mit festem Schritte in die gewiesene Richtung. Es ging um eine Ecke, dann folgte ich einem schmalen Durchweg zwischen hohen Wänden, an dessen Ende das Licht der Straße leuchtete. Eine scheue Katze drängte sich an der Wand an mir vorbei, sie war bunt gefleckt und ungepflegt, dann tat ich noch vier, fünf Schritte und trat hinaus auf die Straße.

Mir stockte der Atem angesichts des gewaltigen Ansturms von Licht und Farbe.

Ich erinnerte mich, die Stadt zuletzt sehr staub- oder auch feldgrau wahrgenommen zu haben, auch mit erheblichen Trümmerbergen und Beschädigungen. Doch vor mir lag nichts dergleichen. Die Trümmer waren verschwunden oder zumindest sauber entfernt, die

Straßen geräumt. Stattdessen standen an den Straßenrändern zahlreiche, ja zahllose bunte Wagen, die wohl Automobile sein mochten, aber sie waren kleiner, und dennoch schienen bei ihrem Entwurf überall die Messerschmitt-Werke federführend mitgewirkt zu haben, so fortschrittlich muteten sie an. Die Häuser waren sauber gestrichen, in unterschiedlichen Farben, die mich mitunter an Zuckerwerk in meiner Jugend erinnerten. Ich bekenne, mir wurde ein wenig schwindelig. Mein Blick suchte nach Vertrautem, ich sah eine schäbige Parkbank auf einem Grünstreifen jenseits der Fahrbahn, ich machte einige wenige Schritte, und ich schäme mich nicht zu sagen, dass sie womöglich etwas unsicher gewirkt haben können. Ich hörte ein Läuten, das Bremsen von Gummi auf Asphalt, und dann schrie mich jemand an.

»Sachma, geht's noch, Alter! Biste blind?«

»Ich – ich bitte um Entschuldigung ...«, hörte ich mich sagen, erschrocken und erleichtert zugleich. Neben mir stand ein Radfahrer, wenigstens dieser Anblick war mir vergleichsweise vertraut, doppelt zumal. Wir hatten nach wie vor Krieg, er trug zum Schutze einen von vorherigen Angriffen wohl stark beschädigten, eigentlich völlig durchlöcherten Helm.

»Wie läufst'n du überhaupt rum!«

»Ich – Verzeihung – ich ... ich muss mich hinsetzen.«

»Du solltest dich eher mal hinlegen. Und zwar für länger!«

Ich rettete mich auf die Parkbank, ich werde wohl etwas blass gewesen sein, als ich mich darauf fallen ließ. Auch dieser jüngere Mann schien mich nicht erkannt zu haben. Es gab hier schon wieder keinen Deutschen Gruß, die Reaktion sah aus, als habe er nur fast einen x-beliebigen, herkömmlichen Passanten gerammt. Und dieser Schlendrian schien die allseits geübte Praxis zu sein: Ein älterer Herr ging an mir vorbei, kopfschüttelnd, eine voluminöse Dame mit einem futuristischen Kinderwagen – ein weiteres vertrautes Element, doch auch dies vermochte meine desperate Lage nicht auswegreicher zu gestalten. Ich hatte mich erhoben, war mit um Festigkeit bemühter Haltung an sie herangetreten.

»Verzeihung, es mag Sie überraschen, aber ich … benötige sofort den kürzesten Weg zur Reichskanzlei.«

»Sind Sie vom Stefan Raab?«

»Bitte?«

»Oder der Kerkeling? Einer von Harald Schmidt?«

Es mag an meiner Nervosität gelegen haben, dass ich etwas ungehalten wurde und sie am Arm packte.

»Reißen Sie sich zusammen, Frau! Sie haben Pflichten als Volksgenossin! Wir sind im Krieg! Was glauben Sie, was der Russe mit Ihnen macht, wenn er hierherkommt? Glauben Sie, der Russe wirft einen Blick auf Ihr Kind und sagt, oho, ein frisches deutsches Mädel, aber dem Kinde zuliebe will ich meine niederen Instinkte in meiner Hose lassen? Das Fortbestehen des Deutschen Volkes, die Reinheit des Blutes, das Überleben der Menschheit steht in diesen Stunden, diesen Tagen auf dem Spiel, wollen Sie vor der Geschichte das Ende der Zivilisation verantworten, nur weil Sie in Ihrer unglaublichen Beschränktheit nicht willens sind, dem Führer des Deutschen Reiches den Weg in seine Reichskanzlei zu weisen?«

Es überraschte mich beinahe nicht mehr, dass ich darauf keinerlei Reaktion erntete. Die Idiotin riss ihren Ärmel aus meiner Hand, sah mich entgeistert an und führte mit ihrer flachen Hand mehrere kreisförmige Bewegungen zwischen ihrem und meinem Kopf aus, eine deutlich missbilligende Geste. Es war nicht mehr zu bestreiten, irgendetwas war hier völlig außer Kontrolle geraten. Ich wurde nicht mehr wie ein Heerführer behandelt, wie ein Reichsführer. Die Fußballbuben, der ältere Herr, der Radfahrer, die Kinderwagenfrau – es konnte kein Zufall sein. Mein nächster Impuls war, die Sicherheitsorgane zu benachrichtigen, um die Ordnung wiederherstellen zu lassen. Doch ich zügelte mich. Ich wusste nicht genug über meine Situation. Ich brauchte mehr Informationen.

Eiskalt rekapitulierte mein jetzt wieder methodisch arbeitender Verstand die Sachlage. Ich war in Deutschland, ich war in Berlin, auch wenn es mir völlig unvertraut vorkam. Dieses Deutschland war anders, aber in einigen Dingen ähnelte es dem mir vertrauten Reich: Es gab noch Radfahrer, es gab Automobile, es gab also vermutlich auch Zeitungen. Ich sah mich um. In der Tat lag unter meiner Bank etwas, was einer Zeitung ähnelte, allerdings ein wenig zu aufwendig gedruckt. Das Blatt war farbig, mir vollkommen unvertraut, es hieß »Media Markt«, ich konnte mich beim besten Willen nicht erinnern, etwas Derartiges genehmigt zu haben, und ich hätte es auch nie genehmigt. Die Informationen darin waren völlig unverständlich, Groll stieg in mir hoch, wie man in Zeiten der Papierknappheit mit so einem hirnlosen Dreck wertvolle Ressourcen des Volkseigentums unwiederbringlich verschleudern konnte. Funk konnte sich auf eine Standpauke gefasst machen, wenn ich wieder hinter meinem Schreibtisch saß. Aber jetzt brauchte ich zuverlässige Nachrichten, einen »Völkischen Beobachter«, einen »Stürmer«, ich wäre wohl sogar fürs Erste mit einem »Panzerbär« zufrieden gewesen. Tatsächlich befand sich unweit ein Kiosk, und sogar auf diese beträchtliche Entfernung hin war zu erkennen, dass er ein erstaunliches Angebot zu haben schien. Man hätte meinen können, wir säßen im tiefsten, faulsten Frieden! Ich erhob mich ungeduldig. Schon zu viel Zeit hatte ich verloren, es galt, rasch geordnete Verhältnisse wiederherzustellen. Die Truppe brauchte Befehle, womöglich wurde ich andernorts schon vermisst. Ich ging zügig auf den Kiosk zu.

Bereits ein erster näherer Blick gab interessante Aufschlüsse. Zahlreiche bunte Blätter hingen an der Außenwand, in türkischer Sprache. Offenbar verkehrten hier jüngst viele Türken. Mir musste in meiner Bewusstlosigkeit eine längere Zeitspanne entgangen sein, in der sich viele Türken nach Berlin begeben hatten. Das war bemerkenswert. Zuletzt war der Türke, ein im Grunde treuer Gehilfe des Deutschen Volkes, trotz erheblicher Bemühungen stets neutral geblieben, zum Kriegseintritt an der Seite des Reiches war er nie zu bewegen gewesen. Es schien nun aber so, dass während meiner Abwesenheit wohl jemand, wahrscheinlich Dönitz, den Türken überzeugt haben musste, uns zu unterstützen. Und die eher friedliche Stimmung auf der Straße ließ darauf schließen, dass der türkische Einsatz offenbar sogar eine kriegsentscheidende Wende herbeigeführt hatte. Ich staunte. Gewiss, ich hatte den Türken stets respektiert, aber derartige Leistungen hatte ich ihm nie zugetraut, andererseits hatte ich die Entwicklung des Landes aus Zeitmangel nicht detailliert verfolgen können. Die Reformen des Kemal Atatürk mussten dem Land einen geradezu sensationellen Schub verliehen haben. Es schien das Wunder gewesen zu sein, an das auch Goebbels stets seine Hoffnungen geklammert hatte. Mein Herz schlug mir nun voll heißer Zuversicht. Es hatte sich ausbezahlt, dass ich, dass das Reich auch in der Stunde der vermeintlich tiefsten Dunkelheit niemals den Glauben an den Endsieg aufgegeben hatte. Vier, fünf unterschiedliche türkischsprachige Publikationen in bunter Farbe legten ein unübersehbares Zeugnis ab von dieser neuen, von einer erfolgreichen Achse Berlin-Ankara. Nun, da meine größte Sorge, die Sorge um das Wohl des Reiches, auf so überraschende Weise gelindert schien, nun musste ich nur noch herausfinden, wie viel Zeit ich wohl in diesem merkwürdigen Dämmer auf dem brachliegenden Areal zwischen den Häusern verloren hatte. Der »Völkische Beobachter« war nicht zu sehen, er war vermutlich ausverkauft, ich warf daher einen Blick auf das nächste, vertrauter wirkende Blatt, eine sogenannte »Frankfurter Allgemeine Zeitung«. Sie war mir neu, doch verglichen mit manchem anderen, was dort hing, erfreute mich die vertrauenerweckende Schrift der Titelzeile. Keinen Blick verschwendete ich auf die Meldungen, ich suchte das Tagesdatum.

Dort stand der 30. August.

2011.

Ich blickte auf die Zahl, fassungslos, ungläubig. Ich wandte den Blick zu einem anderen Blatte, der »Berliner Zeitung«, auch diese versehen mit einem tadellosen deutschen Schriftzug, und suchte das Datum.

2011.

Ich zerrte die Zeitung aus dem Halter, ich öffnete sie, ich schlug die nächste Seite auf, die übernächste.

2011.

Ich sah, wie die Zahl zu tanzen begann, höhnisch fast. Sie bewegte sich langsam nach links, dann rascher nach rechts, dann noch rascher wieder zurück, dem

Schunkeln gleich, wie es bei den Volksmassen im Bierzelt beliebt ist. Mein Auge versuchte ihr zu folgen, sie zu fassen, dann entglitt mir die Zeitung. Ich spürte, wie ich vornübersank, ich suchte vergeblich Halt an den anderen Zeitungen im Regal, ich klammerte mich an den verschiedenen Blättern entlang zu Boden.

Dann wurde mir schwarz vor Augen.

ii.

Als ich wieder zu mir kam, lag ich auf dem Boden. Jemand legte mir etwas Feuchtes auf die Stirn.

»Geht es Ihnen gut?«

Über mich gebeugt war ein Mann, er mochte fünfundvierzig Jahre alt sein, vielleicht auch über fünfzig. Er trug ein kariertes Hemd, eine schlichte Hose, wie sie der Arbeiter trägt. Diesmal wusste ich, welche Frage ich zuerst stellen würde.

»Welches Datum haben wir?«

»Den mmmh – 29. August. Nein, halt, den 30.«

»Welches Jahr, Mann«, krächzte ich, mich aufsetzend. Der feuchte Lappen fiel mir unschön in den Schoß.

Der Mann sah mich stirnrunzelnd an.

»2011«, sagte er und musterte meinen Rock, »was haben Sie gedacht? 1945?«

Ich suchte nach einer passenden Entgegnung, richtete mich dann aber lieber auf.

»Sie sollten vielleicht noch etwas liegen bleiben«, sagte der Mann, »oder sich hinsetzen. Ich habe einen Sessel im Kiosk.«

Ich wollte zunächst sagen, dass ich für Entspannung keine Zeit hatte, musste aber einsehen, dass meine Beine noch zu sehr zitterten. Also folgte ich ihm in seinen Kiosk. Er selbst nahm auf einem Stuhl in der Nähe des kleinen Verkaufsfensters Platz und sah mich an.

»Ein Schluck Wasser? Brauchen Sie etwas Schokolade? Einen Müsliriegel?«

Ich nickte, benommen. Er stand auf, holte eine Flasche Sprudel und goss mir davon in ein Glas. Aus einem Regal nahm er einen bunten Riegel, wohl eine Art eiserner Ration, in farbige Folie gehüllt. Er öffnete die Folie, entblößte etwas, das aussah wie industriell verpresstes Korn, und drückte es mir in die Hand. Die Versorgungsengpässe mit Brot schienen noch nicht behoben.

»Sie sollten mehr frühstücken«, sagte er. Dann setzte er sich wieder hin. »Drehen Sie hier irgendwo?«

»Drehen …?«

»Na, eine Dokumentation. Einen Film. Hier wird ja ständig irgendwas gedreht.«

»Film …?«

»Mensch, Sie sind ja ganz schön beieinander.« Er lachte und wies mit der Hand auf mich. »Oder laufen Sie immer so herum?«

Ich sah an mir herab. Ich konnte nichts Ungewöhnliches feststellen, natürlich abgesehen von dem Staub und dem Benzingeruch.

»Eigentlich schon«, sagte ich.

Es konnte freilich sein, dass ich im Gesichte verletzt war. »Haben Sie einen Spiegel?«, fragte ich.

»Sicher«, sagte er und zeigte darauf, »neben Ihnen, gleich über dem ›Focus‹.«

Ich folgte seinem Finger. Der Spiegel war orangefarben gerahmt, »Der Spiegel« hatte er sicherheitshalber darauf geschrieben, als ob man es sonst nicht gewusst hätte. Er steckte mit dem unteren Drittel zwischen irgendwelchen Magazinen. Ich sah hinein.

Mein Spiegelbild sah überraschend tadellos aus, sogar

mein Rock wirkte gebügelt – vermutlich herrschte im Kiosk ein schmeichelhaftes Licht.

»Wegen der Titelstory?«, fragte der Mann. »Die haben doch auf jedem dritten Heft so eine Hitlergeschichte. Ich glaube, Sie müssen sich nicht noch intensiver vorbereiten. Sie sind gut.«

»Danke«, sagte ich abwesend.

»Nein, wirklich«, meinte er, »ich habe den ›Untergang‹ gesehen. Zweimal. Bruno Ganz, der Mann war exzellent, aber an Sie kommt er nicht ran. Die ganze Haltung … man könnte meinen, Sie wären es.«

Ich blickte auf: »Ich wäre was?«

»Na, als wären Sie der Führer.« Dabei hob er beide Hände, er legte Mittel- und Zeigefinger jeweils zusammen, krümmte sie vornüber und zuckte mit ihnen zweimal auf und ab. Ich mochte es kaum glauben, aber es schien so, dass dies nach sechsundsechzig Jahren alles war, was vom einstmals strammen Deutschen Gruß noch existierte. Es war erschütternd, aber immerhin ein Zeichen, dass mein politisches Wirken zwischenzeitlich nicht vollkommen folgenlos geblieben war.

Ich klappte den Arm zurück, den Gruß erwidernd: »Ich *bin* der Führer!«

Er lachte wieder: »Wahnsinn, das wirkt so natürlich.«

Ich konnte mich mit seiner penetranten Heiterkeit nicht recht befassen. Mir wurde meine Lage nach und nach bewusst. Wenn dies kein Traum war – und dafür dauerte es deutlich zu lange –, dann befand ich mich tatsächlich im Jahre 2011. Dann war ich also in einer Welt, die mir völlig neu war, und ich musste annehmen, dass ich umgekehrt auch für diese Welt ein neues Element darstellte. Wenn diese Welt auch nur ansatzweise logisch funktionierte, dann erwartete sie von mir, entweder

122 Jahre alt zu sein oder, was wahrscheinlicher war, seit Langem tot.

»Spielen Sie auch andere Sachen?«, fragte er. »Habe ich Sie schon mal gesehen?«

»Ich spiele nicht«, antwortete ich, wohl etwas barsch.

»Natürlich nicht«, sagte er und machte ein merkwürdig ernstes Gesicht. Dann zwinkerte er mir zu. »Wo treten Sie auf? Haben Sie ein Programm?«

»Selbstverständlich«, entgegnete ich, »seit 1920! Sie werden als Volksgenosse ja wohl die 25 Punkte kennen.«

Er nickte eifrig.

»Trotzdem, ich hab Sie noch nirgends gesehen. Haben Sie einen Flyer? Oder eine Karte?«

»Leider nein«, sagte ich betrübt, »die Karte ist im Lagezentrum.«

Ich versuchte mir darüber klar zu werden, was ich als Nächstes tun musste. Es schien einleuchtend, dass auch in der Reichskanzlei, dass selbst im Führerbunker ein 56-jähriger Führer auf Unglauben stoßen konnte, ja sicher stoßen würde. Ich musste Zeit gewinnen, meine Optionen analysieren. Ich brauchte eine Bleibe. Mir wurde plötzlich schmerzlich bewusst, dass ich keinen Pfennig Geld in der Tasche hatte. Für einen Moment erinnerte ich mich unangenehm an die Zeit im Männerwohnheim, 1909. Sie war notwendig gewesen, gewiss, sie hatte mir Einblicke verschafft, wie sie keine Universität der Welt vermitteln kann, und dennoch, es war diese Phase der Entbehrungen keine Zeit gewesen, die ich genossen hätte. Die finsteren Monate schossen mir durch den Kopf, die Missachtung, die Geringschätzung, die Unsicherheit, das Bangen um das Nötigste, das trockene Brot. Grüblerisch, abwesend biss ich in das seltsame Folienkorn.

Es schmeckte erstaunlicherweise süß. Ich musterte das Produkt.

»Ich mag die auch«, sagte der Zeitungskrämer, »wollen Sie noch einen?«

Ich schüttelte den Kopf. Ich hatte jetzt größere Probleme. Es galt, das schlichteste, das primitivste tägliche Auskommen zu sichern. Ich brauchte Unterkunft, etwas Geld, bis ich weitere Klarheit gewonnen haben würde, ich brauchte vielleicht eine Arbeit, wenigstens vorübergehend, bis ich wusste, ob und wie ich wieder meine Regierungstätigkeit würde aufnehmen können. Bis dahin war eine Form des Broterwerbs nötig. Vielleicht als Maler, vielleicht in einem Architekturbüro. Selbstverständlich war ich mir fürs Erste auch nicht zu schade zu körperlicher Arbeit. Natürlich wären meine Kenntnisse für das Deutsche Volk bei einem Feldzug vorteilhafter eingesetzt gewesen, aber in Unkenntnis der aktuellen Lage war das illusionär. Ich wusste ja nicht einmal, mit wem das Deutsche Reich überhaupt gerade eine gemeinsame Grenze hatte, wer sie zu verletzen suchte, gegen wen man zurückschießen konnte. Insofern musste ich mich wohl zunächst mit dem Einbringen der Fähigkeiten meiner Hände bescheiden, vielleicht beim Bau eines Aufmarschgeländes oder eines Autobahnabschnitts.

»Jetzt mal im Ernst«, drang die Stimme des Zeitungskrämers an mein Ohr. »Sie sind noch Amateur? Mit *der* Nummer?«

Das wiederum fand ich reichlich flegelhaft. »Ich bin kein Amateur!«, beschied ich ihm mit Nachdruck. »Ich bin doch keiner von diesen bürgerlichen Faulpelzen!«

»Nein, nein«, beschwichtigte der Mann, der mir im Grunde seines Herzens recht ehrlich zu scheinen begann. »Ich meine, was machen Sie denn beruflich?«

Tja, was machte ich beruflich? Was sollte ich angeben?

»Ich … ich habe mich momentan etwas … zurückgezogen«, umschrieb ich vorsichtig meine Lage.

»Verstehen Sie mich nicht falsch«, eiferte der Krämer, »aber wenn Sie wirklich noch nicht … das ist doch unglaublich! Ich meine, hier kommen öfter welche vorbei, die ganze Stadt ist voller Agenturen, voller Filmfritzen, Fernsehfiguren, die freuen sich immer über einen Tipp, über ein neues Gesicht. Und wenn Sie keine Karte haben – ich meine, wo erreiche ich Sie denn? Haben Sie eine Telefonnummer? E-Mail?«

»Äh …«

»Oder wo wohnen Sie?«

Damit traf er einen wahrlich wunden Punkt. Andererseits schien er nichts Unehrenhaftes im Schilde zu führen. Ich beschloss, es zu riskieren.

»Das mit der Wohnung ist derzeit etwas … wie soll ich sagen … ungeklärt …«

»Na ja, oder vielleicht haben Sie eine Freundin, bei der Sie wohnen?«

Für einen Moment dachte ich an Eva. Wo mochte sie wohl sein?

»Nein«, murmelte ich ungewohnt niedergeschlagen, »eine Gefährtin habe ich nicht. Mehr.«

»Ouh«, sagte der Krämer, »verstehe. Die Sache ist wohl noch recht frisch.«

»Ja«, bekannte ich, »das alles hier ist … recht frisch für mich.«

»Lief nicht mehr gut in letzter Zeit, hm?«

»Das ist wohl zutreffend«, nickte ich, »der Entsatzangriff der Gruppe Steiner ist unverzeihlicherweise ausgeblieben.«

Er sah mich irritiert an: »Mit Ihrer Freundin, meinte ich. Wer war schuld?«

»Ich weiß nicht«, bekannte ich, »letzten Endes wohl Churchill.«

Er lachte. Dann sah er mich längere Zeit nachdenklich an.

»Ihre Einstellung gefällt mir. Passen Sie auf, ich mach Ihnen einen Vorschlag.«

»Einen Vorschlag?«

»Ich weiß ja nicht, was Sie für Ansprüche haben. Aber wenn Sie nichts Besonderes brauchen, dann können Sie ein oder zwei Nächte hier übernachten.«

»Hier?« Ich sah mich im Kiosk um.

»Können Sie sich das Adlon leisten?«

Da hatte er wohl recht. Ich sah betreten zu Boden.

»Sie sehen mich – praktisch mittellos ...«, gab ich zu.

»Na also. Ist ja auch kein Wunder, wenn Sie sich mit Ihrem Können nicht nach draußen wagen. Sie dürfen sich nicht verstecken.«

»Ich habe mich nicht versteckt!«, protestierte ich. »Das lag am Bombenhagel!«

»Jaja«, winkte er ab, »also noch mal: Sie bleiben ein, zwei Tage hier, und ich spreche mal ein, zwei Kunden von mir an. Die neue ›Theater heute‹ ist gestern gekommen und eines von den Filmblättern, das holen die jetzt nach und nach alle ab. Vielleicht kriegen wir was hin. Ehrlich, eigentlich müssten Sie nicht mal was können, die Uniform allein haben Sie schon super hinbekommen ...«

»Das heißt, ich bleibe jetzt hier?«

»Fürs Erste. Tagsüber bleiben Sie bei mir, falls jemand kommt, kann ich Sie gleich vorstellen. Und wenn niemand kommt, hab ich wenigstens was zu lachen. Oder haben Sie was anderes zum Unterkommen?«

»Nein«, seufzte ich, »das heißt, bis auf den Führerbunker …«

Er lachte. Dann hielt er inne.

»Sagen Sie, Sie räumen mir doch den Kiosk nicht aus?«

Ich sah ihn empört an: »Sehe ich aus wie ein Verbrecher?«

Er sah mich an: »Sie sehen aus wie Adolf Hitler.«

»Eben«, sagte ich.

iii.

Die nächsten Tage und Nächte sollten für mich zu einer schweren Prüfung werden. Unter unwürdigsten Umständen, notdürftig beherbergt zwischen fragwürdigen Veröffentlichungen, Tabakwaren, Naschwerk und Getränkedosen, nachts auf einem leidlich, aber nicht übermäßig sauberen Sessel gekrümmt, musste ich die Ereignisse der letzten sechsundsechzig Jahre nachholen, ohne dabei ungünstige Aufmerksamkeit zu erregen. Denn während andere sich wohl stundenlang, tagelang fruchtlos den Kopf zermartert hätten mit naturwissenschaftlichen Verständnisfragen, mit der vergeblichen Lösung des Rätsels über diese ebenso fantastische wie unerklärliche Zeitreise, war mein methodisch denkender Verstand zuverlässig in der Lage, sich den Gegebenheiten anzupassen. Statt wehleidigen Lamentierens nahm er die neuen Fakten hin und erkundete die Lage. Zumal – um den Ereignissen kurz vorzugreifen – die veränderten Bedingungen erheblich mehr und bessere Möglichkeiten zu bieten schienen. So sollte sich etwa herausstellen, dass innerhalb der letzten sechsundsechzig Jahre die Anzahl sowjetrussischer Soldaten auf deutschem Reichsgebiet und insbesondere im Großraum Berlin beträchtlich zurückgegangen war. Man ging nun von einer Zahl zwischen etwa dreißig und fünfzig Mann aus, worin ich blitzartig für die Wehrmacht eine außerordentlich verbesserte Erfolgsaussicht erkennen konnte verglichen mit der letzten Schätzung meines Generalstabs von etwa 2,5 Millionen gegnerischen Soldaten allein an der Ostfront.

So spielte ich auch nur für einen kurzen Moment mit dem Gedanken, Opfer eines Komplotts geworden zu sein, einer Entführung, im Verlauf derer der feindliche Geheimdienst mir möglicherweise einen aufwendigen Streich spielte, um mir so gegen meinen eisernen Willen wertvolle Geheimnisse zu entlocken. Allein die technischen Erfordernisse, eine völlig neue Welt zu schaffen, in der ich mich ja auch noch frei bewegen konnte – diese Variante der Realität war schier noch undenkbarer als die Wirklichkeit, die ich in jeder Sekunde vorfand, mit Händen greifen, mit Augen sehen konnte. Nein, in diesem bizarren Hier und Jetzt galt es den Kampf zu führen. Und der erste Schritt zum Kampfe ist noch stets die Aufklärung.

Man kann sich unschwer vorstellen, dass die Beschaffung verlässlicher neuester Informationen ohne die nötige Infrastruktur beträchtliche Probleme bereitete. Die Voraussetzungen dazu waren denkbar schlecht: In außenpolitischer Hinsicht standen mir weder die Abwehr noch das Auswärtige Amt zur Verfügung, innenpolitisch war ein Kontakt zur Geheimen Staatspolizei vorerst nicht leicht umzusetzen. Auch der Besuch einer Bibliothek schien mir in der allernächsten Zeit zu riskant. Insofern war ich auf die Inhalte zahlreicher Publikationen angewiesen, deren Vertrauenswürdigkeit ich freilich nicht überprüfen konnte, sowie auf Äußerungen und Gesprächsfetzen von Passanten. Zwar hatte der Zeitungskrämer mir freundlicherweise den Betrieb eines Radioapparates ermöglicht, der aufgrund der zwischenzeitlichen Fortschritte der Technik zu unfassbar geringem Umfange geschrumpft war – allein, es hatten sich die Gepflogenheiten des Großdeutschen Rundfunks seit 1940 erschütternd geändert. Direkt nach dem Einschalten ertönte ein infernalischer Lärm, häufig unterbrochen von unfassbarem, vollkommen unverständlichem Geschwätz. Am Inhalt änderte sich in der Fortdauer nichts, allein die Häufigkeit des Wechsels zwischen Getöse und Geschwätz nahm zu. Ich entsinne mich minutenlanger vergeblicher Versuche, den Lärm des technischen Wunderwerks zu entschlüsseln, dann schaltete ich entsetzt ab. Ich saß wohl eine Viertelstunde reglos, beinahe schockstarr, bevor ich beschloss, meine Rundfunkbemühungen fürs Erste zurückzustellen. Insofern blieb ich letzten Endes auf die verfügbaren Presseerzeugnisse zurückgeworfen, deren vorrangigstes Ziel eine wahrhafte geschichtliche Aufklärung nie gewesen ist und selbstverständlich auch heute nicht sein konnte.

Eine erste Bestandsaufnahme, die zweifellos unvollständig bleiben musste, sah wie folgt aus:

1. Der Türke war uns offenbar doch nicht zu Hilfe gekommen.
2. Angesichts der siebzigsten Wiederkehr des Unternehmens Barbarossa wurde mehrfach vor allem über diesen Aspekt deutscher Geschichte berichtet. Dabei wurde die Operation in einem insgesamt negativen Lichte gezeigt. Es wurde allgemein behauptet, der Feldzug sei nicht siegreich gewesen, ja der gesamte Krieg sei nicht gewonnen worden.
3. Ich selbst galt tatsächlich als tot. Es wurde mir unterstellt, ich hätte Selbstmord begangen. Und gewiss, ich erinnere mich, diese Möglichkeit theoretisch im Kreise der Vertrauten erörtert zu haben, und sicher

fehlten mir in der Erinnerung einige Stunden einer gewiss schweren Zeit. Aber letzten Endes musste ich nur an mir herabsehen, um die Tatsachen zu erkennen.

War ich denn tot?

Aber man weiß ja, was man von unseren Zeitungen zu halten hat. Da notiert der Schwerhörige, was ihm der Blinde berichtet, der Dorftrottel korrigiert es, und die Kollegen in den anderen Pressehäusern schreiben es ab. Jede Geschichte wird von Neuem aufgegossen mit demselben abgestandenen Lügensud, um dann anschließend das »herrliche« Gebräu dem ahnungslosen Volke zu kredenzen. Wenn ich auch in diesem Falle bereit war, durchaus so etwas wie Nachsicht walten zu lassen. Dass das Schicksal derart bemerkenswert in sein eigenes Räderwerk hineingreift, das kommt so selten vor, dass es selbst für die klügsten Köpfe schwer zu begreifen sein muss, geschweige denn für den durchschnittlichen Vertreter unserer so genannten Meinungsveröffentlicher.

4. Was aber alle anderen Sachverhalte anging, galt es, dem Gehirn den Magen eines Wildschweins angedeihen zu lassen. Die militärischen, militärhistorischen, politischen und ganz allgemein jegliches Thema bis hin zu Wirtschaft betreffenden Fehleinschätzungen der Presse, unterlaufen aus Ahnungslosigkeit oder Böswilligkeit, galt es zu ignorieren, ein denkender Mensch musste sonst schlichtweg wahnsinnig werden angesichts von so viel gedruckter Dummheit.
5. Oder ein Magengeschwür bekommen, so gottlos verblödet schmierten die syphilitisch degenerierten Gehirne der offenbar von jeder staatlichen Kontrolle befreiten Hetzpresse sich ihr zusammenphantasiertes Weltbild zurecht.

6. Das Deutsche Reich schien einer sogenannten »Bundesrepublik« gewichen, deren Leitung allem Anschein nach einer Frau oblag (»Bundeskanzlerin«), allerdings auch schon anderen Herren anvertraut worden war.
7. Es gab wieder Parteien und freilich das damit unfehlbar einhergehende unproduktive Gezänk. Die schier unausrottbare Sozialdemokratie trieb erneut ihr fruchtloses Unwesen auf dem Rücken des leidgeprüften deutschen Volkes, andere Vereine schmarotzten vom Volksreichtum wiederum auf ihre Weise, eine Wertschätzung ihrer »Arbeit« blieb – was verblüffen mag – sogar in der sonst so wohlgesinnten Lügenpresse größtenteils aus. Aktivitäten der NSDAP fanden hingegen nicht mehr statt, es war möglich, dass angesichts einer nicht auszuschließenden Niederlage in der Vergangenheit die Siegermächte die Parteiarbeit erschwert hatten, wenn nicht die Organisation sogar in die Illegalität gedrängt worden war.
8. Der »Völkische Beobachter« war nicht überall erhältlich, der Kiosk des offenbar wohl doch reichlich liberalen Zeitungskrämers jedenfalls führte ihn nicht, wie bei ihm auch überhaupt keinerlei deutschnational orientierte Publikationen auslagen.
9. Das Reichsgebiet schien deutlich verringert, die umgebenden Staaten waren jedoch weitgehend die gleichen geblieben, sogar Polen führte seine widernatürliche Existenz offenbar unvermindert fort, teilweise sogar auf ehemaligem Reichsgebiet! Bei aller Nüchternheit konnte ich an dieser Stelle eine gewisse Empörung nicht unterdrücken, im ersten Moment rief ich doch tatsächlich in das Dunkel des nächtlichen Kiosks hinein aus: »Da hätte ich mir den ganzen Krieg ja schenken können!«

10. Die Reichsmark war kein Zahlungsmittel mehr, obgleich das von mir angestrebte Konzept, sie zur europaweit gültigen Währung zu erheben, offenbar von anderen verwirklicht worden war, vermutlich von irgendwelchen ahnungslosen Dilettanten aufseiten der Siegermächte. Forderungen wurden jedenfalls momentan in einer Kunstwährung namens »Euro« beglichen, die freilich erwartungsgemäß von größtem Misstrauen begleitet wurde. Wer immer das veranlasst hatte, ich hätte es ihm gleich sagen können.
11. Es schien eine Art Teilfrieden zu geben, doch die Wehrmacht befand sich nach wie vor im Krieg, sie hieß allerdings inzwischen »Bundeswehr« und war in einem beneidenswerten Zustand, ohne Zweifel bedingt durch den technischen Fortschritt. Wenn man den veröffentlichten Zahlen glauben durfte, war von einer praktischen Unverwundbarkeit des deutschen Soldaten im Felde auszugehen, Verluste traten nur mehr vereinzelt auf. Man kann sich meinen Kummer vorstellen, als ich aufstöhnend an mein eigenes, tragisches Los dachte, an die bitteren Nächte im Führerbunker, gramgebeugt über den Karten im Lagezentrum brütend, ringend mit einer feindseligen Welt und mit dem Schicksal: Damals verbluteten an zahlreichen Fronten noch über 400 000 Soldaten, und das allein im Januar 1945 – mit dieser fabelhaften Truppe von heute hätte ich Eisenhowers Armeen fraglos ins Meer gefegt, Stalins Horden wären in wenigen Wochen am Ural und Kaukasus zerquetscht worden wie Maden. Es war dies eine der wenigen wirklich guten Nachrichten, die mich erreichten: Die künftige Eroberung von Lebensraum im Norden, Osten, Süden, Westen schien mir mit jener neuen Wehrmacht kaum

weniger Erfolg versprechend als mit der alten. Verantwortlich dafür schien im Übrigen die kürzlich erfolgte Reform eines jungen Ministers, der wohl das Format eines Scharnhorst besaß, allerdings aufgrund einer Intrige so missgünstiger wie engstirniger Universitätsgelehrter das Feld hatte räumen müssen. Es schien wohl heute genauso zu sein wie damals an der Wiener Akademie, an der ich weiland hoffnungsvoll meine Entwürfe und Zeichnungen einreichte: Vom Neide zerfressen hemmen die Kleingeister noch stets das frische, unverzagt auftrumpfende Genie, weil sie es nicht ertragen können, dass dessen Glanz das Glimmen ihrer eigenen Mitleid erregenden Lichtlein so deprimierend deutlich überstrahlt.

Na ja.

Angesichts dieser allgemein recht gewöhnungsbedürftigen Umstände konnte ich aber zugleich nicht unzufrieden feststellen, dass zumindest vorerst keine akute Gefahr herrschte, obzwar es Unannehmlichkeiten gab. Wie es einem kreativen Geist zukommt, pflegte ich zuletzt lange zu arbeiten, aber auch lange zu ruhen, um die gewohnte Frische und Reaktionsschnelligkeit beibehalten zu können. Der Zeitungskrämer hingegen pflegte berufsbedingt schon am frühesten Morgen seinen Kiosk zu eröffnen, weshalb auch ich, der ich oft meine Studien bis weit in die frühen Morgenstunden ausgedehnt hatte, mit erfrischendem Schlaf ab dieser Uhrzeit nicht mehr rechnen konnte. Verschärfend kam hinzu, dass dieser Mensch schon morgens ein geradezu enervierendes Redebedürfnis hatte, wohingegen ich zu dieser Zeit üblicherweise einer gewissen Findungsphase bedarf. Schon am ersten Morgen betrat er geradezu schwungvoll den Kiosk mit dem Ausruf:

»Na, mein Führer, wie war die Nacht?«

Und dabei riss er ohne die geringste Verzögerung seine Verkaufsöffnung auf, worauf ein besonders grelles Licht den Kiosk blendend erhellte. Ich stöhnte auf, kniff die gepeinigten Augen zu, mühte mich, mir die Umstände meines Aufenthalts ins Gedächtnis zu rufen. Im Führerbunker war ich nicht, das stand mir sofort wieder in aller Deutlichkeit vor Augen. Ansonsten hätte ich diesen Trampel sofort standrechtlich erschießen lassen können. Dieser morgendliche Terror war ohne Wenn und Aber die reinste Wehrkraftzersetzung. Dennoch hielt ich an mich, wurde meiner neuen Situation gewahr, ja sprach mir selbst beruhigend zu, dass dieser Kretin aufgrund seines Broterwerbs wohl keine Alternative hatte und es auf seine tölpelhafte Weise wahrscheinlich sogar gut mit mir zu meinen glaubte.

»Auf geht's«, krähte der Krämer nun, »kommen Sie, helfen Sie mir mal!« Und dabei deutete er nickend mit seinem Kopf auf etliche transportable Zeitschriftenhalter, von denen er einen bereits nach außen schob.

Ich quälte mich seufzend hoch, um, noch immer ermüdet, seinem Wunsche zu folgen. Es war schon paradox: Vorgestern hatte ich noch die 12. Armee verschoben, heute waren es Regale. Mein Blick fiel auf das neue Heft von »Wild und Hund«. Manches gab es also immer noch. Und obwohl ich nie ein leidenschaftlicher Jäger gewesen bin, im Gegenteil die Jagd schon immer eher kritisch betrachtet habe, packte mich doch in jenem Augenblick kurz die Sehnsucht, diesem seltsamen Alltag zu entfliehen, mit einem Hund durch die Natur zu streifen, in der Natur Auge in Auge mit der Kreatur das Werden und Vergehen der Welt zu verfolgen ... Dann riss ich mich aus meinen Träumereien. In wenigen Minuten richteten wir nun gemeinsam seinen Kiosk zum Verkaufe her. Der Krämer holte zwei Klappstühle heraus und stellte sie vor dem Häuschen in die Sonne. Er bot mir einen Platz an, holte eine Zigarettenschachtel aus der Hemdtasche, klopfte einige Zigaretten aus der Öffnung und hielt sie mir hin.

»Ich rauche nicht«, schüttelte ich den Kopf, »doch danke.«

Er nahm eine Zigarette, steckte sie in seinen Mund, holte ein Feuerzeug aus seiner Hosentasche und entzündete sie. Er sog den Rauch ein, ließ ihn dann genussvoll ausströmen und sagte:

»Ahhh – und jetzt ein Kaffee! Für Sie auch? Das heißt, wenn Sie mögen – ich habe hier nur Pulverkaffee.«

Das war nicht überraschend. Natürlich blockierte der Engländer nach wie vor die Seewege, dieses Problem hatte ich zur Genüge kennenlernen »dürfen«, es war nur verständlich, dass in meiner Abwesenheit die wie auch immer geartete oder benannte neue Reichsführung mit der Lösung überfordert gewesen sein musste – und es noch immer war. Die tapfere, leidensfähige deutsche Bevölkerung musste also wie seit so langer Zeit mit Ersatzmitteln arbeiten. Muckefuck hatte man den Kaffeeersatz wohl genannt, und mir fiel sofort auch wieder der pappsüße Presskornriegel ein, der hier notgedrungen in der Rolle des guten deutschen Brotes dilettieren musste. Und der bedauernswerte Zeitungskrämer schämte sich vor seinem Gast, weil er im Würgegriff der britischen Parasiten der Menschheit nichts Besseres anzubieten hatte. Es war schier empörend. Eine Welle der Rührung stieg in mir hoch.

»Sie können nichts dafür, guter Mann«, beruhigte ich

ihn, »ich bin ohnehin kein Liebhaber des Kaffees. Für ein Glas Wasser wäre ich jedoch dankbar.«

So verbrachte ich meinen ersten Morgen in dieser seltsamen neuen Zeit an der Seite des rauchenden Zeitungskrämers, begleitet vom festen Vorsatz, so lange die Bevölkerung zu studieren und aus ihrem Verhalten neue Erkenntnisse zu gewinnen, bis möglicherweise der Krämer aufgrund seiner angedeuteten Beziehungen tatsächlich eine kleine Tätigkeit für mich vermitteln konnte.

Die ersten Stunden am Kiosk gehörten den einfachen Arbeitern und den Rentnern. Sie redeten nicht viel, kauften Rauchwaren, die Morgenzeitung, vor allem eine Zeitung namens »Bild« war sehr beliebt, gerade auch bei Älteren, ich nahm an, weil der Verleger eine unerhört große Schrift bevorzugte, damit auch Menschen mit Sehschwäche nicht auf Informationen zu verzichten brauchten. Eine ausgezeichnete Idee, musste ich im Stillen zugeben, daran hatte nicht einmal der eifrige Goebbels gedacht – mit dieser Maßnahme hätten wir ohne Zweifel noch mehr Begeisterung in diesen Bevölkerungsgruppen entfachen können. Gerade den älteren Volkssturmleuten hatte es in den letzten von mir erlebten Kriegstagen an Schwung, Durchhaltewillen und Opferbereitschaft gemangelt, wer konnte ahnen, dass so einfache Mittel wie eine größere Schrift so viel Wirkung erzielten?

Andererseits: Es hatte ja auch Papier gefehlt. Dieser Funk war doch alles in allem ein unheilbarer Trottel gewesen.

Meine Anwesenheit vor dem Kiosk führte allmählich zu ersten Problemen. Gelegentlich gab es zwar, gerade unter den jüngeren Arbeitern, Heiterkeit, häufiger auch Anerkennung, die in den Worten »kuhl« und »krass« ausgedrückt wurde, unverständlich, gewiss, aber das Mienenspiel ließ auf einen unleugbaren Respekt schließen.

»Gut, nicht wahr«, strahlte da der Zeitungskrämer den Kunden an, »da merkt man keinen Unterschied, oder?«

»Nee«, sagte der Kunde, ein Arbeiter, er mochte Mitte zwanzig sein, und faltete seine Zeitung. »Aber darf man denn das?«

»Was?«, fragte der Krämer.

»Na, in der Uniform.«

»Was gibt es am deutschen Soldatenrock auszusetzen?«, fragte ich argwöhnisch und auch mit leichtem Ärger im Tonfall.

Der Kunde lachte, vermutlich, um mich zu beschwichtigen.

»Der ist wirklich gut. Nein, ich meine, Sie machen das ja wohl beruflich, aber braucht man da eine Sondererlaubnis, wenn man die ständig in der Öffentlichkeit trägt?«

»Das wäre ja noch schöner!«, gab ich empört zurück.

»Ich meine ja nur«, sagte er etwas eingeschüchtert, »wegen der Verfassung ...«

Das gab mir zu denken. Er meinte es nicht böse, und tatsächlich war die Verfassung meiner Uniform nicht die beste.

»Gut, sie ist etwas schmutzig«, gab ich leicht geknickt zu, »aber selbst schmutzig ist das Kleid des Soldaten noch immer von größerer Ehre als jeder saubere Frack des verlogenen Diplomatentums!«

»Warum soll die verboten sein?«, fragte der Zeitungskrämer nüchtern, »ist doch kein Hakenkreuz dran.«

»Was soll denn das nun wieder heißen?«, schrie ich da

erbost. »Sie werden ja wohl auch so wissen, in welcher Partei ich bin!«

Der Kunde verabschiedete sich mit einem Kopfschütteln. Als er weg war, bat der Zeitungskrämer mich, wieder Platz zu nehmen, und wandte sich ruhig an mich.

»Er hat nicht ganz unrecht«, sagte er freundlich. »Die Kunden gucken schon seltsam. Ich weiß ja, dass Sie Ihre Arbeit sehr ernst nehmen. Aber könnten Sie nicht wirklich was anderes anziehen?«

»Ich soll mein Leben, meine Arbeit, mein Volk verleugnen? Das können Sie nicht von mir verlangen«, sagte ich und sprang wieder auf. »Ich werde diese Uniform tragen bis zum letzten Blutstropfen. Ich werde die Opfer der Bewegung nicht durch erbärmlichen Verrat ein zweites Mal von hinten erdolchen wie Brutus den Cäsar ...«

»Müssen Sie eigentlich immer gleich so ein Fass aufmachen?«, sagte der Zeitungskrämer nun auch ein wenig ungehalten. »Es hat ja nicht nur was mit der Uniform zu tun ...«

»Sondern?«

»Das Ding stinkt. Ich weiß ja nicht, woraus Sie sie gemacht haben, aber haben Sie da alte Tankwartsuniformen verarbeitet oder was?«

»Im Feld kann der einfache Landser auch nicht den Rock wechseln, und ich werde hier nicht der Dekadenz derer anheimfallen, die es sich hinter der Front gemütlich machen.«

»Das mag ja alles sein, aber denken Sie doch mal an Ihr Programm!«

»Wieso?«

»Na, Sie wollen doch Ihr Programm an den Mann bringen, oder?«

»Ja und?«

»Haben Sie schon mal daran gedacht, was passiert, wenn hier mal wirklich ein paar Leute vorbeikommen und Sie kennenlernen wollen? Und dann stehen Sie da und riechen, dass man sich nicht traut, neben Ihnen eine Zigarette anzuzünden.«

»Sie haben sich ja auch getraut«, erwiderte ich. Aber meinen Worten fehlte die gewohnte Schärfe, weil ich seinen Argumenten widerwillig beipflichten musste.

»Ich bin eben mutig«, lachte er. »Kommen Sie, gehen Sie rasch nach Hause, und holen Sie sich ein paar andere Klamotten.«

Da war es wieder, das leidige Wohnproblem.

»Ich habe Ihnen doch gesagt, dass das derzeit schwierig ist.«

»Na, aber Ihre Ex arbeitet doch vielleicht jetzt. Oder sie geht einkaufen. Warum stellen Sie sich denn so an?«

»Nun ja«, sagte ich zögernd, »das ist sehr problematisch. Die Wohnung …« Ich war jetzt wirklich ein wenig in argumentativen Nöten. Es war aber auch eine entwürdigende Situation.

»Haben Sie am Ende keinen Schlüssel?«

Diesmal musste ich selbst lachen angesichts von so viel Naivität. Ich wusste gar nicht, ob es für den Führerbunker überhaupt einen Schlüssel gab.

»Nein, äh, wie soll ich sagen: Der Kontakt ist irgendwie … ist, äh, unterbrochen … worden.«

»Haben Sie ein Kontaktverbot?«

»Ich kann es mir ja selbst nicht wirklich erklären«, sagte ich, »aber es ist wohl etwas in der Art.«

»Himmel, so wirken Sie gar nicht«, sagte er etwas reserviert. »Was haben Sie denn angestellt?«

»Ich weiß es nicht«, sagte ich wahrheitsgemäß, »mir fehlt die Erinnerung an die Zwischenzeit.«

»Sie scheinen mir jedenfalls nicht gewalttätig«, sagte er nachdenklich.

»Nun«, sagte ich und rückte mir mit der Hand den Scheitel zurecht, »ich bin natürlich Soldat ...«

»Also schön, Sie Soldat«, sagte der Zeitungskrämer. »Ich mach Ihnen noch einen Vorschlag. Weil Sie gut sind und ich an solche Besessenen wie Sie glaube.«

»Natürlich«, bekräftigte ich seine Rede, »wie jeder vernünftige Mensch. Man muss seine Ziele mit ganzer Kraft verfolgen, ja, mit Besessenheit. Der laue, verlogene Kompromiss ist die Wurzel allen Übels und ...«

»Ist ja gut«, unterbrach er mich, »also passen Sie auf. Ich bringe Ihnen morgen ein paar alte Sachen von mir. Sie brauchen sich nicht bedanken, ich hab in letzter Zeit etwas zugelegt, ich bring die Knöpfe nicht mehr zu«, und dabei blickte er unzufrieden auf seinen Bauch, »aber Ihnen könnten sie passen. Sie arbeiten ja glücklicherweise nicht als Göring.«

»Wie käme ich dazu?«, fragte ich irritiert.

»Und dann bringe ich Ihre Uniform gleich in die Reinigung ...«

»Die Uniform gebe ich nicht aus der Hand!«, betonte ich unnachgiebig.

»Schön«, sagte er, und er wirkte mit einem Male ein wenig erschöpft, »dann bringen eben Sie Ihre Uniform in die Reinigung. Aber das sehen Sie doch ein, oder? Dass man die mal sauber machen muss.«

Man wurde behandelt wie ein kleines Kind, es war empörend. Aber, so viel war klar, das würde so bleiben, solange ich schmutzig wie ein Kind herumlief. Also nickte ich.

»Bloß mit den Schuhen wird das schwierig werden«, sagte er. »Was haben Sie für eine Größe?«

»43«, sagte ich gottergeben.

»Da werden Ihnen meine zu klein sein«, sagte er. »Aber ich lass mir was einfallen.«

IV.

Man muss dem Leser mit Verständnis begegnen, wenn in ihm an dieser oder auch an anderer Stelle ein Staunen aufkeimt über die Geschwindigkeit, mit der ich mich in die Gegebenheiten der neuen Situation fügte. Es kann auch gar nicht anders sein, dass der Leser, der über Jahre, ja Jahrzehnte meiner Abwesenheit unablässig aus der Suppenkelle der Demokratie mit einem verbogenen marxistischen Geschichtsbilde übergossen wurde, dass er in der Brühe schwimmend kaum noch fähig ist, den Blick über den eigenen Tellerrand hinauszulenken. Ich will hier an den ehrlichen Arbeiter, den braven Bauern auch keinerlei Vorwurf richten. Wie will denn der einfache Mann dagegen aufbegehren, wenn all die vermeintlichen Fachleute und dahergelaufenen Gelehrten vom hohen Katheder ihrer vorgeblichen Wissenstempel herab über sechs Jahrzehnte verkünden, der Führer sei tot? Wer will es dem Manne übel nehmen, dass er inmitten des täglichen Überlebenskampfs nicht die Kraft findet zu sagen: »Wo ist er denn, der tote Führer? Wo liegt er denn? Zeigt ihn mir!«

Und die Frau natürlich auch.

Aber wenn der Führer dann plötzlich da ist, wo er schon immer war, nämlich in der Reichshauptstadt, dann ist die Verwirrung, dann ist die allgemeine Überforderung im Volke natürlich so heillos wie das Erstaunen darüber. Und es wäre durchaus verständlich gewesen, wenn auch ich in regloser Verblüffung Tage, ja Wochen verharrt hätte, gelähmt angesichts des Unverständlichen. Doch das Schicksal wollte es, dass ich anders bin. Dass mir beizeiten ermöglicht wurde, mir unter Mühen und Entbehrungen in harten, lehrreichen Jahren eine vernünftige Meinung zu bilden, eine Meinung, die in der Theorie geschmiedet, aber im harten Schlachtfeld der Praxis zur vollkommenen Waffe gehärtet worden war, sodass sie mein weiteres Werden und Wirken seither nahezu unverändert bestimmen konnte – und die auch jetzt keiner neumodischen oder leichtfertigen Neuerung bedurfte, sondern mir im Gegenteil zu alter und zugleich neuer Einsicht verhalf. So war es letzten Endes auch und gerade der Führergedanke, der mich aus meiner fruchtlosen Suche nach Erklärungen riss.

Ich hatte mich in einer der ersten Nächte unruhig auf meinem Sessel gewälzt, schlaflos nach meiner anstrengenden Lektüre, grübelnd über mein hartes Los, bis mich plötzlich eine Einsicht durchzuckte. Schlagartig setzte ich mich auf, die Augen von der Eingebung aufgerissen, so spähten sie auf die großen Gläser mit buntem Zuckerzeug und allerlei mehr. Es war, so stand es wie in schimmerndes Erz gegossen vor meinem inneren Auge, das Schicksal selbst gewesen, das hier mit undurchschaubarer Hand in den Gang der Ereignisse eingegriffen hatte. Ich schlug mir mit der flachen Hand an die Stirne, es war so offensichtlich, dass ich mich selbst schalt, weil ich es nicht früher erkannt hatte. Zumal das Schicksal nicht zum ersten Male lenkend das Ruder an sich gerissen hatte. War es nicht 1919, auf dem tiefsten Punkt des deutschen Elends, genauso gewesen? War damals nicht ein unbekannter Gefreiter aus dem Schützengraben emporgekommen? Hatte sich nicht trotz der Bedrückung kleiner, kleinster Verhältnisse ein Rednertalent unter den vielen, unter den Hoffnungslosen gezeigt, ausgerechnet dort, wo man es am wenigsten vermutet hätte? Hatte sich nicht in diesem Talente auch ein erstaunlicher Wissens- und Erfahrungsschatz offenbart, gesammelt in bittersten Wiener Tagen, einer unstillbaren Wissbegier geschuldet, die den Heranwachsenden mit wachem Verstand von frühester Jugend an alles aufsaugen ließ, was mit Geschichte und Politik zusammenhing? Wertvollste Kenntnisse, scheinbar zufällig eingelagert, doch in Wahrheit von der Vorsehung sorgsam Krume für Krume in einem einzelnen Manne angehäuft? Und hatte nicht dieser eine, dieser unscheinbare Gefreite, auf dessen einsamen Schultern Millionen ihre Hoffnungen auftürmten, hatte nicht er die Fesseln von Versailles und Völkerbund gesprengt, mit von den Göttern verliehener Leichtigkeit die aufgezwungenen Kämpfe mit den Heeren Europas bestanden, gegen Frankreich, gegen England, gegen Russland, hatte nicht dieser vorgeblich nur mäßig gebildete Mann gegen das einhellige Urteil aller sogenannten Fachleute das Vaterland auf die höchsten Höhen des Ruhmes geführt?

Nämlich ich.

Jedes einzelne Ereignis, so dröhnte es still in meinen Ohren, jeder einzelne Sachverhalt damals war schon für sich allein genommen unwahrscheinlicher gewesen als alles, was mir in den letzten zwei, drei Tagen widerfahren war. Messerscharf bohrte sich jetzt mein Blick durch das Dunkel zwischen einem Behälter für Dauerlutscher und einem für Fruchtbonbons hindurch, wo das klare Mondlicht nüchtern wie eine eisige Fackel meinen Geistesblitz illuminierte. Gewiss, dass ein einsamer Streiter ein ganzes Volk aus einem Sumpf von Irrwegen herausführte, eine wundersame Begabung, das konnte natürlich vorkommen, einmal in hundert oder zweihundert Jahren. Aber was wollte das Schicksal denn tun, wenn dieser kostbare Trumpf schon ausgespielt war? Wenn im vorhandenen Menschenmaterial kein Kopf sich fand, dem man die nötige Geistesgegenwart zusprechen konnte?

Dann musste es ihn wohl oder übel aus dem Talon der Vergangenheit herüberretten.

Und es war das zwar fraglos eine Art Wunder, aber doch ein unvergleichlich leichter zu bewältigendes denn die Aufgabe, dem Volke aus dem vorhandenen minderwertigen Bleche ein neues scharfes Schwert zu verfertigen. Und noch während diese Einsichten mein unstetes Denken mit ihrer luziden Klarheit zu beruhigen begannen, stieg eine neue Besorgnis aus meiner nunmehr hellwachen Brust. Denn dieser Schluss führte zugleich einen weiteren herbei wie einen ungeladenen Gast: Wenn denn das Schicksal zu einem solchen – und man musste es ohne Umschweife so nennen – Taschenspielertrick genötigt war, dann musste die Lage, obzwar sie auf den ersten Blick eher ruhig geschienen hatte, in Wirklichkeit noch verheerender sein als damals.

Und das Volk in umso größerer Gefahr!

Es war dieser Augenblick, in dem mir gleißend hell wie eine Fanfare bewusst wurde, dass jetzt nicht mehr der Moment war, Zeit mit akademischen Überlegungen zu verschwenden, im kleinlichen Brüten über »wie« und »ob« zu versinken, wo doch das »Warum« und das »Dass« die weitaus wesentlicheren Aspekte waren.

Jedoch galt es noch eine Frage zu beantworten: Warum ich? Wenn doch so viele Große in der deutschen

Geschichte auf eine zweite Gelegenheit warteten, ihr Volk zu neuem Ruhm zu führen?

Warum nicht ein Bismarck, nicht ein Friedrich II.?

Ein Karl?

Ein Otto?

Die Antwort auf diese Frage fiel nach den anfänglichen Überlegungen so leicht, dass ich beinahe geschmeichelt schmunzelte. Denn die herkulische Aufgabe, die hier ihrer Bewältigung harrte, schien wahrlich geeignet, selbst tapferste Männer, große und größte Deutsche in die Schranken zu weisen. Allein, auf sich gestellt, ohne Parteiapparat, ohne Regierungsgewalt, damit galt es denjenigen zu betrauen, der bereits einmal gezeigt hatte, dass er zum Ausmisten eines demokratischen Augiasstalles in der Lage gewesen war. Die Frage, die es nun zu beantworten galt, war: Wollte ich all jene schmerzlichen Opfer erneut, ein zweites Mal auf mich nehmen? Alle Entbehrungen schlucken, ja voll Verachtung hinunterwürgen? In einem Sessel nächtigen unweit eines Wasserkessels, in dem tagsüber schlichte Rindswürstchen zum Verzehr erhitzt wurden? Und das einem Volke zuliebe, das schon einmal im Ringen um seine Bestimmung seinen Führer im Stich gelassen hatte? Was war denn gewesen mit dem Angriff der Gruppe Steiner? Oder mit Paulus, diesem ehrlosen Lump?

Aber hier galt es dem Groll Einhalt zu gebieten, streng den gerechten Zorn von der blinden Wut zu scheiden. So wie das Volk zu seinem Führer stehen muss, so muss auch der Führer zu seinem Volke stehen. Der einfache Landser hat unter der richtigen Führung noch stets sein Bestes gegeben, kein Vorwurf ist ihm zu machen, wenn er nicht treu ins feindliche Feuer marschieren kann, weil feiges, pflichtvergessenes Generalsgesindel ihm den ehrlichen Soldatentod unter den Stiefeln hinwegkapituliert.

»Ja!«, rief ich daher aus, ins Dunkel des Kiosks hinein. »Ja! Ich will! Und ich werde! Ja, ja und abermals ja!«

Die Nacht antwortete mir mit schwarzer Stille. Dann ließ sich von unfern ein einsamer Rufer vernehmen:

»Genau! Alles Arschlöcher!«

Es hätte mir eine Mahnung sein sollen. Doch wenn ich damals schon von den zahllosen Mühen, den bitteren Opfern gewusst hätte, die ich in der Folge würde bringen müssen, von den harten Qualen des ungleichen Kampfes – ich hätte meinen Schwur nur umso kräftiger in doppelter Lautstärke getan.

V.

Schon die ersten Schritte fielen mir schwer. Es war dies jedoch keine Frage fehlender Kraft, tatsächlich kam ich mir in der geliehenen Kleidung vor wie ein Idiot. Hose und Hemd gingen noch an. Der Krämer hatte mir ein Paar saubere blaue Baumwollhosen mitgebracht, die er »Schiens« nannte, dazu ein sauberes rot kariertes Baumwollhemd. Ich hatte eigentlich eher mit Anzug und Hut gerechnet, aber bei näherer Betrachtung des Zeitungskrämers musste ich das im Nachhinein als illusionär abtun. Dieser Mann trug in seinem eigenen Kiosk keinen Anzug, und, soweit ich hatte beobachten können, war auch seine Kundschaft wenig bürgerlich gekleidet. Hüte, dies nur der Vollständigkeit halber, waren offenbar generell unbekannt. Ich beschloss, dem Ensemble mit meinen bescheidenen Mitteln so weit als möglich Würde zu verleihen, indem ich entgegen seiner bizarren Vorstellung, das Hemd einfach lose über der Hose zu tragen, das Hemd sogar besonders tief in meinen Hosenbund schob. Mit meinem Gürtel gelang es mir, die etwas zu weite, aber stramm hochgezogene Hose ordentlich zu befestigen. Dann schnallte ich meinen Riemen über die rechte Schulter. Der Gesamteindruck war zwar nicht der einer deutschen Uniform, aber doch in jedem Falle wenigstens der eines Mannes, der sich anständig zu kleiden wusste. Die Schuhe hingegen blieben ein Problem.

Der Zeitungskrämer hatte, wie er mir versicherte, in Ermangelung anderer Bekannter mit passender Größe ein eigenwilliges Paar von seinem halbwüchsigen Sohn mitgebracht, wobei allerdings fraglich war, ob man sie Schuhe nennen konnte. Sie waren weiß, riesig, mit gewaltigen Sohlen, sodass man in ihnen lief wie ein Zirkusclown. Ich musste sehr an mich halten, um diese Spottschuhe nicht an den trotteligen Krämerskopf zu schleudern.

»Das trage ich nicht«, betonte ich, »darin sehe ich aus wie ein dummer August!«

Er machte, wohl gekränkt, eine Bemerkung dahingehend, dass er mit meiner Art, das Hemd zu tragen, auch nicht einverstanden sei, aber ich sah es ihm nach. Ich legte die Hosenbeine eng an meine Waden und schob die Schienshose in meine Stiefel.

»Sie wollen wohl partout nicht aussehen wie normale Leute?«, fragte der Zeitungskrämer.

»Wo wäre ich, wenn ich immer alles so gemacht hätte wie die sogenannten normalen Leute?«, gab ich zurück. »Und wo wäre Deutschland?«

»Hm«, sagte der Zeitungskrämer beschwichtigt und zündete sich wieder eine Zigarette an, »so kann man's auch sehen.«

Er legte meine Uniform zusammen und schob sie in einen interessanten Beutel. Auffällig daran war nicht nur das Material, eine Art sehr dünner Kunststoff, offenbar viel strapazierfähiger und flexibler als Papier. Interessant war der Aufdruck: »Media Markt« stand darauf, anscheinend hatte der Beutel zuvor als Verpackung für die Idiotenzeitung gedient, die ich unter jener Parkbank gesehen hatte. Das zeigte, dass der Zeitungskrämer im Grunde seines Wesens durchaus vernünftig war – den nützlichen Beutel hatte er behalten, den schwachsinnigen Inhalt aber weggeworfen. Der Zeitungskrämer drückte mir den Beutel in die Hand, beschrieb mir den Weg zur Reinigung und sagte fröhlich: »Viel Spaß!«

Also machte ich mich auf, wenn auch nicht sogleich zur Reinigung. Mein erster Weg führte mich zurück zu jenem Areale, auf dem ich erwacht war. Trotz meiner völligen Unverzagtheit konnte ich nicht die vage Hoffnung leugnen, dass mich vielleicht doch noch jemand aus dem Einst begleitet hatte in das Heute. Ich fand die vertraute Parkbank, auf der ich erstmals gerastet hatte, überquerte sehr vorsichtig die Straße, um zwischen den Gebäuden hindurch den Weg zu jener Brache einzuschlagen. Dort war es, am späteren Vormittag, still. Die Hitlerbuben spielten nicht, sondern lernten wohl. Das Areal war leer. Die Tüte in der Hand, ging ich zögerlich auf die nunmehr kaum noch vorhandene Pfütze zu, neben der ich erwacht war. Alles war still, so still es jedenfalls in einer Großstadt sein konnte. Man hörte leisen Verkehrslärm, aber auch eine Hummel.

»Psst«, sagte ich, »psst!«

Nichts geschah.

»Bormann«, rief ich nun leise. »Bormann! Sind Sie hier irgendwo?«

Eine Windbö stob durch das Gelände, eine leere Dose klapperte gegen eine zweite. Sonst rührte sich nichts.

»Keitel?«, rief ich nun. »Goebbels?«

Aber niemand antwortete. Nun gut. So war es sogar noch besser. Der Starke ist am mächtigsten allein. Wie ehedem galt dies auch in dieser Stunde, jetzt mehr denn je. Hatte ich doch nunmehr Klarheit. Alleine hatte ich das Volk zu retten. Alleine die Erde und alleine die Menschheit. Und der erste Schritt auf dem Wege des Schicksals führte in die Reinigung.

Meinen Beutel in der Hand, ging ich nun entschlossen zurück zu meiner alten Schulbank, auf der ich die kostbarsten Lektionen meines Lebens gelernt hatte: der Straße. Aufmerksam folgte ich dem Wege, verglich Häuserzeilen und Straßenzüge, prüfte, wog, wägte, wagte. Eine erste Bestandsaufnahme fiel dabei durchaus positiv aus: Das Land oder zum Mindesten die Stadt wirkte trümmerfrei, aufgeräumt, insgesamt konnte man ihr einen zufriedenstellenden Vorkriegszustand bescheinigen. Die neuen Volkswagen fuhren offenbar zuverlässig, leiser als früher, auch wenn sie ästhetisch nicht nach jedermanns Geschmack waren. Was sofort jedoch dem klaren Blick ins Auge stach, waren zahlreiche irritierende Schmierereien an allen Wänden. Gewiss war mir die Technik vertraut, bereits damals in Weimar hatten kommunistische Helfershelfer ihren bolschewikischen Unfug überall hingekleckst. Und nicht zuletzt davon hatte ich selbst ja auch gelernt. Aber damals konnte man die Parolen beider Seiten immerhin noch lesen. Jetzt, stellte ich fest, waren zahlreiche Botschaften, die der Urheber offenbar für wichtig genug erachtete, um die Häuserfassaden braver Bürger damit zu entstellen, schlichtweg nicht zu entziffern. Ich konnte nur hoffen, dass dies an der Unbildung möglicherweise linken Gesindels lag, aber nachdem sich die Leserlichkeit der Botschaften mit Fortdauer meines Weges nicht und nicht änderte, musste ich annehmen, dass sich dahinter womöglich auch so wichtige Mitteilungen wie »Deutschland erwache« verbargen oder »Sieg heil!«. Angesichts von so viel Dilettantismus kochte in mir sogleich ein gewaltiger Zorn hoch. Da fehlte doch eindeutig die führende Hand, die straffe Organisation. Besonders ärgerlich war dies angesichts der Tatsache, dass manche dieser Schriften teilweise sogar mit viel Farbe und sichtlicher Mühe verfertigt worden waren. Oder hatte man in meiner Abwesenheit für politische Parolen eine eigene Schrift entwickelt? Ich entschloss mich, der Sache auf den Grund zu gehen, trat auf eine Dame zu, die an der Hand ihr Kind führte.

»Entschuldigen Sie die Störung, gnädige Frau«, sprach ich sie an und wies mit der freien Hand auf eine beliebige der Wandaufschriften, »was steht da?«

»Woher soll ich das wissen?«, fragte die Dame und bedachte mich mit einem seltsamen Blick.

»Es kommt also auch Ihnen diese Schrift seltsam vor?«, forschte ich weiter.

»Die Schrift schon auch«, sagte die Dame zögerlich und zerrte dann ihr Kind weiter, »aber ist mit Ihnen alles in Ordnung?«

»Machen Sie sich keine Sorgen«, sagte ich, »ich gehe nur rasch zur Reinigung.«

»Sie sollten lieber zum Friseur!«, rief die Frau.

Ich wandte den Kopf zur Seite, beugte ihn hinunter zur Scheibe eines der neumodischen Automobile und musterte mein Antlitz. Der Scheitel saß, wenn auch nicht exzellent, so doch gut, und der Bart würde wohl in einigen Tagen etwas nachgeschnitten werden müssen, aber insgesamt war ein Friseurbesuch fürs Erste nicht kriegsentscheidend. Für eine gründlichere Leibwäsche, so kalkulierte ich bei der Gelegenheit, war der kommende Tag oder auch Abend strategisch vermutlich am günstigsten. So machte ich mich denn wieder auf, vorbei an dieser allgegenwärtigen Wandpropaganda, die genauso gut in chinesischen Zeichen dort hätte stehen können. Was mir dabei jedoch ebenfalls auffiel, war, dass offenbar die Bevölkerung in bewundernswertem Umfange mit Volksempfängern ausgerüstet war. An zahllosen Fenstern waren Radar-Schüsseln angebracht, die zweifellos dem Rundfunk dienten. Und wenn es mir nun gelänge, über den Rundfunk zu sprechen, dann musste die Gewinnung neuer, überzeugter Volksgenossen wohl ein Leichtes sein. Hatte ich nicht vergeblich einem Radioprogramm gelauscht, das so klang, als würden betrunkene Musiker das spielen, lallende Sprecher das vorlesen, was hier so unverständlich an die Wand geschmiert worden war? Ich brauchte nur verständliches Deutsch zu sprechen, das musste schon genügen – eine Kleinigkeit. Beschwingt, zuversichtlich schritt ich aus, sah schon in kurzer Ferne das Schild für einen »Blitzreinigung's-Service Yilmaz«.

Das kam ein wenig unerwartet.

Gewiss, die vielen Zeitungen hatten das Vorhandensein einer türkischen Leserschaft bereits nahegelegt, wenn auch die Umstände von deren Zustandekommen im Unklaren geblieben waren. Und freilich war mir auch auf meinem Fußwege der eine oder andere Passant aufgefallen, dessen arische Abstammung, gelinde gesagt, nicht nur in der vierten und fünften Generation fragwürdig schien, sondern eher bis hinein in die letzte Viertelstunde. Doch auch wenn nicht ganz klar wurde, in welcher Funktion die rassischen Fremdlinge hier zugange waren, leitend schien ihre Tätigkeit nicht. Auch aus diesem Grunde war die ganze Übernahme mittelständischer Betriebe bis in die Namensgebung hinein schwer vorstellbar, und selbst aus Gründen wirtschaftlicher Propaganda ließ sich meiner Erfahrung nach die Taufe eines »Blitzreinigung's-Service« auf den Namen »Yilmaz« nicht recht nachvollziehen. Seit wann zeugte ein »Yilmaz« von sauberen Hemden? Ein »Yilmaz« zeugte allenfalls vom mehr oder weniger zufriedenstellenden Betrieb eines ältlichen Eselkarrens. Allein eine alternative Reinigung bot sich nicht an. Und nicht zuletzt galt es, durch Geschwindigkeit den politischen Gegner unter Druck zu setzen. Insofern hatte ich in der Tat Bedarf für eine Blitzreinigung. Von beträchtlichen Zweifeln befallen, marschierte ich ein.

Ein verzerrtes Glockenspiel begrüßte mich. Es roch nach Putzmittel, es war warm, deutlich zu warm für ein Baumwollhemd, aber die hervorragenden Uniformen des Afrikakorps waren ja leider derzeit nicht verfügbar. Im Laden war niemand. Auf der Theke war eine Glocke, wie man sie öfter im Hotel findet.

Nichts geschah.

Man hörte deutlich orientalisch-wehleidige Musik, möglicherweise trauerte in einem hinteren Arbeitsbereiche eine anatolische Waschfrau ihrer entfernten Heimat nach – ein wunderliches Verhalten, zumal wenn man doch das Glück hatte, stattdessen in der deutschen Reichshauptstadt zu leben. Ich musterte die Kleidungsstücke, die hinter der Theke in Reih und Glied hingen. Sie waren in einen transparenten Stoff gehüllt, dem Materiale nicht unähnlich, aus dem mein Beutel bestand. Man schien generell alles in dieses Zeug zu hüllen. Ich hatte dergleichen schon einmal in einigen Labors gesehen, doch die IG Farben war damit in den letzten Jahren wohl erheblich weitergekommen. Meiner Information nach war die Herstellung des Materials zwar in entscheidendem Umfange vom Besitz von Erdöl abhängig und daher entsprechend kostspielig. Doch die Art, in der hier der Umgang mit Kunststoffen gepflegt wurde, ja, auch wie hier mit dem Automobil gefahren wurde, ließ darauf schließen, dass Erdöl kein Problem mehr zu sein schien. Hatte das Reich womöglich die rumänischen Vorkommen in Händen behalten? Unwahrscheinlich. Hatte Göring am Ende auf heimischem Boden neue Quellen gefunden? Bitteres Lachen stieg in mir auf – Göring! Eher als Öl in Deutschland würde er noch Gold in seiner Nase finden. Der unfähige Morphinist! Was wohl aus ihm geworden war. Denkbarer schien, dass man auf andere Ressourcen ausgewichen war, und –

»Warten schon lange?«

Ein südeuropäischer Mann mit asiatischen Wangenknochen sah aus einem Durchlass vom hinteren Bereiche in den Verkaufsraum hervor.

»Durchaus!«, sagte ich ungehalten.

»Warum nix klingel?« Er wies auf die Glocke auf seiner Theke und schlug sachte mit der flachen Hand drauf. Die Glocke läutete.

»Ich hatte *hier* geklingelt!«, sagte ich mit Nachdruck und öffnete die Eingangstür. Es ertönte wieder das seltsam verzerrte Glockenspiel.

»Musse *hier* klingel!«, sagte er uninteressiert und schlug nochmals auf seine Thekenglocke.

»Ein Deutscher klingelt nur einmal«, sagte ich gereizt.

»Dann *hier*«, sagte der Reinigungsmischling ungewissen Grades und läutete erneut mit der flachen Hand. Ich hatte plötzlich große Lust, die SA vorbeizuschicken, um ihm das Trommelfell mit seiner eigenen Glocke zerfetzen zu lassen. Oder noch besser: beide Trommelfelle, dann konnte er künftig seiner Kundschaft erklären, wo sie beim Eintreten zu winken hatte. Ich seufzte. Es war schon ärgerlich, wenn man der einfachsten Hilfskolonnen entraten musste. Die Angelegenheit hatte wohl zu warten, bis einiges in diesem Lande wieder geradegerückt war, aber im Geiste begann ich schon einmal eine Liste der Volksschädlinge aufzustellen, und »Reinigung's-Yilmaz« stand hiermit ganz oben. Einstweilen blieb mir nichts übrig, als grimmig die Thekenglocke aus seiner Reichweite zu ziehen.

»Sagen Sie mal«, fragte ich harsch, »machen Sie auch Sachen sauber? Oder ist da, wo Sie herkommen, das Reinigungsgewerbe eine ausschließlich läutende Tätigkeit?«

»Was Sie wolle?«

Ich legte meinen Beutel auf die Theke und holte die Uniform hervor. Er schnupperte leicht in die Luft, dann sagte er: »Ah, Sie Tankstellemann«, und nahm die Uniform gleichmütig an sich.

Es hätte mir gleichgültig sein können, was irgendein fremdrassiger Nichtwähler glaubte, aber dennoch konnte ich nicht ganz darüber hinwegsehen. Gut, der Mann war nicht von hier, aber konnte ich derart in Vergessenheit geraten sein? Andererseits kannte das Volk mich schon früher häufig nur von den Pressefotos, die mich üblicherweise aus einem besonders günstigen seitlichen Winkel zeigten. Und die leibhaftige Begegnung wirkt dann doch davon oft überraschend verschieden.

»Nein«, sagte ich bestimmt, »ich bin *nicht* der Tankstellenmann.«

Daraufhin blickte ich leicht an ihm vorbei nach oben, um ihm dank des fotogeneren Blickwinkels deutlicher zu zeigen, wen er da vor sich hatte. Der Reiniger musterte mich nicht sehr interessiert, mehr anstandshalber, jedoch schien ich ihm auch nicht völlig fremd. Er beugte sich dann nach vorne über die Theke und sah auf meine tadellos in die Schaftstiefel gesteckte Hose.

»Ich weisnich … Sie berühmte Angelmann?«

»Jetzt geben Sie sich doch mal Mühe«, rief ich energisch und auch nicht wenig enttäuscht. Sogar bei dem Zeitungskrämer, auch er mit Sicherheit kein Genie, hatte ich doch auf ein gewisses Vorwissen bauen können. Nun das! Wie sollte ich zurück in die Reichskanzlei, wenn ich niemandem ein Begriff war?

»Moment«, sagte der zugewanderte Trottel, »hole ich Sohn. Immer schaut fern, immer schaut Intanet, kennt alles. Mehmet! Mehmet!«

Es dauerte nicht lange, bis jener Mehmet nach vorne kam. Ein groß gewachsener, mäßig reinlich wirkender Jüngling schlurfte zusammen mit einem Freund oder Bruder nach vorne. Das Erbgut dieser Familie schien nicht zu unterschätzen, die beiden trugen die alten Sachen von noch größeren, offenbar wahrhaft gigantischen Brüdern auf. Hemden wie Bettlaken, unvorstellbar große Hosen.

»Mehmet«, sagte sein Erzeuger und wies auf mich, »kennstu Mann?«

In den Augen des kaum mehr Knaben zu nennenden Knaben war ein Leuchten zu erkennen.

»Ey, Mann, Alter, klar! Das ist der, der immer die Nazisachen macht …«

Na, wenigstens etwas! Das war zwar fraglos ein wenig salopp formuliert, aber doch letzten Endes nicht ganz unzutreffend. »Es heißt Nationalsozialismus«, korrigierte ich ihn wohlwollend, »oder nationalsozialistische Politik, das kann man auch sagen.« Zufrieden blickte ich bestätigt zu »Reinigung's-Yilmaz«.

»Das ist der Stromberg«, sagte Mehmet bestimmt.

»Krass«, sagte sein Kamerad. »Stromberg in eurer Wäscherei!«

»Nee«, verbesserte sich Mehmet, »das ist der andere Stromberg. Der aus Switsch.«

»Hamma«, variierte der Kamerad seine Aussage leicht, »der andere Stromberg! In eurer Wäscherei.«

Ich hätte dem gerne etwas entgegnet, muss aber gestehen, dass ich schlichtweg zu erschüttert war. Wer war ich noch mal? Tankstellenmann? Angelmann? Strommann?

»Krich'n Autogramm?«, fragte Mehmet erfreut.

»Ey ja, Herr Stromberg, mir auch eins«, bat der Kamerad, »und Fotto!« Dabei wedelte er mit einem kleinen Apparat, als wäre ich ein Dackel und der Apparat ein besonderer Leckerbissen.

Es war zum Mäusemelken.

Ich ließ mir einen Abholschein geben, ließ noch ein Erinnerungsfoto mit den seltsamen Gesellen über mich ergehen und verließ die Blitzreinigung, nicht ohne mit einem mir gereichten Farbstift zwei Bogen Einwickelpapier signiert zu haben. Es gab noch eine kurze Krise in der Autogrammproduktion, als bemängelt wurde, dass ich nicht mit »Stromberg« unterzeichnet hatte.

»Ach, is ja klar«, beruhigte der Kamerad, wobei nicht eindeutig war, ob er Mehmet beschwichtigen wollte oder mich, »das is ja gar nicht der Stromberg!«

»Stimmt«, assistierte Mehmet, »Sie sind's ja gar nicht. Sondern der andere.«

Ich muss zugeben, dass ich doch die Größe der Aufgabe unterschätzt hatte. Damals, nach dem Weltkrieg, war ich wenigstens der namenlose Mann aus der Mitte des Volkes gewesen. Jetzt war ich Herr Stromberg, aber der andere. Der Mann, der immer die Nazisachen machte. Der Mann, bei dem es völlig egal war, welchen Namen er auf einen Bogen Einwickelpapier setzte.

Es musste etwas geschehen.

Dringend.

VI.

Erfreulicherweise hatte sich zwischenzeitlich tatsächlich etwas ereignet. Als ich in Gedanken versunken zum Kiosk des Zeitungskrämers zurückkehrte, sah ich ihn auf zwei andere Herren mit Sonnenbrillen einreden. Sie trugen Anzüge, jedoch keine Krawatten, sie waren nicht alt, sie mochten etwa dreißig Jahre zählen, der kleinere von beiden war womöglich sogar jünger, wobei ich das wegen der Entfernung nicht eindeutig zu beurteilen vermochte. Trotz seines offenkundig guten Anzugs war der Ältere erstaunlich unrasiert. Als ich mich näherte, winkte mich der Zeitungskrämer aufgeregt herbei.

»Kommen Sie, kommen Sie!«

Und wieder den Herren zugewandt sagte er: »Das ist er! Der ist klasse. Der Wahnsinn! Da können Sie alle anderen in der Pfeife rauchen.«

Ich ließ mich nicht hetzen. Ein wahrer Führer merkt sofort, schon an kleinsten Details, wenn andere die Kontrolle über eine Situation an sich zu reißen versuchen. Wenn andere sagen »schnell, schnell«, wird der wahre Führer stets versuchen, einer Beschleunigung der Handlungen, einem übereilten Fehlgreifen vorzubeugen, indem er besonderen Bedacht an den Tag legt, wo andere nur kopflos herumeilen wie aufgescheuchte Hühner. Natürlich gibt es Momente, in denen auch Eile vonnöten ist, sagen wir, wenn man in einem Hause steht, das lichterloh brennt, oder wenn man eine größere Zahl englischer und französischer Divisionen in einem Zangenangriff einkesseln und aufreiben möchte bis auf den letzten Mann. Aber es sind diese Situationen doch seltener, als man glaubt, und im Alltage behält Bedacht – natürlich immer im engen Zusammenwirken mit dem kühnen Entschluss! – letzten Endes doch in den weit überwiegenden Fällen die Oberhand, so wie auch im Angesicht des Grauens im Schützengraben oft derjenige überlebt, der mit kühlem Kopfe und eine Pfeife schmauchend durch die Linien geht, statt einem Waschweibe gleich sich wimmernd hierhin und dorthin zu werfen. Andererseits ist freilich Pfeifenrauch keine Garantie für das Überleben in Krisensituationen, es sind im Weltkriege selbstverständlich auch Pfeifenraucher getötet worden, man wäre sogar ein Kretin, wenn man davon ausginge, dass Pfeifenrauch eine schützende Wirkung hätte, es geht überdies auch gänzlich ohne Pfeife und auch ganz ohne Tabak, wenn man beispielsweise überhaupt nicht raucht, wie ich.

Solcherlei waren meine Gedanken, als der Zeitungskrämer ungeduldig auf mich zukam, es hätte nicht viel gefehlt, und er hätte mich zu der kleinen »Konferenz« geschoben wie ein Maultier. Vielleicht sperrte ich mich auch tatsächlich ein wenig, schließlich hätte ich mich – ohne unsicher zu sein – in meiner Uniform doch wohler gefühlt. Daran ließ sich jetzt allerdings nichts ändern.

»Das ist er«, wiederholte der Zeitungskrämer ungewohnt hektisch, »und das«, und dabei wies er mit der Hand auf die beiden Herren, »und das sind die Leute, von denen ich Ihnen erzählt habe.«

Der Ältere stand an einem der kleinen Stehtische und

trank, eine Hand in der Hosentasche, Kaffee aus einem Pappbecher, wie ich es schon mehrmals in den vergangenen Tagen bei den Arbeitern gesehen hatte. Der Jüngere setzte seinen Becher ab, schob seine Sonnenbrille in den Ansatz seiner kurzen, mit zu viel Frisiercreme behandelten Haare und sagte: »Sie sind also der Wunderknabe. Na, an der Uniform müssen Sie aber noch arbeiten.«

Ich betrachtete ihn so kurz wie oberflächlich und wandte mich an den Zeitungskrämer: »Wer ist das?«

Daraufhin bekam der Zeitungskrämer rote Flecken im Gesicht: »Die Herren sind von einer *Produktionsfirma*. Die beliefern die ganzen großen Sender. MyTV! RTL! Sat 1! Pro Sieben! Die ganze Privatschiene! Kann man doch so sagen, oder?« Die letzte Frage richtete sich an die beiden Herren.

»Kann man so sagen«, sagte der Ältere gönnerhaft. Dann nahm er die Hand aus der Hosentasche, hielt sie mir hin und sagte: »Sensenbrink, Joachim. Und das ist Frank Sawatzki, er arbeitet mit mir zusammen bei Flashlight.«

»Aha«, sagte ich und schüttelte die Hand. »Hitler, Adolf.«

Der Jüngere schmunzelte, es wirkte auf mich beinahe überheblich. »Unser gemeinsamer Freund hat uns ja von Ihnen geradezu vorgeschwärmt. Lassen Sie mal was hören!« Dabei legte er grinsend zwei Finger auf seine Oberlippe und sagte: »Soit fönf Ohr fönfonvörzäg wörd zoröckgeschossen!«

Ich wandte mich zu ihm und musterte ihn sorgfältig. Dann ließ ich eine kurze Zeit der Stille einkehren. Stille wird oft unterschätzt.

»So«, sagte ich, »Sie möchten also über Polen sprechen. Polen. Nun gut. Was genau wissen Sie denn von Polens Geschichte?«

»Hauptstadt Warschau, überfallen 1939, mit den Russen geteilt ...«

»Das«, erwiderte ich knapp, »ist Bücherwissen. Jede Papiermotte kann derlei in sich hineinfressen. Beantworten Sie meine Frage!«

»Ich habe doch ...«

»Meine Frage! Verstehen Sie kein Deutsch? Was! Wissen! Sie! Über! Polens Geschichte!«

»Ich ...«

»Was wissen Sie von polnischer Geschichte? Kennen Sie die Zusammenhänge? Und was wissen Sie über das polnische Völkergemisch? Was wissen Sie über die sogenannte deutsche Polenpolitik nach 1919? Und – wenn Sie schon vom Zurückschießen sprechen – wissen Sie überhaupt, wohin?«

Ich machte eine kurze Pause, um ihn Luft holen zu lassen. Den politischen Gegner muss man im rechten Moment überrollen. Nicht, wenn er gerade nichts zu sagen hat. Sondern wenn er etwas zu sagen versucht.

»Ich ...«

»Wenn Sie schon meine Rede gehört haben, dann wissen Sie doch sicher auch, wie sie weitergeht, oder?«

»Das ...«

»Ich höre?«

»Wir sind hier doch nicht ...«

»Ich helfe Ihnen mal: ›Von jetzt ab ...‹ – wissen Sie jetzt weiter?«

»...«

»›Von jetzt ab wird Bombe mit Bombe vergolten.‹ Schreiben Sie's auf, vielleicht fragt man Sie eines Tages noch mal nach den großen Sätzen der Geschichte. Aber vielleicht sind Sie ja in der Praxis besser. Sie haben 1,4 Millionen Mann zur Verfügung und 30 Tage Zeit, um ein ganzes Land zu erobern. 30 Tage, mehr nicht, denn im Westen rüsten fieberhaft Franzosen und Engländer. Wo fangen Sie an? Wie viele Heeresgruppen bilden Sie? Wie viele Divisionen hat der Feind? Wo erwarten Sie den größten Widerstand? Und was tun Sie, damit der Rumäne sich nicht einmischt?«

»Der Rumäne?«

»Verzeihen Sie, verehrter Herr. Sie haben natürlich recht: Wen interessiert der Rumäne? Der Herr General hier marschiert natürlich jederzeit nach Warschau, nach Krakau, er sieht nicht links, er sieht nicht rechts, wozu auch, der Pole ist ja ein leichter Gegner, das Wetter ist schön, die Truppe hervorragend, aber hoppla, was ist denn das? Da hat unsere Armee doch lauter kleine Löcher zwischen den Schulterblättern, und aus diesen Löchern läuft das Blut deutscher Helden, weil ganz plötzlich in Hunderttausenden deutscher Landserrücken Millionen von rumänischen Gewehrkugeln stecken. Ja, wie gibt es denn das? Ja, wie kann das denn sein? Hat denn womöglich unser junger Herr General hier das polnisch-rumänische Militärbündnis vergessen? Waren Sie überhaupt in der Wehrmacht? Ich kann mir beim besten Willen nicht vorstellen, wie Sie in Uniform aussehen. Sie fänden für keine Armee der Welt den Weg nach Polen, Sie finden nicht mal Ihre eigene Uniform! Ich hingegen kann Ihnen jederzeit sagen, wo meine Uniform ist«, und damit griff ich in meine Brusttasche und schmetterte den Abholschein mit der flachen Hand auf den Tisch.

»Und zwar in der Reinigung!«

Daraufhin kam aus dem Älteren, aus Sensenbrink,

ein seltsames Geräusch, und aus seinen Nasenlöchern schossen zwei scharfe Kaffeestrahlen auf mein geborgtes Hemd, zudem auf das des Zeitungskrämers und auf sein eigenes. Der Jüngere saß verwirrt daneben, während der Ältere zu husten begann.

»Das«, röchelte er gebückt keuchend unter dem Tisch hervor, »das war nicht fair.«

Er griff in seine Hosentasche, holte ein Schnäuztuch heraus und befreite mühsam seine Atemwege. »Ich hab gedacht«, rasselte er, »ich hab erst gedacht, das wird hier so eine Militärnummer, ein bisschen wie dieser Ausbilder Schmidt. Aber mit der Reinigung haben Sie mich gekillt.«

»Hab ich's Ihnen nicht gesagt«, jubelte der Zeitungskrämer, »ich hab Ihnen gesagt: Der Mann ist genial. Und er ist es!«

Ich wusste nicht genau, wie ich die Kaffeefontäne und die Kommentare einsortieren sollte. Sympathisch war mir keiner dieser Rundfunkmenschen, allein das war ja unter den Weimarer Verhältnissen auch nicht anders gewesen. Diese Funkfrettchen galt es in einem gewissen unvermeidlichen Maße in Kauf zu nehmen. Außerdem hatte ich doch bislang überhaupt nichts gesagt, jedenfalls nichts von dem, was ich zu sagen hatte und zu sagen gedachte. Dennoch war eine beträchtliche Anerkennung spürbar.

»Sie haben's drauf«, keuchte Sensenbrink, »echt. Eine gute Basis gelegt, und dann zack! – eins obendrauf gesetzt. Wahnsinn. Und das wirkte derart spontan! Aber Sie haben die Nummer natürlich vorbereitet, oder?«

»Welche Nummer?«

»Na, die Polen-Nummer! Oder wollen Sie mir erzählen, dass Sie die aus dem Ärmel geschüttelt haben?«

Sensenbrink schien tatsächlich etwas mehr von der Angelegenheit zu verstehen. Auch einen Blitzkrieg schüttelt man natürlich nicht aus dem Ärmel. Vielleicht hatte er ja sogar seinen Guderian gelesen.

»Selbstverständlich nicht«, pflichtete ich ihm bei, »die Polen-Nummer war seit Juni komplett durchgeplant.«

»Und?«, hakte er nach, während er teils bedauernd, teils belustigt auf sein Hemd starrte. »Haben Sie davon noch mehr?«

»Wie – mehr?«

»Na, ein Programm«, sagte er, »oder andere Texte.«

»Natürlich! Ich habe zwei Bücher geschrieben!«

»Unglaublich«, staunte er. »Sie hätten ruhig schon eher mal kommen können. Wie alt sind Sie denn wirklich?«

»Sechsundfünfzig«, sagte ich sachlich.

»Natürlich«, lachte er, »machen Sie das Make-up eigentlich selber? Oder haben Sie einen Maskenbildner?«

»Normalerweise nicht, nur bei Filmaufnahmen.«

»Nur bei Filmaufnahmen«, lachte er wieder, »sehr gut. Passen Sie auf, ich will Ihnen bei Gelegenheit ein paar Leute in der Firma vorstellen. Wo kann ich Sie erreichen?«

»Hier«, sagte ich fest.

Woraufhin der Zeitungskrämer mir sofort ins Wort fiel und hinzufügte: »Ich hab Ihnen ja gesagt, dass seine persönliche Situation derzeit ein wenig … ungeklärt ist.«

»Ach ja, richtig«, sagte Sensenbrink. »Sie sind gerade etwas, wie soll ich sagen, heimatlos …?«

»Ich bin momentan ohne Wohnung«, gab ich zu, »aber ich bin mit Sicherheit nicht ohne Heimat!«

»Verstehe«, sagte Sensenbrink und wandte sich routiniert an Sawatzki: »Na, das geht ja gar nicht. Organisieren Sie ihm irgendwas. Der Mann muss sich ja vorbereiten. Da kann er noch so gut sein, wenn er so vor der Bellini antanzt, dann schießt die ihn ab, so schnell sehen wir uns gar nicht um. Es muss ja nicht das Adlon sein, nicht wahr?«

»Eine bescheidene Bleibe genügt mir«, sagte ich zustimmend, »der Führerbunker war auch kein Versailles.«

»Gut«, bilanzierte Sensenbrink, »und Sie haben wirklich keinen Manager?«

»Einen was?«

»Nicht so wichtig«, wehrte er ab, »dann wäre das geklärt. Ich will die Angelegenheit eigentlich möglichst schnell zur Entscheidungsreife bringen, wir sollten das diese Woche noch durchziehen. Sagen Sie, Ihre Uniform, die kriegen Sie aber bis dahin wieder?«

»Vielleicht schon heute Abend«, beruhigte ich ihn, »das ist nämlich eine Blitzreinigung.«

Daraufhin bekam er einen Lachkrampf.

vii.

Der erste Morgen in meiner neuen Unterkunft wurde für mich trotz der schon bisher aufwühlenden Vorkommnisse zu einem der anstrengendsten in meinem Leben. Die große Konferenz in der Produktionsfirma hatte sich verzögert, was mir nicht unrecht kam, war ich doch nicht so vermessen zu glauben, ich hätte nicht einen beträchtlichen Nachholbedarf an Kenntnissen zu dieser Gegenwart. Ein Zufall eröffnete mir aber eine neue Quelle für solche Informationen: den Fernsehapparat.

Die Form des Gerätes hatte sich seit den ersten Entwicklungen 1936 derart verändert, dass ich es zunächst schlichtweg nicht erkannt hatte. Ich hatte zuerst angenommen, die flache, dunkle Scheibe in meinem Raum sei wohl eine Art wunderliches Kunstwerk. Dann aber hatte ich vermutet, aufgrund der flachen Form diene sie zur faltenfreien Aufbewahrung meines Hemdes über Nacht, wie überhaupt in dieser modernen Zeit manches aufgrund wohl neuer Erkenntnisse oder einer Leidenschaft für absonderliche Gestaltung gewöhnungsbedürftig war. So hielt man es inzwischen für zumutbar, dem Gast statt eines Badezimmers eine Art aufwendiger Waschzeile ins Zimmer hinein zu installieren, eine Badewanne gab es dabei überhaupt nicht mehr, dafür wurde die Brause als gläserne Kabine mehr oder weniger im Zimmer selbst untergebracht. Noch mehrere Wochen lang erachtete ich dies als ein Zeichen der Bescheidenheit, ja Ärmlichkeit meiner Unterkunft, bis ich lernte, dass in den heutigen Architekturkreisen derlei als einfallsreich und besonders fortschrittlich gilt. So bedurfte es eben auch eines Zufalls, mich auf den Fernsehapparat aufmerksam zu machen.

Ich hatte vergessen, das Schild an meine Zimmertüre zu hängen, daher war eine Reinigungskraft eingetreten, als ich gerade an der Badezeile meinen Schnurrbart pflegte. Während ich mich überrascht umdrehte, entschuldigte sie sich, sagte, sie würde später wiederkehren, und beim Hinausgehen fiel ihr Blick auf den Apparat, über dem mein Hemd hing.

»Ist etwas mit dem Fernseher nicht in Ordnung?«, fragte sie, und bevor ich noch antworten konnte, griff sie zu einem kleinen Kästchen und schaltete den Apparat ein. Er zeigte sofort ein Bild, das sie mehrfach durch Druck auf die Knöpfe des Kästchens veränderte.

»Geht doch«, sagte sie zufrieden, »ich dachte schon …«

Dann verschwand sie und ließ mich neugierig zurück.

Ich nahm das Hemd vorsichtig von dem Apparat. Dann griff ich nach dem Kästchen.

Dies also war ein heutiges Fernsehgerät. Es war schwarz, hatte keine Schalter, Knöpfe, nichts. Ich nahm das kleine Kästchen zur Hand, presste aufs Geratewohl die Eins, und der Apparat sprang an. Das Ergebnis war enttäuschend.

Ich sah einen Koch, der Gemüse klein hackte. Ich konnte es nicht glauben: Eine derart fortschrittliche Technik wurde entwickelt und genutzt, um einen lächerlichen Koch zu begleiten? Gut, es konnte nicht in jedem Jahr Olympische Spiele geben, auch nicht zu jeder Uhrzeit, aber es musste doch irgendwo in Deutschland oder womöglich gar der Welt etwas Bedeutenderes stattfinden als dieser Koch! Kurz darauf kam auch noch eine Frau hinzu, die sich bewundernd mit dem Koch über sein Geschnipsel unterhielt. Mir blieb der Mund offen stehen. Da war dem deutschen Volke von der Vorsehung eine derart wunderbare, grandiose Möglichkeit der Propaganda geschenkt worden, und sie wurde schlichtweg verplempert mit der Herstellung von Lauchringen. Ich war so wütend, ich hätte im ersten Moment am liebsten den ganzen Apparat aus dem Fenster geworfen, dann allerdings fiel mir auf, dass das kleine Kästchen weit mehr Knöpfe hatte, als man zum simplen Ein- und Ausschalten brauchte. Also drückte ich die Nummer zwei, und sofort verschwand der Koch, um sogleich einem anderen Koch Platz zu machen, der mit großem Stolz den Unterschied zwischen zwei Sorten von Rüben erörterte. Eine mindestens ebenso denkwürdige Amsel wie neben dem ersten Koch stand auch neben dem zweiten und bestaunte die Weisheiten dieses »Rübezahl«. Ich presste entnervt die Drei. So hatte ich mir die neue, moderne Welt nicht vorgestellt.

Rübezahl verschwand zugunsten einer dicken Frau, die ebenfalls an einem Herd stand. Hier war allerdings die Zubereitung eher nebensächlich, die Frau sagte auch nicht, was es heute zu essen gab, sondern stattdessen, dass ihr das Geld hinten und vorne nicht reichte. Das immerhin war eine gute Nachricht für einen Politiker – die soziale Frage war also auch in den letzten sechsundsechzig Jahren nicht gelöst worden. Nun, etwas anderes war von den demokratischen Schwätzern auch nicht zu erwarten gewesen.

Erstaunlich allerdings war, dass sich das Fernsehen derart ausladend damit befasste – verglichen mit einem 100-Meter-Endlauf war die dicke Jammerfrau doch reichlich ereignisarm. Andererseits war ich schon dankbar, dass endlich einmal niemand dem Kochvorgange größere Aufmerksamkeit widmete, am allerwenigsten die dicke Frau selbst. Ihre Sorge galt einer jungen verlotterten Gestalt, die von der Seite nun an sie herantrat, etwas sagte, das wie »grmmmschl« klang, und die von einem Sprecher als Menndi vorgestellt wurde. Menndi, so wurde erklärt, sei die Tochter der dicken Frau, und sie habe gerade einen Ausbildungsplatz verloren. Während ich mich noch wunderte, dass jene Menndi überhaupt zuvor von irgendjemandem einen Ausbildungsplatz erhalten hatte, hörte ich nun, wie sie jegliche Speise aus dem Topf rundheraus als »Drecksfraß« ablehnte. So unsympathisch einem der zerfledderte junge Mensch auch sein musste, so wenig wunderte einen ihr geringer Appetit angesichts der Gleichgültigkeit, mit der die dicke Mutter eine Schachtel öffnete und den Inhalt achtlos in dem Topfe versenkte. Man staunte sogar, dass die Mutter die Schachtel nicht auch noch mit hineingeworfen hatte. Ich schaltete kopfschüttelnd weiter, dorthin, wo ein nunmehr dritter Koch Fleisch klein schnitt und sich darüber ausließ, wie er das Messer hielt und warum. Auch ihm war eine junge blonde Fernsehangestellte zur Seite gegeben, die beeindruckt nickte. Entnervt schaltete ich den Apparat ab und fasste den Beschluss, nie wieder einen Blick hineinzuwerfen und stattdessen einen weiteren Versuch mit dem Radio zu wagen, als ich nach sorgsamem Durchsuchen des Raumes feststellen musste, dass es hier kein Radio gab.

Wenn sich aber selbst in dieser bescheidenen Unterkunft kein Radio befand, sondern ausschließlich ein Fernsehgerät, dann war der Schluss unvermeidlich, dass der Fernsehapparat von beiden das wichtigere Medium geworden war.

Ich setzte mich konsterniert auf das Bett.

Ich gebe zu, ich war einstmals stolz gewesen, dass ich es in langem selbstständigem Studium so weit gebracht hatte, die jüdisch-verwinkelten Lügen der Presse mit blitzartiger Klarheit in jeglicher Verkleidung zu entlarven. Aber hier half mir meine Kunstfertigkeit nicht weiter. Hier gab es nur Kauderwelsch-Radio und Kochfernsehen. Welche Wahrheit sollte hier schon verheimlicht werden?

Gab es Lügenrüben?

Gab es Lügenlauch?

Doch wenn dies das Medium der Zeit war – und daran bestand kein Zweifel –, dann blieb mir keine Wahl. Ich musste den Inhalt dieses Fernsehgeräts verstehen lernen, ich musste ihn in mich aufsaugen, selbst wenn er noch so geistig minderbemittelt und widerwärtig war wie das Schachtelessen der dicken Frau. Entschlossen stand ich auf, füllte mir an der Waschzeile eine Kanne mit Wasser, nahm mir ein Glas, trank einen Schluck und setzte mich so gewappnet vor das Gerät.

Ich schaltete erneut ein.

Im ersten Kanal hatte der Lauchkoch seine Zubereitungen inzwischen eingestellt, stattdessen äußerte sich ein Gärtner unter der Bewunderung einer nickenden Fernsehangestellten über Schnecken und deren bestmögliche Bekämpfung. Das war für die Volksernährung selbstverständlich von beträchtlicher Bedeutung, aber als Inhalt einer Fernsehübertragung? Vielleicht kam es mir auch deshalb so überflüssig vor, weil wenige Sekunden später nahezu wortgleich ein anderer Gärtner dasselbe verkündete, nun aber in einem anderen Kanal und anstelle des Rübenkochs. In mir wuchs daher eine gewisse Neugier, ob unterdessen möglicherweise auch die dicke Frau in den Garten gewechselt war, um dort statt ihrer Tochter die Schnecken zu bekämpfen. Dem war allerdings nicht so.

Der Fernsehapparat hatte offenbar mitbekommen, dass ich zwischenzeitlich andere Programme betrachtet hatte, jedenfalls fasste ein Sprecher für mich das einstweilen Geschehene noch einmal zusammen. Menndi, so bilanzierte der Sprecher, hatte ihren Ausbildungsplatz verloren und mochte das Essen ihrer Mutter nicht verzehren. Die Mutter war unglücklich. Dazu wurden erneut jene Bilder gezeigt, die ich doch eine Viertelstunde zuvor selbst gesehen hatte.

»Gut, gut!«, sagte ich laut, damit es der Fernsehapparat auch mitbekam, »aber so ausführlich müssen Sie es nicht machen, ich bin doch nicht senil.«

Ich schaltete weiter. Hier tat sich inzwischen etwas Neues. Der Fleischkoch war verschwunden, auch kein Kleingärtner hielt Vorlesungen, sondern gezeigt wurden nun die Abenteuer eines Anwalts, offenbar eine Art Episodenreihe. Der Anwalt hatte einen Bart wie Buffalo Bill, und sämtliche Darsteller sprachen und bewegten sich, als wäre die Stummfilmära erst am Vortage beendet worden. Insgesamt war es eine sehr heitere Stümperei, bei der ich mehrfach laut lachen musste, auch wenn mir im Nachhinein nicht mehr ganz klar war, weshalb – vielleicht lag es einfach nur an der Erleichterung, dass einmal niemand kochte oder sich mit dem Schutz von Salatköpfen befasste.

Ich schaltete weiter, nun schon fast routiniert, und

kam zu weiteren Spielhandlungen. Sie schienen älter zu sein, die Bildqualität war stark schwankend, und sie zeigten Farmleben, Ärzte, Kriminalbeamte – in keiner dieser Darbietungen erreichten die Darsteller jedoch die bizarre Qualität des Buffalo-Bill-Anwalts. Das Ziel schien insgesamt in schlichter Unterhaltung am helllichten Tage zu liegen. Das überraschte mich. Natürlich, auch ich hatte es damals mit Freude gesehen, dass gerade im schweren Kriegsjahre 1944 mit der »Feuerzangenbowle« ein wunderbar heiterer Film das Publikum begeistert und auch abgelenkt hatte, aber Heinz Rühmann war doch in der weitaus größten Zahl der Fälle abends konsumiert worden. Wie schlimm musste die Lage also heute sein, wenn das Volk schon am Vormittag mit einer nachgerade heliumleichten Muse bestrahlt wurde? Staunend suchte ich im Apparat weiter und hielt sogleich überrascht inne.

Tatsächlich saß nunmehr vor mir ein Mann, der einen Text verlas, der so etwas wie Nachrichten zu beinhalten schien, allerdings konnte man das schwer mit abschließender Sicherheit sagen. Denn während der Mann an einem Schreibtisch saß und Berichte vortrug, liefen permanent Spruchbänder durch das Bild, manche mit Zahlen, manche mit Texten, so als wäre das, was der Sprecher vortrug, letzten Endes so unwichtig, dass man währenddessen genauso gut die Bänder verfolgen könnte oder umgekehrt. Fest stand, dass man, wenn man allem folgen wollte, unweigerlich einen Hirnschlag erleiden musste. Mit brennenden Augen schaltete ich weiter, jedoch nur um in einem Kanal zu landen, der dasselbe machte, wenn auch mit andersfarbigen Bändern und einem anderen Sprecher. Unter Aufbietung aller meiner Kräfte versuchte ich minutenlang, das Geschehen aufzunehmen. Eine gewisse Wichtigkeit schien schließlich vorzuliegen, hatte doch offenbar die derzeitige deutsche Kanzlerin irgendetwas verkündet oder gesagt oder entschieden, allein, es war unmöglich, das Gesprochene zu verstehen. Ich kauerte mich direkt vor den Apparat, versuchte, verzweifelt fast, mit den Händen das unwürdige Gewimmel der Worte abzudecken, um mich auf den Inhalt des Gesagten zu konzentrieren, doch stets wand sich neuer Unsinn durch nahezu alle denkbaren Stellen des Bildschirms. Uhrzeit, Börsenkurse, der Preis des Dollars, Temperaturen entlegenster Winkel des Erdenrunds, während ungerührt aus dem Munde des Sprechers Aspekte des Weltgeschehens verbreitet wurden. Es war, als bezöge man seine Informationen aus dem Herzen einer Irrenanstalt.

Und als wäre das nicht genug des unsinnigen Narrenspiels, verkündete dazwischen so häufig wie unvermittelt eine Reklame, in welchem Geschäft man die preiswertesten Erholungsreisen erwerben könne, eine Behauptung, die im Übrigen eine Vielzahl von Geschäften in absolut identischer Weise verkündeten. Die Namen der Geschäfte vermochte kein gesunder Mensch im Kopfe zu behalten, sie gehörten jedoch alle zu einer Gruppe namens W. W. W. Ich konnte nur hoffen, dass sich dahinter letzten Endes der moderne Name der KdF verbarg. Andererseits war es völlig unvorstellbar, dass ein so kluger Kopf wie Ley etwas entwickelt hatte, was klang wie ein Pimpf, der kälteschnatternd aus dem Schwimmbecken steigt.

Ich weiß nicht mehr, wie ich in dieser Situation noch die Kraft zu einem eigenen Gedanken aufbringen konnte, allein – es durchzuckte mich eine Eingebung: Dieser organisierte Irrsinn war ein raffinierter Propagandatrick.

Das Volk sollte offenkundig selbst angesichts furchtbarster Nachrichten den Mut nicht verlieren, weil die ewig laufenden Bänder beruhigend signalisierten, was der Sprecher gerade verlas, sei nicht so wichtig, als dass man sich nicht genauso gut für die Sportmitteilungen darunter entscheiden konnte. Ich nickte anerkennend. Mit dieser Technik hätte man zu meiner Zeit mancherlei dem Volke beiläufig vermitteln können. Vielleicht nicht unbedingt ein Stalingrad, aber doch, sagen wir, die Landung alliierter Truppen in Sizilien. Und dann würde man umgekehrt bei Erfolgen der eigenen Wehrmacht schlagartig die Textbänder entfernen und in die Stille hinein sagen: Heute haben heldenhafte deutsche Truppen dem Duce die Freiheit zurückgeschenkt!

Das wäre ein Effekt!

Um mich zu erholen, schaltete ich zurück zu ruhigeren Sendern, und aus einer gewissen Neugier heraus zu dem Kanal mit der dicken Frau. Ob sie wohl ihre heruntergekommene Tochter inzwischen in eine Verwahranstalt eingewiesen hatte? Wie mochte wohl der Ehegatte dieser Frau aussehen? War er einer dieser lauwarmen Gesellen, die sich so gerne im Nationalsozialistischen Kraftfahrer-Korps versteckten?

Das Programm erkannte sofort meine Wiederkehr und begann eilfertig, das Geschehen für mich zusammenzufassen. Die 16-jährige Menndi, so erzählte die Reporterstimme von vorhin im Tonfall größter Bedeutung und Dringlichkeit, hatte ihren Ausbildungsplatz verloren, das liebevoll zubereitete Essen ihrer Mutter mochte sie nach der Heimkunft nicht kosten. Die Mutter hingegen sei unglücklich und habe sich an eine Nachbarin um Hilfe gewandt.

»Da sind Sie aber noch nicht recht viel weitergekommen«, beschied ich tadelnd dem Reporter, versprach ihm aber, später noch einmal vorbeizusehen, wenn etwas mehr geschehen sei. Auf dem Weg zurück zum Nachrichtenkanal besuchte ich erneut kurz die Stummfilm-Hommage an Buffalo Bill. Auch dort begrüßte mich ein Sprecher und erzählte mir, was der vorgebliche »Anwalt« im bisherigen Verlaufe der Sendung verrichtet hatte. Offenbar war es an der Ausbildungsstätte einer gewissen Sinndi, die sechzehn Jahre alt war, zu sittlichen Ungehörigkeiten gekommen. Nach dem Übeltäter, einem Ausbildungsleiter, wurde unter unablässigem Absondern des haarsträubendsten Gewäschs gesucht. Ich lachte erneut herzhaft auf, so ein Schmarren war das Machwerk. Um den wahllos zusammenkolportierten Schwank auch nur halbwegs glaubhaft zu machen, hätte es ja wohl eines schmierigen Juden bedurft, und wo hätte der heutzutage denn noch herkommen sollen, nachdem Himmler wenigstens in dieser Beziehung zuverlässig gewesen war?

Ich schaltete zurück zum Nachrichtenchaos und von dort aus weiter. Hier wurden nun Herren beim Billardspiel gezeigt, was zwischenzeitlich als Sport galt. Dies ließ sich, wie ich inzwischen bemerkt hatte, am Namen des Kanals feststellen, der in einer oberen Ecke des Apparates im Bild klebte. Ein weiterer Kanal brachte ebenfalls Sport, dort allerdings verfolgte die Kamera Menschen beim Kartenspiel. Wenn das der heutige Sport war, konnte einem angst und bange werden um die Wehrfähigkeit. Ich dachte für einen Moment, ob aus dem stumpfsinnigen Geschehen, das sich da vor meinen Augen abspielte, eine Leni Riefenstahl mehr hätte zaubern können, aber es gibt selbst für die größten Genies der Geschichte Grenzen ihrer Kunst.

Andererseits hatte sich womöglich auch die Art, Filme zu machen, geändert. Ich kam auf meiner Suche jedenfalls an einigen Kanälen vorbei, die etwas ausstrahlten, was mich oberflächlich an Trickfilme von einst erinnerte. Die heiteren Abenteuer der Mickey Mouse etwa waren mir noch in bester Erinnerung. Doch was sich hier abspielte, war nurmehr geeignet, sofortige Blindheit hervorzurufen. Eine ständige Abfolge wirrster Gesprächsfetzen wurde durch eine noch häufigere Einblendung gewaltiger Explosionen unterbrochen.

Tatsächlich wurden nun die weiteren Kanäle immer merkwürdiger. Es gab welche, die nur Explosionen ohne Trickfilm sendeten, es stieg in mir sogar für eine kurze Zeit der Verdacht auf, es könne sich dabei um etwas wie Musik handeln, bevor ich zu dem Schluss kam, im Grunde sei Ziel des Ganzen nur der Verkauf eines vollkommen entgeistigten Produkts namens Klingelton. Wozu man ein bestimmtes Läuten brauchen sollte, war mir nicht nachvollziehbar. Arbeiteten die Leute denn alle als Requisiteure beim Tonfilm?

Andererseits war der Verkauf durch den Fernsehapparat anscheinend nicht ungewöhnlich. Zwei oder drei weitere Kanäle sendeten ununterbrochen die Vorträge fliegender Händler, wie man sie von jedem Jahrmarkt kennt. Entsprechend leichtfertig wurde auch hier das Geschwätz von geschriebenen Texten in jeder Ecke des Apparates überdeckt. Die Verkäufer selbst verletzten fortwährend jegliche Grundregel seriösen Auftretens, ja sie bemühten sich nicht einmal mehr um ein vertrauenswürdiges Äußeres und trugen selbst in fortgeschrittenem Alter grauenhafte Ohrringe wie die letzten Zigeuner. Die Rollenverteilung folgte dabei erkenntlich den

Traditionen übelster Bauernfängerei: Stets war einer dabei, der das Allerblaueste vom Himmel zusammenlog. Der andere hingegen hatte danebenzustehen und den Mund vor Staunen nicht mehr zuzubekommen, hatte »hei« und »Nein!« auszustoßen oder auch »Das ist ja unglaublich!«. Es war insgesamt eine vollendete Schmierenkomödie, und man bekam unablässig große Lust, einmal mit einer 8,8-Flak ordentlich in das versammelte Gesindel hineinzuhalten, dass diesen Erzgaunern ihre Lügen nur so aus den Eingeweiden spritzen mussten.

Letztlich wurzelte mein Zorn allerdings auch darin, dass ich angesichts dieses versammelten Wahnsinns zunehmend irre zu werden befürchtete. Es glich somit fast schon einer Flucht, als ich versuchte, mich zu der dicken Frau zurückzuschalten. Ich blieb jedoch unterwegs bei dem Kanal hängen, auf dem der Winkeladvokat Buffalo Bill sein gräuliches Unwesen getrieben hatte. Inzwischen wurde von dort ein Gerichtsdrama gesendet, dessen Hauptdarstellerin ich zuerst für die Kanzlerin aus den Nachrichten hielt, die sich jedoch nach kurzer Dauer nur als eine jener Kanzlerin sehr ähnelnde Gerichtsmatrone entpuppte. Verhandelt wurde gerade der Fall einer gewissen Senndi, die offenbar wegen diverser Unregelmäßigkeiten an ihrer Ausbildungsstätte angeklagt war.

Diese Vergehen hatte das 16-jährige Fräulein jedoch nur aufgrund seiner Zuneigung zu einem Jungen namens Enndi begangen, der zur gleichen Zeit Beziehungen zu drei weiteren auszubildenden Damen unterhielt, von denen eine offenbar eine Schauspielerin war oder werden wollte. Verursacht durch nicht nachvollziehbare Umstände hatte sie diesen Karriereweg allerdings zugunsten einer Nebenbeschäftigung im kriminellen Milieu zurückgestellt und war nunmehr Teilhaberin eines Wettbüros. Ähnlicher himmelschreiender Blödsinn mehr wurde verkündet, währenddessen die Gerichtsmatrone dazu mit einem vollkommen ernsthaften Gesicht eifrig nickte, als wären diese völlig abwegigen Erzählungen das Normalste der Welt und kämen eigentlich tagtäglich vor. Ich konnte es schlichtweg nicht begreifen.

Wer würde derlei freiwillig ansehen? Sicher, Untermenschen vielleicht, die grob lesen und schreiben konnten, aber sonst? Fast schon abgestumpft schaltete ich zu der dicken Frau zurück. Ihr abenteuerliches Leben war offenbar seit meinem letzten Besuch von einer Reklamesendung unterbrochen gewesen, deren Ende ich noch mitbekam. Jedenfalls ließ es sich der Sprecher nicht nehmen, noch einmal für mich zu erklären, dass das erbärmliche Weibsstück jegliche Kontrolle über seinen schwachsinnigen Bankert von Dreckstochter verloren hatte und in der letzten halben Stunde nicht weitergekommen war, als den Hinauswurf der kleinen Idiotin mit einer unablässig rauchenden Nachbarin lang- und breitzuwalzen. Letzten Endes, so teilte ich lautstark dem Apparat mit, gehörte dieser ganze Zirkel verunglückter Existenzen in ein Arbeitslager, die Wohnung sollte man renovieren oder, noch besser, mitsamt dem ganzen Haus abreißen und irgendein Aufmarschgelände darüberplanieren, auf dass die Erinnerung an das unselige Treiben ein für alle Mal getilgt würde aus dem gesunden Volksempfinden. Entnervt warf ich das Kontrollkästchen in den Papierkorb.

Was für eine übermenschliche Aufgabe hatte ich mir da gestellt!

Um meines Zornes wenigstens einigermaßen Herr zu werden, beschloss ich, für einen Moment vor die

Türe zu gehen. Nicht lange, natürlich, denn ich mochte mich nicht weit vom Telefonapparat entfernen, aber doch wenigstens geschwind in die Blitzreinigung laufen, um die Uniform abzuholen. Seufzend betrat ich das Geschäft, ließ mich als »Herr Stromberg« begrüßen, holte meinen überraschend einwandfrei gereinigten Rock ab und machte mich zügig auf den Heimweg. Kaum konnte ich es erwarten, wieder in vertrauter Kleidung der Welt gegenüberzustehen. Doch natürlich bekam ich nach meiner Rückkunft als Erstes die Mitteilung von der Gehilfin an der Rezeption, dass man telefonisch nach mir verlangt hatte.

»Aha«, sagte ich, »natürlich. Gerade jetzt. Und wer?«

»Keine Ahnung«, sagte die Gehilfin und blickte abwesend auf ihren Fernsehapparat.

»Ja, haben Sie das denn nicht notiert?«, herrschte ich sie ungeduldig an.

»Die haben gesagt, die rufen wieder an«, versuchte sie ihr Fehlverhalten zu entschuldigen. »War es denn wichtig?«

»Es geht«, sagte ich entrüstet, »um Deutschland!«

»Blöd«, sagte sie, und glotzte wieder in ihren Bildschirmapparat. »Und was ist mit Henndi?«

»Ich! Weiß! Es! Nicht!«, schrie ich wütend und marschierte entnervt in mein Zimmer, um meine Fernsehstudien fortzusetzen. »Die ist wahrscheinlich vor Gericht, weil sie ihre Ausbildungsstätte verloren hat!«

viii.

Es war erstaunlich, wie sehr doch meine gewohnte Kleidung dem Menschen die Wiedererkennung erleichterte. Schon als ich in die Droschke einstieg, begrüßte mich der Chauffeur launig, aber durchaus vertraut.

»Tach, Meesta! Sinwa wieda im Lande?«

»In der Tat«, nickte ich ihm zu und nannte ihm die Adresse.

»Allet klar!«

Ich lehnte mich zurück. Ich hatte keine besondere Droschke bestellt, aber wenn dies ein durchschnittliches Modell war, so saß man darin vortrefflich.

»Was ist das für ein Wagen?«, fragte ich beiläufig.

»'n Mazeedet!«

Eine Welle nostalgischer Empfindungen überkam mich, ein plötzliches Gefühl wundersamer Geborgenheit. Ich dachte an Nürnberg, die glänzenden Reichsparteitage, die Fahrt durch die wunderbare Altstadt, den spätsommerlichen, ja frühherbstlichen Wind, der gleich einem Wolfe um den Schirm meiner Mütze strich.

»Da hatte ich auch mal einen«, sagte ich versonnen, »ein Kabriolett.«

»Und?«, fragte der Chauffeur. »Fährt jut?«

»Ich habe keinen Führerschein«, sagte ich leichthin, »aber Kempka hat sich nie beschwert.«

»'n Führa ohne Führaschein?« Der Chauffeur lachte hell auf. »Juta Witz!«

»Aber alt.«

Eine kurze Gesprächspause trat ein. Dann nahm der Chauffeur die Unterhaltung wieder auf.

»Und? Ham Se'n noch? Den Wagen. Oda ham Se'n vakooft?«

»Ehrlich gesagt weiß ich nicht, was daraus geworden ist«, sagte ich.

»Schade«, sagte der Chauffeur. »Und? Wat machen Se in Balin? Wintagaatn? Wühlmäuse?«

»Wühlmäuse?«

»Na, welche Bühne? Wo treten Sie auf?«

»Ich gedenke demnächst im Rundfunk zu sprechen.«

»Dachtickmia«, sagte der Chauffeur, mit einem wie mir schien zufriedenen Lächeln. »Schon wieda jroße Pläne, wa?«

»Die Pläne schmiedet das Schicksal«, sagte ich fest, »ich tue nur das, was in diesen und künftigen Zeiten für den Erhalt der Nation getan werden muss.«

»Sie sind echt jut!«

»Ich weiß.«

»Ham Se Lust auf'n klein'n Abstecha zu Ihr'n altn Wirkungsstättn?«

»Später vielleicht. Ich möchte nicht unpünktlich sein.«

Letztlich war dies auch der Grund für die Bestellung der Droschke gewesen. Ich hatte selbst auch aufgrund meiner begrenzten Finanzmittel angeboten, mich zu Fuß oder mit der Tram zum Firmengebäude zu begeben, doch Sensenbrink hatte angesichts der Unwägbarkeiten und möglicher Verkehrsverstopfungen darauf bestanden, eine Droschke zu ordern.

Ich blickte aus dem Fenster, um Teile der Reichshauptstadt wiederzuerkennen. Es war nicht leicht, auch weil der Chauffeur die großen Straßen mied, um besser voranzukommen. Alte Gebäude waren kaum noch zu sehen, ich nickte mehrfach zufrieden. Dem Feind war offenbar tatsächlich so gut wie nichts hinterlassen worden. Zu ermitteln galt es noch, wie es dann überhaupt sein konnte, dass an dieser Stelle nach kaum siebzig Jahren schon wieder so viel Stadt war. Hatte nicht Rom in die Erde des eroberten Karthago Salz gestreut? Ich hätte jedenfalls in Moskau ganze Eisenbahnzüge voll Salz verstreut. Oder in Stalingrad! Andererseits war natürlich Berlin kein Gemüsegarten. Der schöpferische Mensch kann selbstverständlich auch auf gesalzenem Boden ein Kolosseum bauen, rein von der Bautechnik und Baustatik her gesehen ist eine ausgestreute Menge Salzes im Boden sogar vollkommen irrelevant. Und es war natürlich auch wahrscheinlich, dass der Feind beeindruckt vor den Ruinen Berlins gestanden hatte wie die Awaren vor den Trümmern Athens. Und die Stadt dann im verzweifelten Bemühen um einen Erhalt der Kultur wieder aufgebaut hatte, so gut es eben zweit- und drittklassigen Rassen gelingen mochte. Denn dass hier in überwiegendster Menge Minderwertiges errichtet worden war, daran konnte es für das geschulte Auge schon auf den ersten Blick keinen Zweifel geben. Ein furchtbarer Einheitsbrei, der dadurch noch schlimmer wurde, dass es überall nur dieselben Geschäfte gab. Ich hatte erst gedacht, wir führen im Kreise, bis mir auffiel, dass es Dutzende Kaffeegeschäfte von Herrn Starbuck gab. Die Bäckervielfalt war dahin, überall gab es Einheitsmetzger, sogar mehrere »Blitzreinigung's-Service Yilmaz« fand ich. Und von derart einfallsloser Gestalt waren auch die Häuser dazu.

Das Gebäude der Produktionsfirma machte da keine Ausnahme. Es war schwer vorstellbar, dass in fünfhundert oder tausend Jahren Menschen bewundernd vor diesem einfallslosen Klotz oder eher Klötzchen stehen würden. Ich war sogar regelrecht enttäuscht. Das Haus sah aus wie ein ehemaliges Fertigungsgebäude, es schien mit dieser allumspannenden »Produktionsfirma« nun doch nicht so weit her zu sein.

Eine junge blonde, etwas stark geschminkte Dame holte mich am Empfang ab und brachte mich zum Konferenzraum. Wie der aussah, mochte ich mir gar nicht ausmalen. Schon jetzt waren die Wände kahl, gekleidet in nackten Beton, gelegentlich unterbrochen von rohem Mauerwerk aus Ziegelstein. Türen gab es so gut wie keine, hin und wieder öffnete sich der Blick in einige große Räume, in denen mehrere Personen unter hellen Leuchtstoffröhren an TV-Schirmen arbeiteten. Es sah alles in allem aus, als hätten erst fünf Minuten zuvor die letzten Arbeiterinnen der Munitionsfertigung die Räume verlassen. Unablässig läuteten Telefone – plötzlich wurde mir klar, weshalb das Volk gezwungen war, ein Vermögen für Klingeltöne auszugeben. Damit man in diesem Zwangslager wenigstens wusste, wann das eigene Telefon klingelt.

»Ich nehme an, das hier ist alles wegen der Russen«, vermutete ich.

»Wenn Sie so wollen, schon«, sagte die junge Dame lächelnd. »Aber Sie haben ja sicher gelesen, dass die dann leider doch nicht eingestiegen sind. Jetzt haben wir amerikanisch-iranische Heuschrecken.«

Ich seufzte auf. Derlei hatte ich ja immer befürchtet. Kein Lebensraum, kein Boden, der das Volk mit Brot ernährte, und dann hieß es natürlich: Heuschrecken essen wie der letzte Neger. Ich sah bewegt auf das junge Ding, das unverdrossen stramm neben mir herschritt. Ich räusperte mich, aber ich fürchte doch, dass man ein wenig meine Rührung hörte, als ich ihr sagte:

»Sie sind sehr tapfer.«

»Aber sicher«, strahlte sie, »ich will ja nicht ewig Assistentin bleiben.«

Natürlich. Eine »Assistentin«. Hilfsdienste sollte sie leisten für den Russen. Wie dies sich in dieser neuen Welt zusammenfand, konnte ich mir auf Anhieb nicht erklären, doch sah das diesem Ungeziefer der Menschheit ähnlich. Ich mochte mir gar nicht ausmalen, worin diese »Tätigkeiten« unter dem bolschewikischen Joch bestehen mochten. Ich blieb abrupt stehen und fasste sie am Arm.

»Sehen Sie mich an!«, sagte ich, und als sie sich mir etwas überrascht zuwandte, blickte ich ihr fest in die Augen und sagte feierlich:

»Ich verspreche Ihnen hiermit: Sie werden die Zukunft bekommen, die Ihrer Herkunft entspricht! Ich werde mich persönlich mit ganzer Kraft dafür einsetzen, dass Sie und jede deutsche Frau nicht mehr lange diesen Untermenschen dienen werden! Sie haben mein Wort darauf, Fräulein …«

»… Özlem«, sagte sie.

Ich erinnere mich dieses Moments noch jetzt als leidlich unangenehm. Für den Bruchteil einer Sekunde suchte mein Gehirn nach Erklärungen, wie ein deutsches ehrliches Mädel zu dem Namen Özlem kommen konnte, fand aber keine, natürlich. Ich nahm die Hand von ihrem Arm und drehte mich abrupt zum Weitergehen. Ich hätte diese falsche Person am liebsten einfach dort stehen gelassen, so getäuscht, so betrogen fühlte ich mich. Leider wusste ich den Weg nicht. Also folgte ich ihr schweigend, beschloss aber, mich in dieser neuen Zeit noch mehr vorzusehen. Diese Türken waren nicht nur in der Reinigungsindustrie, sondern auch sonst überall wundersam allgegenwärtig.

Als wir den Konferenzraum betraten, stand Sensenbrink auf, ging auf mich zu, geleitete mich sozusagen in den Raum, in dem eine Gruppe um einen relativ langen, aus kleineren Teilen zusammengesetzten Tisch saß. Ich erkannte auch den Hotelreservierer Sawatzki wieder, außer ihm etwa ein halbes Dutzend jüngere Männer in Anzügen und eine Frau, die wohl jene »Bellini« sein musste. Sie mochte etwa vierzig Jahre alt sein, sie hatte dunkle Haare, kam vermutlich aus Südtirol, und schon beim Betreten des Raumes spürte ich: Diese Frau war mehr Manns als sämtliche anderen anwesenden Dümmlinge zusammengenommen. Sensenbrink versuchte, mich am Arme an das andere Ende des Tisches zu dirigieren, wo man, wie ich aus dem Augenwinkel sah, eine Art Bühne oder Podest improvisiert hatte. Ich ließ ihn durch eine leichte Drehung ins Leere schieben und ging mit festem Schritt auf die Dame zu, nahm die Schirmmütze ab und klemmte sie unter den Arm.

»Das ist … Frau Bellini«, sagte Sensenbrink reichlich überflüssig, »Executive Vice President von Flashlight. Frau Bellini – unsere hoffnungsvolle Neuentdeckung, Herr … äh …«

»Hitler«, beendete ich das unwürdige Gestammel, »Adolf Hitler, Reichskanzler des Großdeutschen Reiches a. D.« Sie reichte mir die Hand, die ich mit einer nicht zu tiefen Verbeugung zum angedeuteten Kusse führte. Dann richtete ich mich wieder auf.

»Gnädige Frau, es ist mir eine Freude, Ihre Bekanntschaft zu machen. Lassen Sie uns gemeinsam Deutschland verändern!«

Sie lächelte, wie mir schien, etwas verunsichert, aber meine gewisse Wirkung auf Frauen kannte ich ja noch von früher. Es ist praktisch unmöglich für eine Frau, nicht etwas zu fühlen, wenn sich der Befehlshaber der gewaltigsten Armee der Welt in ihrer Nähe aufhält. Um sie nicht unnötig in Verlegenheit zu bringen, wandte ich mich mit einem »Meine Herren!« an den Rest der Runde, um mich letztlich Sensenbrink wieder zuzuwenden.

»Na, lieber Sensenbrink, welchen Platz haben Sie mir denn zugedacht?«

Sensenbrink wies auf einen Stuhl am anderen Ende der Konferenzrunde. Ich hatte mit Ähnlichem gerechnet. Es war nicht das erste Mal, dass sich einige Herren einer sogenannten Industrie dazu aufschwangen zu wägen, welches Gewicht der künftige Führer Deutschlands denn nun hätte. Nun, ich wollte ihnen schon Gewichte zeigen – doch war es fraglich, ob auch sie dieselben zu heben wüssten.

Auf dem Tisch standen Kaffee, Tassen, kleinere Flaschen mit Säften und Wasser, dazu eine Karaffe mit klarem Wasser, für das ich mich entschied. Dann saßen wir eine Minute da.

»Tja«, sagte Sensenbrink, »was haben Sie uns denn heute mitgebracht?«

»Mich«, sagte ich.

»Nein, ich meinte: Was wollten Sie uns denn heute vortragen?«

»Ich sage nichts mehr über Polen!«, warf Sawatzki grinsend ein.

»Schön«, sagte ich, »das wird uns alle voranbringen. Ich denke, die Frage ist klar: Wie können Sie mir helfen, Deutschland zu helfen?«

»Wie wollen Sie denn Deutschland helfen?«, fragte die Dame Bellini, und dabei zwinkerte sie mir und den anderen Anwesenden seltsam zu.

»Ich denke, Sie alle hier wissen im tiefsten Grunde Ihres Herzens, was dieses Land braucht. Ich habe auf dem Wege hierher die Räume gesehen, in denen Sie gezwungen sind zu arbeiten. Diese Lagerhallen, in denen Sie und Ihre Genossen Frondienste leisten müssen. Speer war auch nicht zimperlich, als es um den effizienten Einsatz von Fremdarbeitern ging, aber diese Enge …«

»Das sind Großraumbüros«, sagte einer der Herren, »das gibt es doch überall.«

»Wollen Sie etwa behaupten, das sei Ihre Idee gewesen?«, bohrte ich nach.

»Was heißt hier ›meine Idee‹«, sagte er und sah sich lachend im Kreise um, »ich meine, wir haben das alle hier entschieden …«

»Sehen Sie«, sagte ich, stand auf und wandte mich direkt an Frau Bellini, »das ist mein Thema. Ich rede von Verantwortung. Ich rede von Entscheidungen. Wer hat diese Massenkäfige da installiert? War er das?«, und dabei wies ich auf den Herrn, dessen Idee das nicht gewesen war. »Oder er?« Jetzt fasste ich den Nachbarn von Sensenbrink ins Auge. »Oder der Herr Sawatzki – aber da habe ich meine ernsten Zweifel. Ich weiß es nicht. Noch besser: Die Herren wissen es selber nicht. Und was sollen nun Ihre Arbeiter tun, wenn sie am Arbeitsplatze ihr eigenes Wort nicht verstehen? Wenn sie ein Vermögen für Klingeltöne ausgeben müssen, nur damit sie ihr Telefon von dem des Nachbarn unterscheiden können?

Wer ist verantwortlich? Wer hilft dem deutschen Arbeiter in der Not? Zu wem sollen sie gehen? Hilft der Vorgesetzte? Nein, denn der da schickt die Leute zu dem da und der wieder zu jenem! Und ist das ein Einzelfall? Nein, das ist kein Einzelfall, sondern eine schleichende Krankheit überall in Deutschland! Wenn Sie heute eine Tasse Kaffee kaufen, wissen Sie noch, wer dafür die Verantwortung trägt? Wer diesen Kaffee kocht? Der Herr hier«, und hierbei wies ich erneut auf den Herrn, dessen Idee das nicht gewesen war, »dieser Herr hier glaubt natürlich, das wäre der Herr Starbuck gewesen. Aber Sie, Frau Bellini, und ich, wir beide wissen: Dieser Starbuck kann nicht überall zugleich kochen. Niemand weiß, von wem der Kaffee kommt, wir wissen nur: Der Starbuck, der war es nicht. Und wenn Sie in die Reinigung gehen, wissen Sie da noch, wer Ihre Uniform gereinigt hat? Wer ist denn dieser vermeintliche Yilmaz? Sehen Sie, und deswegen brauchen wir einen Wandel in Deutschland. Eine Revolution. Wir brauchen Verantwortung und Stärke. Eine Führung des Landes, die Entscheidungen trifft und für sie haftet, mit Leib, Leben, allem. Denn wenn Sie Russland angreifen wollen, können Sie nicht mal sagen: Ach, das haben wir alle irgendwie entschieden, so wie das der Herr Kollege hier gerne hätte. Ob wir jetzt Moskau einkreisen, da setzen wir uns alle zusammen und stimmen per Handzeichen ab! Das ist ja auch wunderbar bequem, und wenn's schiefgeht, dann waren wir's auch alle zusammen, oder noch besser: Das Volk war's selber, weil das hat uns ja gewählt. Nein, Deutschland muss wieder wissen: Russland, das war nicht der Brauchitsch, das war nicht der Guderian, das war nicht der Göring – das war ich. Die Autobahnen – das war nicht irgendein Hanswurst, das war der Führer!

Und so muss das wieder im ganzen Land sein! Wenn man morgens ein Brötchen isst, dann weiß man, das war der Bäcker. Wenn Sie morgen in die Resttschechei einmarschieren, wissen Sie, das war der Führer.«

Damit setzte ich mich wieder.

Um mich herrschte Stille.

»Das ist … nicht lustig«, sagte dann der Nachbar von Sensenbrink.

»Erschreckend«, sagte der Herr, dessen Idee das nicht gewesen war.

»Ich hab Ihnen gesagt, dass er gut ist«, sagte Sensenbrink stolz.

»Irre …«, sagte der Hotelreservierer Sawatzki, aber es war nicht klar, wie er es meinte.

»Unmöglich«, sagte dezidiert der Nachbar von Sensenbrink.

Die Dame Bellini richtete sich auf. Sofort wandten sich ihr die Köpfe zu.

»Das Problem ist«, sagte sie, »ihr seid hier alle mittlerweile total verbarthet.«

Sie ließ diese Bemerkung nicht ungeschickt sacken, dann ergriff sie wieder das Wort, das außer ihr im Moment ohnehin niemand zu ergreifen wagte.

»Ihr erkennt gute Inhalte nur noch daran, dass der Typ oben auf der Bühne mehr grinst als die Leute unten im Publikum. Sehen Sie sich in unserer Comedy-Landschaft doch um: Kein Mensch kann mehr eine Pointe setzen, ohne dass er sich dabei halb kranklacht, damit jeder merkt, wo die Pointe ist. Und wenn mal einer halbwegs die Fassung bewahrt, dann blenden wir das Gelächter aus dem Hintergrund ein.«

»Das hat sich aber bewährt«, sagte einer, der bisher den Mund gehalten hatte.

»Mag sein«, sagte die Dame, die mir durchaus zu imponieren begann, »aber was kommt danach? Ich denke, wir sind an dem Punkt angekommen, an dem das Publikum derlei nur noch als gegeben akzeptiert. Und der Erste, der den entscheidenden neuen Akzent setzt, ist derjenige, der langfristig die Konkurrenz abhängt. Oder, Herr … Hitler?«

»Entscheidend ist die Propaganda«, sagte ich. »Sie müssen eine andere Botschaft senden als die anderen Parteien.«

»Sagen Sie«, sagte sie, »Sie haben das eben nicht vorbereitet, oder?«

»Wozu?«, sagte ich. »Das granitene Fundament meiner Weltanschauung habe ich vor ausreichend langer Zeit verfertigt. Das versetzt mich in die Lage, jeden beliebigen Aspekt des Weltgeschehens mit meinem Wissen zu konfrontieren und daraus die richtigen Schlüsse zu ziehen. Glauben Sie, Führertum lernt man auf Ihren Universitäten?«

Sie schlug mit der flachen Hand auf den Tisch.

»Er improvisiert«, strahlte sie, »er zieht das einfach so raus! Und er verzieht nicht einmal das Gesicht! Wissen Sie, was das heißt? Das heißt, dass er nicht nach zwei Sendungen einfach nicht mehr weiß, was er sagen soll. Oder dass er dann zu heulen anfängt, man soll ihm mehr Autoren geben – oder täusche ich mich da, Herr Hitler?«

»Ich lasse nicht gerne sogenannte Autoren in meiner Arbeit herumpfuschen«, sagte ich. »Während ich ›Mein Kampf‹ schrieb, hat Stolzing-Cerny des Öfteren …«

»Ich verstehe langsam, was du meinst, Carmen«, sagte jetzt der Herr, dessen Idee das nicht gewesen war, und lachte.

»… und wir setzen ihn als Kontrapunkt ein«, sagte die Dame Bellini, »da, wo er am besten auffällt. Er kriegt einen Dauerauftritt bei Ali Wizgür!«

»Der wird sich bedanken«, sagte Sawatzki.

»Der soll sich lieber mal seine Quoten ansehen«, sagte Frau Bellini, »wo sie jetzt sind, wo sie vor zwei Jahren waren – und wo sie demnächst sein werden.«

»Das ZDF kann sich warm anziehen!«, sagte Sensenbrink.

»Nur in einem sollten wir uns klar sein«, sagte Frau Bellini, und dabei sah sie plötzlich sehr ernst zu mir.

»Und das wäre?«

»Wir sind uns darüber einig, dass das Thema ›Juden‹ nicht witzig ist!«

»Da haben Sie absolut recht«, pflichtete ich ihr bei, fast erleichtert. Da war tatsächlich endlich mal jemand, der wusste, wovon er sprach.

IX.

Es gibt für eine junge Bewegung nichts Gefährlicheres als den raschen Erfolg. Man hat seine ersten Schritte getan, man hat hier einige Anhänger gewonnen, dort eine Rede gehalten, vielleicht schon den Anschluss Österreichs vorgenommen oder des Sudetenlands, und nur zu leicht wähnt man sich bereits an einer Art Zwischenetappe, von der aus sich der Endsieg dann wesentlich einfacher erreichen ließe. Und tatsächlich hatte ich in recht kurzer Zeit einige erstaunliche Dinge erreicht, die die Wahl des Schicksals bestätigten. Was hatte ich 1919, 1920 noch kämpfen müssen, ringen, was hatte mir damals der Sturm der Medien in das Antlitz geblasen, der Geifer der bürgerlichen Parteien, was hatte ich mühsam Lage um Lage des jüdischen Lügengewirks zerfetzt, nur um mich hernach abermals noch klebriger umsponnen zu sehen aus den Drüsen jenes Ungeziefers, alldieweil der Gegner in hundertfacher, tausendfacher Übermacht sein immer neues und immer widerwärtigeres Gift versprühte – und hier, in dieser neuen Zeit, hatte ich schon nach ein paar Tagen den Zugang zum Rundfunk gefunden, der zudem vom politischen Gegner vollkommen vernachlässigt wurde. Es war zu schön, um wahr zu sein: In den letzten sechzig Jahren hatte der Gegner in Angelegenheiten der Kommunikation mit der Bevölkerung rein gar nichts gelernt.

Was hätte ich an deren Stelle Filme drehen lassen! Romanzen in fernen Ländern an Bord großer »Kraft durch Freude«-Schiffe, die durch die Südsee kreuzen oder entlang der gewaltigen Fjorde Norwegens, Erzählungen von jungen Wehrmachtssoldaten, die mutig Erstbesteigungen gewaltiger Felsmassive durchführen, um am Fuße einer Wand in den Armen ihrer großen Liebe zu sterben, einer BDM-Gruppenführerin, die dann erschüttert, aber gestählt ihr Leben der NS-Frauenpolitik widmet. Sie trägt im Leibe bereits den tapferen Spross ihres toten Geliebten, da mag man dann sogar so was wie Ehelosigkeit durchgehen lassen, denn wo die Stimme des reinen Blutes ihr Wort erhebt, muss auch ein Himmler verstummen. Jedenfalls gehen ihr seine letzten Worte nicht aus dem Sinn, während sie in der Dämmerung ins Tal schreitet, beeindruckt sehen ihr einige Milchkühe hinterher, der Himmel wird langsam überblendet von einer kraftvollen Hakenkreuzfahne. Das wären Filme, ich schwöre, am Tage darauf gehen bei jeder Geschäftsstelle des Frauenbundes die Aufnahmeformulare aus.

Sie sollte Hedda heißen.

Jedenfalls lag dieses Medium politisch vollkommen brach. Wenn man in den Fernsehapparat hineinsah, schien das Einzige, was diese Regierung für das Volk getan hatte, eine Maßnahme zu sein, die sich »Harzvier« nannte und die niemand leiden konnte. Der Name jener Maßnahme wurde prinzipiell in einem beleidigten Tonfalle ausgesprochen, und ich konnte nur hoffen, dass diese Menschen keinen zu großen Teil der Gesellschaft ausmachten, denn ich konnte mir selbst unter Zuhilfenahme größter Phantasiereserven keinen Fahnenappell auf dem Nürnberger Zeppelinfelde mit Hunderttausenden solcher Jammergestalten vorstellen.

Auch konnte ich die Verhandlungen mit der Dame Bellini als Erfolg verbuchen. Ich hatte von vorneherein keinen Zweifel daran gelassen, dass ich neben Geld auch einen Parteiapparat, ein Parteibüro benötigte. Die Bellini wirkte zunächst ein wenig überrascht, hatte mir dann aber sofort rückhaltlose Unterstützung zugesichert, ein Büro sowie eine Schreibkraft. Es gab eine beträchtliche Spesenpauschale für Kleidung und Propagandareisen, für Forschungsmaterialien, die mich auf den aktuellen Wissensstand bringen sollten und mancherlei mehr. Finanzielle Mittel schienen kein Problem zu sein, eher die Einsicht in die repräsentativen Notwendigkeiten eines Parteiführers. So wurden zwar mehrere »historisch originalgetreue« Anzüge bei einem exklusiven Maßschneider ebenso zugesagt wie auch mein geliebter Hut, den ich auf dem Obersalzberg und in den Bergen so gerne getragen hatte. Ein offener Mercedes-Wagen mit Chauffeur hingegen wurde mir glattweg abgeschlagen mit der Begründung, das wirke doch reichlich unseriös. Ich gab zögernd nach, aber nur um den Schein zu wahren – hatte ich doch bereits wesentlich mehr erreicht, als ich hoffen durfte. Insofern war, gerade in der Rückschau besehen, dies sicherlich der gefährlichste Moment meiner neuen Laufbahn, und jemand anderes hätte sich hier womöglich schon im Lehnstuhle zurückgelehnt und wäre solcherart auf ganzer Linie gescheitert, allein ich unterwarf, vielleicht auch dem reifen Alter geschuldet, permanent die Entwicklungen der unbarmherzigsten, kältesten Analyse.

So war etwa die Zahl meiner Anhänger gering wie niemals zuvor. Und ich kann weiß Gott aus meiner

Vergangenheit auf geringe Anhängerzahlen verweisen, ich erinnere mich durchaus, damals 1919, bei meinem ersten Besuch der damals noch Deutschen Arbeiterpartei, auf etwa sieben Leute gestoßen zu sein. Heute jedoch konnte ich nur auf mich selbst zählen, in Grenzen vielleicht auch noch auf die Dame Bellini oder jenen Kioskbesitzer, es durfte aber bezweifelt werden, ob beide schon reif waren für einen Parteiausweis, ganz zu schweigen von ihrer Bereitschaft, Mitgliedsbeiträge zu zahlen oder auch einmal mit dem Stuhlbein in der Hand den Saalschutz zu übernehmen. Insbesondere der Kioskbesitzer schien mir im Grunde sogar liberal oder auch linksorientiert, wenn auch mit einem ehrlichen deutschen Herz versehen. Insofern widmete ich mich auch weiterhin diszipliniert meinem eisernen Tagesplan. Ich stand gegen elf Uhr vormittags auf, ließ mir vom Hotelpersonal ein oder zwei Stücke Kuchen kommen und arbeitete unermüdlich bis tief in die Nacht.

Das heißt, ich wäre um elf Uhr aufgestanden, wenn nicht schon im Morgengrauen etwa gegen neun Uhr das Telefon geläutet hätte und eine Dame mit unaussprechlichem slawischstämmigem Namen am Apparat gewesen wäre. Jodl hätte derlei nie durchgestellt, aber Jodl war leider offenbar Teil der deutschen Geschichte. Ich suchte noch schlafvernebelt nach dem Hörer des Apparates.

»Hrmf?«

»Guten Tag, hier ist Krwtsczyk«, jubelte eine Stimme von unbarmherziger Fröhlichkeit. »Von der Flashlight!«

Am meisten ärgert mich an diesen Morgenmenschen diese entsetzliche gute Laune, als wären sie bereits drei Stunden wach und hätten da schon Frankreich überrannt. Zumal die weitaus meisten trotz ihrer widerlichen Frühaufsteherei alles andere vollbracht haben als Großtaten. Gerade in Berlin sind mir sogar immer wieder Menschen begegnet, die gar kein Geheimnis daraus machten, dass sie nur deshalb in aller Herrgottsfrühe aufgestanden waren, um noch früher das Büro wieder verlassen zu können. Ich habe mehreren dieser Achtstundenlogiker schon empfohlen, sie sollten gleich abends gegen zehn Uhr das Arbeiten beginnen, dann könnten sie sogar schon morgens um sechs wieder nach Hause und kämen dort vielleicht noch vor dem Aufstehen an. Manche haben das gar für einen ernsthaften Vorschlag gehalten. Ich für meinen Teil bin jedenfalls der Ansicht, dass morgens früh nur die Bäcker zu arbeiten haben.

Und die Gestapo natürlich, das versteht sich von selbst. Um bolschewistisches Gesindel aus den Federn zu reißen, jedenfalls, wenn es sich nicht um bolschewistische Bäcker handelt. Die sind dann natürlich schon wach, da muss dann auch die Gestapo ihrerseits noch früher aufstehen und so weiter und so fort.

»Sie wünschen?«, fragte ich.

»Ich rufe aus der Vertragsabteilung an«, freute sich die Stimme. »Ich mache grade die Unterlagen fertig, und da hätte ich noch einige Fragen. Ich weiß jetzt nicht, sollen wir das am Telefon …? Oder möchten Sie lieber reinkommen?«

»Was für Fragen?«

»Na ja, ganz allgemeine Fragen. Sozialversicherung, Bankverbindung, solche Sachen. Ich meine, zum Beispiel als Erstes, auf welchen Namen ich die Papiere ausstellen soll.«

»Welchen Namen?«

»Ich meine, ich weiß doch gar nicht, wie Sie heißen.«

»Hitler«, ächzte ich, »Adolf.«

»Ja«, lachte sie wieder mit ihrer grauenerregenden Morgenbegeisterung, »nein, ich meinte Ihren richtigen Namen!«

»Hitler! Adolf!«, sagte ich jetzt schon etwas ungehalten.

Eine kurze Weile war Stille.

»Wirklich?«

»Ja, natürlich!«

»Na, das ist ja … also – das ist ja dann ein Zufall …«

»Wieso Zufall?«

»Na ja, also, dass Sie so heißen…«

»Zum Donnerwetter, Sie heißen doch auch irgendwie! Und ich sitze hier auch nicht und reiße die Augen auf und sage ›Oooh, was für ein Zufall!‹«

»Schon – aber Sie sehen ja auch so aus. Also, so wie Sie heißen.«

»Ja und? Sie sehen wohl ganz anders aus, als Sie heißen?«

»Nein, aber …«

»Na also! Machen Sie in Gottes Namen diese verdammten Papiere fertig.« Damit knallte ich den Hörer auf den Apparat.

Es dauerte sieben Minuten, bis das Telefon wieder läutete.

»Was ist denn noch?«

»Ja, hier ist noch mal Frau«, und dann folgte wieder dieser seltsam östliche Name, der so klang, wie wenn man einen Wehrmachtsbericht zerknüllt. »Ich… ich fürchte, das geht so nicht …«

»*Was* geht so nicht?«

»Sehen Sie, ich will ja nicht unfreundlich sein, aber ... das geht doch bei der Rechtsabteilung niemals durch, ich kann doch – also, wenn die den Vertrag sehen und da steht drin ›Adolf Hitler‹ ...«

»Ja, was wollen Sie denn sonst reinschreiben?«

»Also, entschuldigen Sie, wenn ich das jetzt noch mal frage, aber: Heißen Sie wirklich so?«

»Nein«, sagte ich gequält, »ich heiße natürlich nicht wirklich so. Wirklich heiße ich Schmul Rosenzweig.«

»Wusste ich's doch«, sagte sie hörbar erleichtert, »wie schreibt man das – Schmul? Mit ›h‹?«

»Das war ein Scherz!«, schrie ich in den Hörer.

»Ach so. Oje! Schade.«

Ich hörte, wie sie etwas mehrfach durchstrich. Dann sagte sie: »Ich – bitte, ich fürchte, es ist besser, wenn Sie vielleicht doch kurz vorbeischauen? Ich brauche irgendetwas wie einen Pass von Ihnen. Und Ihre Bankverbindung.«

»Fragen Sie Bormann«, sagte ich recht abrupt ins Telefon und legte auf. Dann setzte ich mich hin. Das war in der Tat ärgerlich. Und schwierig. Bedauernd, ja beinahe betrübt schweiften meine Gedanken zurück zum getreuen Bormann. Bormann, der mir stets die abendlichen Spielfilme bestellte, sodass ich nach einem Tage angestrengter Kriegsführung auch ein wenig entspannen konnte. Bormann, der die Sache mit den Anwohnern am Obersalzberg so reibungslos geregelt hatte. Bormann, der sich praktischerweise auch um meine Einnahmen aus dem Buchverkauf gekümmert hatte, Bormann, der Treueste der Treuen. Bei ihm hatte ich vieles, ja das weitaus meiste in den besten Händen gewusst. Bormann, das konnte man als Gewissheit betrachten, hätte auch derlei Verträge reibungslos erledigt.

»Letzte Mahnung, Frau Knistergeräusch. Sie erstellen jetzt diese Vertragsunterlagen freiwillig, oder Sie und Ihre gesamte Familie finden sich in Dachau wieder. Und Sie wissen ja, wie viele Leute da zurückkommen.« Das wurde schon damals unterschätzt, dieses Einfühlungsvermögen Bormanns, wie der Mann mit Menschen umgehen konnte. Der hätte mir ruckzuck eine Wohnung besorgt, untadelige persönliche Unterlagen, Bankkonten, alles. Oder, bei genauerer Betrachtung war wohl eher die Vermutung angebracht, er hätte dafür gesorgt, dass niemand ein zweites Mal nach solcherlei bürokratischem Firlefanz fragt. Aber gut, es musste jetzt ohne ihn gehen. Und irgendwie musste die Sache doch auch von der Aktenlage her unter Dach und Fach gebracht werden. Wie ich das in dreißig Jahren handhaben würde, blieb dahingestellt, aber vorerst musste ich wohl oder übel den derzeitigen Gepflogenheiten folgen. Ich kam ins Grübeln.

Ich würde mich wohl bei einem Einwohner-Amte melden müssen. Allerdings hatte ich weder Wohnort noch Herkunftsnachweis. Die Solidität meiner Existenz beruhte im Wesentlichen auf meinem Wohnort im Hotel und meiner Anerkennung durch die Produktionsfirma, doch auf dem Papiere hatte ich nichts vorzuweisen. Grimmig ballte ich die Faust und hob sie zur Zimmerdecke. Das Papier, die deutsche bürgerliche Beamtenbürokratie mit ihren kleingeistigen engherzigen Regelungen, wieder einmal warf mir der ewige Klotz am Hals des deutschen Volkes seine spinnenfingrigen Knüppel zwischen die Beine. Schier ausweglos schien meine Lage, als das Telefon erneut läutete – und mich nur meine eiserne Entschlossenheit, die Geistesgegenwart und Entscheidungsfreude des einstigen Frontsoldaten zum Ziel brachte. Ich hob ab, sicher, eine Lösung zu finden, aber noch ungewiss, wie.

»Hier ist noch mal Frau Krwtsczyk von Flashlight.«

Und dann war es einfach.

»Wissen Sie was«, sagte ich, »verbinden Sie mich mit Sensenbrink.«

X.

Es ist ein weitverbreiteter Irrglaube, dass eine Führerpersönlichkeit alles wissen muss. Sie muss nicht alles wissen. Sie muss nicht einmal das meiste wissen, ja es kann sogar so weit gehen, dass sie überhaupt rein gar nichts wissen muss. Sie kann der Ahnungsloseste der Ahnungslosen sein. Jawohl, auch blind und taub nach einem tragischen Bombentreffer des Feindes. Mit einem Holzbein. Oder ganz ohne Arme und Beine, sodass beim Fahnenappell sogar der Deutsche Gruß völlig unmöglich ist und beim Absingen des Deutschlandliedes nur eine bittere Träne aus dem lichtlosen Auge rollt. Ich sage sogar: Eine Führerpersönlichkeit kann ohne Gedächtnis sein. Vollkommen amnesiert. Denn die besondere Begabung des Führers ist nicht das Auftürmen trockener Fakten – seine besondere Begabung ist die rasche Entscheidung und die Übernahme der Verantwortung dafür. Gerne wird das gering geachtet, dem alten Scherzwort gemäß von dem, der – sagen wir anlässlich eines Wohnungsumzugs – keine Kisten trägt, sondern »die Verantwortung«. Aber im idealen Staat sorgt der Führer dafür, dass jeder Mann am rechten Platze zur Wirkung kommt. Bormann war eben keine Führernatur, sondern ein Meister der Denk- und Erinnerungskunst. Er wusste alles. Hinter seinem Rücken nannten ihn manche »des Führers Aktenschrank«, ich war dann stets sehr gerührt, eine bessere Bestätigung meiner Politik hätte ich mir nicht wünschen können. Das war jedenfalls ein viel größeres Kompliment, als ich es je für Göring (»des Führers Fesselballon«) bekommen habe.

Letzten Endes war es jenes Wissen, jene Fertigkeit, Nützliches und Sinnloses zu trennen, die mich nun dazu befähigte, ungeachtet des Verlustes eines Bormann die neuen Möglichkeiten wahrzunehmen, die mir jene Produktionsfirma bieten konnte. Es war sinnlos, dieses Problem eines amtlichen Meldewesens selbst lösen zu wollen, so übergab ich die Regelung meiner prekären Unterlagenverhältnisse jemandem, der im Umgang mit den örtlichen Behörden vermutlich wohl über die größere Wendigkeit verfügte – Sensenbrink, der sofort sagte:

»Aber natürlich können wir Ihnen das abnehmen. Sie kümmern sich um Ihr Programm, alles andere regeln wir. Was brauchen Sie?«

»Fragen Sie diese Frau Krytschwyxdings. Ich nehme an, einen Ausweis. Und nicht nur den.«

»Sie haben keinen Pass? Keinen Personalausweis? Wie gibt's denn so was?«

»Ich habe nie einen gebraucht.«

»Waren Sie denn nie im Ausland?«

»Aber sicher. Polen, Frankreich, Ungarn …«

»Ja gut, das ist ja innerhalb der EU …«

»Oder in der Sowjetunion.«

»Und da kamen Sie ohne Pass rein?«

Ich überlegte kurz.

»Ich kann mich nicht erinnern, dass mich jemand danach gefragt hätte«, antwortete ich gewissenhaft.

»Seltsam. Aber Amerika! Ich meine, Sie sind sechsundfünfzig – waren Sie nie in Amerika?«

»Ich hatte es ernstlich vor«, sagte ich indigniert, »aber ich wurde dann leider aufgehalten.«

»Also gut, wir brauchen nur Ihre Unterlagen, dann kann da sicher jemand von uns das mit den Ämtern und Versicherungen regeln.«

»Das ist das Problem. Es gibt keine Unterlagen.«

»Keine Unterlagen? Gar keine? Auch nicht bei Ihrer Freundin? Also, zu Hause?«

»Mein letztes Zuhause«, sagte ich betrübt, »es wurde ein Raub der Flammen.«

»Also – äh – ist das Ihr Ernst?«

»Haben Sie die Reichskanzlei zuletzt mal gesehen?«

Er lachte. »So schlimm?«

»Ich weiß nicht, was es da zu lachen gibt«, sagte ich, »es war furchtbar.«

»Na schön«, sagte Sensenbrink, »ich bin kein Experte, aber irgendwelche Unterlagen wird man schon brauchen. Wo waren Sie denn vorher gemeldet? Oder versichert?«

»Ich hatte schon immer eine gewisse Abneigung gegen Bürokratien«, sagte ich, »ich bevorzugte es, die Gesetze selbst zu gestalten.«

»Puuh«, ächzte Sensenbrink. »Also so einen Fall hatte ich noch nicht. Na ja, mal sehen, was wir hinkriegen. Aber wir brauchen natürlich in jedem Fall Ihren richtigen Namen.«

»Hitler«, sagte ich, »Adolf.«

»Hören Sie, ich habe ja wirklich Verständnis für Ihre Situation. Der Atze Schröder macht das genauso, der will ja auch abseits der Bühne seine Ruhe haben, und gerade bei Ihrem heiklen Thema ist schon klar, dass man da als Künstler durchaus vorsichtig sein sollte – aber ob die Ämter das genauso sehen?«

»Die Details interessieren mich nicht …«

»Das glaub ich gerne«, lachte Sensenbrink für mich ein wenig zu herablassend. »Sie sind mir der rechte Künstler. Aber es wäre wirklich einfacher. Sehen Sie, steuerlich ist das ja kein Problem. Das Finanzamt ist das einzige Amt, dem das wurscht ist, die besteuern notfalls auch Illegale, mit denen können Sie auch irgendwie Barzahlung vereinbaren. Und was Zahlungsabwicklungen angeht, können wir Ihnen natürlich mit der Kontoführung zur Hand gehen, wenn Ihnen das nichts ausmacht, dann wäre das mit den Banken auch zunächst nicht so wichtig. Aber Einwohnermeldebehörden oder Sozialversicherung, ich weiß wirklich nicht, ob wir das hinbekommen.«

Ich spürte, dass der Mann jetzt moralische Unterstützung brauchte. Man darf die Truppe nicht überfordern. Es kommt schließlich nicht alle Tage vor, dass der längst tot geglaubte Reichskanzler putzmunter durch das Land läuft.

»Das muss schwer für Sie sein«, sagte ich nachsichtig.

»Was?«

»Nun, Sie treffen sicher nicht oft jemanden wie mich.«

Sensenbrink lachte gleichmütig.

»Aber sicher. Das ist ja schließlich unser Job.«

Seine Gelassenheit war so überraschend, dass ich nachhaken musste: »Da gibt es noch mehr wie mich?«

»Also, Sie wissen ja wohl selbst am besten, dass es jede Menge Leute in Ihrer Branche gibt …«, sagte Sensenbrink.

»Und Sie bringen die alle in den Rundfunk?«

»Da hätten wir ja viel zu tun! Nein, wir nehmen nur die unter Vertrag, an die wir auch glauben.«

»Das ist sehr gut«, bestärkte ich ihn, »man muss für die Sache mit einem geradezu fanatischen Glauben kämpfen. Haben Sie dann auch Antonescu? Oder den Duce?«

»Wen?«

»Sie wissen schon: Mussolini.«

»Nein!«, sagte Sensenbrink so entschieden, dass ich das Kopfschütteln durch den Hörer hindurch sehen konnte. »Was sollten wir denn mit einem Antonini? Den kennt doch keiner.«

»Oder Churchill? Eisenhower? Chamberlain?«

»Ach, jetzt versteh ich, worauf Sie hinauswollen!«, rief Sensenbrink ins Telefon. »Nein, wo wäre denn da der Witz? Völlig unverkäuflich, nein, nein, Sie machen das schon genau richtig. Wir bleiben bei einer Figur, wir bleiben bei unserem Hitler!«

»Sehr gut«, lobte ich und bohrte gleich nach: »Und wenn jetzt morgen Stalin kommt?«

»Vergessen Sie Stalin«, gelobte er mir Treue, »wir sind doch nicht der History Channel.«

Das war der Sensenbrink, den ich hören wollte! Der fanatische Sensenbrink, vom Führer erweckt. Und ich kann gerade an dieser Stelle nicht genug unterstreichen, wie wichtig dieser fanatische Wille ist.

Gerade der nicht immer problemlose Verlauf des letzten Weltkrieges hat dies ja auf das Deutlichste erwiesen. Manche Menschen sagen an dieser Stelle natürlich: Ja, hat das denn ausgerechnet am fanatischen Willen gelegen, wenn nach dem ersten auch der nächste Weltkrieg ungünstig endete? War denn nicht vielleicht auch eine andere Ursache schuld, vielleicht war der Nachschub an Menschenmaterial nicht ausreichend? Das ist alles denkbar, vielleicht sogar richtig, es ist dies aber zugleich auch das Symptom einer alten deutschen Krankheit, nämlich der, den Fehler stets in kleinlichen Details zu suchen, die großen und klaren Zusammenhänge jedoch schlicht zu ignorieren.

So ist selbstverständlich eine gewisse zahlenmäßige Unterlegenheit der Truppe im letzten Weltkriege nicht abzustreiten. Allerdings war diese Unterlegenheit keinesfalls ausschlaggebend, im Gegenteil wäre das deutsche Volk noch mit einer weitaus größeren gegnerischen Überlegenheit fertiggeworden. Ja, ich habe das Fehlen größerer Gegnerzahlen Anfang der vierziger Jahre noch mehrfach bedauert, mich dessen sogar ein wenig geschämt. Ich meine, Friedrich der Große, was hatte der Mann für eine Unterlegenheit! Da kamen auf jeden preußischen Grenadier zwölf Gegner! Und in Russland hatte jeder Landser gerade mal drei oder vier.

Gut, nach Stalingrad war die gegnerische Überlegenheit dann durchaus der Ehre der Wehrmacht deutlich angemessener. Am Tage der alliierten Landung in der Normandie etwa rückte der Gegner mit 2600 Bombern und 650 Jagdflugzeugen an, die Luftwaffe hielt mit – wenn ich recht zähle – zwei Jagdmaschinen dagegen, da kann das Kräfteverhältnis dann durchaus als ehrenhaft betrachtet werden. Und die Lage war dennoch nicht aussichtslos! Ich pflichte in solchen Situationen den Worten des Reichsministers Dr. Goebbels aus vollem Herzen bei, wenn er von einem Volk wie dem deutschen forderte, diesen Nachteil, so er sich denn nicht beheben lässt, eben anderweitig auszugleichen, sei es durch bessere Waffen, durch klügere Generäle oder eben, wie in diesem Falle, durch den Vorteil einer überlegenen Moral. Es mag dem einfachen Jägerpiloten selbstverständlich zunächst schwierig erscheinen, mit jedem Schuss aus dem MG drei Bomber vom Himmel zu holen, aber mit einer überlegenen Moral, mit einem unbeugsamen fanatischen Geist ist nichts unmöglich!

Das gilt heute so wie damals. Ich bin erst gerade dieser Tage auf ein Beispiel gestoßen, das selbst ich nicht für möglich gehalten hätte. Es ist dieses aber vollständig wahr. Es handelt sich dabei um einen Mann, ich vermute einen Angestellten meines Hotels, den ich mehrfach bei einer interessanten neuen Tätigkeit beobachten konnte. Wobei nicht sicher ist, ob die Tätigkeit neu ist, ich habe sie nur anders in Erinnerung, nämlich mit einem Besen beziehungsweise einem Laubrechen. Dieser Mann hingegen war mit einem vollkommen neuartigen, tragbaren Laubblasegerät unterwegs. Ein faszinierender Apparat von immenser Blasekraft, er war wohl nötig geworden, weil die Evolution in der Zwischenzeit eine widerstandsfähigere Form von Laub hervorgebracht hatte.

An diesem Beispiel kann man im Übrigen ausgezeichnet verfolgen, dass der Rassenkampf längst nicht beendet ist, dass er auch und sogar verstärkt in der Natur weiterwogt, das leugnet nicht einmal die bürgerlich-liberale Presse dieser Gegenwart. Man liest ja immer wieder von amerikanischen schwarzen Eichhörnchen, die die hiesigen, dem Deutschen lieb gewordenen hellbraunen Eichhörnchen verdrängen, von afrikanischen Ameisenstämmen, die über Spanien einwandern, von indogermanischen Springkräutern, die sich hier breitmachen. Dieser letzte Vorgang ist freilich vorbildlich, arische Pflanzen beanspruchen hier selbstverständlich völlig zu Recht den ihnen zustehenden Siedlungsraum. Dieses neuartige, kampfkräftigere Laub nun habe ich zwar noch nicht zu Gesicht bekommen, die Blätter auf dem Parkplatze des Hotels schienen mir vollkommen normal, aber das Blasegerät ließ sich natürlich genauso gut gegen herkömmliches Laub einsetzen. Mit einem Königstiger bekämpft man ja auch nicht nur den T-34, sondern im Bedarfsfalle ebenso einen der veralteten BT-7.

Als ich den Mann das erste Mal beobachtete, war ich äußerst ungehalten. Ich war am Morgen wach geworden, es mag wohl so gegen neun Uhr gewesen sein, von einem infernalischen Lärm, als läge man mit dem Kopfkissen neben einer Stalinorgel. Ich stand wutentbrannt auf, eilte ans Fenster, sah hinaus und erblickte jenen Mann, der dort mit dem Blasegerät hantierte. Daraufhin wurde ich sofort noch wütender, weil mir ein Blick auf die umstehenden Bäume verriet, dass es sich um einen ausgesprochen windigen Tag handelte. Es war, so viel ließ sich eindeutig erkennen, völlig unsinnig, an jenem Tage Laub gezielt von irgendwo nach irgendwo anders hinblasen zu wollen. Ich gedachte zunächst, hinauszustürzen und ihn entrüstet zur Rede zu stellen, doch dann besann ich mich eines Besseren. Denn ich befand mich im Unrecht.

Der Mann hatte einen Befehl bekommen. Der Befehl lautete: Laub blasen. Und er führte diesen Befehl aus. Mit einer fanatischen Treue, die Zeitzler gut zu Gesicht gestanden hätte. Ein Mann befolgte einen Befehl, so einfach war das. Und klagte er dabei? Heulte er auf, das sei doch sinnlos bei diesem Wind? Nein, er erfüllte tapfer und stoisch lärmend seine Pflicht. Wie die treuen Männer der SS. Da haben Tausende ohne Rücksicht auf die eigene Belastung ihre Aufgabe erfüllt, obwohl man da auch hätte jammern können: »Was sollen wir denn mit den vielen Juden? Das hat doch alles keinen Sinn mehr, die werden ja schneller angeliefert, als wir sie in die Gaskammern treiben können!«

Ich war so ergriffen, ich kleidete mich rasch an, ich ging hinaus, ich trat zu ihm, legte ihm die Hand auf die Schulter und sagte: »Mein lieber Mann, ich will mich bei Ihnen bedanken. Für Menschen wie Sie führe ich meinen Kampf fort. Denn ich weiß: Aus diesem Laubblasegerät, ja aus jedem Laubblasegerät in diesem Lande strömt der glühende Atem des Nationalsozialismus.«

Genau *das* ist der fanatische Wille, den dieses Land braucht. Und ein wenig davon hoffte ich auch in Sensenbrink geweckt zu haben.

XI.

Als ich morgens in das mir zur Verfügung gestellte Büro kam, wurde mir erneut bewusst, wie weit der Weg war, den ich noch zu gehen hatte. Ich betrat einen Raum, vielleicht fünf mal sieben Meter, Deckenhöhe zwei Meter fünfzig, wenn es hoch kommt. Bedauernd dachte ich an meine Reichskanzlei. Das waren Räume gewesen, wenn man da hineintrat, da fühlte man sofort eine gewisse Zwergenhaftigkeit, man erschauerte vor der Macht, der Hochkultur. Nicht vor der Pracht wohlgemerkt, das hat mir noch nie etwas gegeben, dieses Protzentum, aber in der Reichskanzlei, wenn man da jemanden empfing, dann sah man ihm sofort an, dass er die Überlegenheit des Deutschen Reiches empfand, auch rein körperlich. Das hat Speer wunderbar hinbekommen: Allein im Großen Empfangssaal, diese Kronleuchter, ich glaube, da hat einer allein eine Tonne gewogen, wenn der heruntergekommen wäre, der Mann darunter wäre Mus gewesen, ein Brei, ein breiiges Mus aus Knochen und Blut und aus zermalmtem Fleisch, und vielleicht hätten noch Haare an der Seite hervorgesehen, da hatte ich fast selber Angst, mich drunterzustellen. Ich habe das natürlich nicht gezeigt, ich bin unter diesen Kronleuchtern hindurch, als wäre es nichts, das ist ja auch eine Gewöhnungssache, so etwas.

Aber genau so muss es sein!

Das geht nicht an, dass man da für Millionen und Abermillionen eine Reichskanzlei hinstellt, und dann kommt jemand hinein und denkt sich: »Ach, die hätte ich mir aber größer vorgestellt.« Dass der überhaupt denkt, das darf nicht sein, das muss körperlich sofort spürbar sein: Er – nichts, das deutsche Volk – alles! Ein Herrenvolk! Davon muss eine Aura ausgehen, wie vom Papst, aber natürlich wie von einem Papst, der beim geringsten Widerwort mit Flamme und Schwert dreinschlägt wie der Herrgott selbst. Da müssen dann diese gewaltigen Flügeltüren aufgehen, und heraus tritt der Führer des Deutschen Reiches, und die ausländischen Gäste, die müssen sich fühlen wie Odysseus vor Polyphem, aber dieser Polyphem hat zwei Augen! Dem macht man nichts vor!

Und eine Tür hat er auch, nicht einen Felsblock.

Und Rolltreppen, man kam sich beinahe vor wie im Kaufhof in Köln. Ich habe mir das da gleich nach der Arisierung mal angesehen, das musste man diesem Tietz lassen: Warenhäuser einrichten, das können die Juden. Aber das ist eben auch wieder der Unterschied: Dort sollte der Kunde glauben, dass er König sei, doch wenn er in die Reichskanzlei kam, wusste der Kunde – hier hat er sich einer größeren Sache zu beugen, im Geiste jedenfalls. Ich habe es nie befürwortet, dass da sämtliche Besucher umherkriechen, womöglich auch noch auf dem Boden.

Der Boden des mir zur Verfügung gestellten Büros bestand aus einem dunkelgrauen Stoffkonglomerat, keine Teppiche, eine Art Fußbodenbespannung, erstellt aus einem verfilzten, schäbigen Stoff, keine Winteruniform hätte man dem deutschen Landser daraus zumuten mögen. Ich hatte derlei hier schon mehrfach gesehen, es war wohl so üblich, insofern brauchte ich darin wenigstens keine Herabsetzung meiner Person zu vermuten. Es war offenbar ein Bestandteil jener armseligen Zeit, in der Zukunft, das schwor ich mir, würde es andere Böden geben für den deutschen Arbeiter, die deutsche Familie.

Und andere Wände.

Die Wände hier waren papierdünn, wahrscheinlich geschuldet einem Rohstoffmangel. Ich hatte einen Schreibtisch, offensichtlich aus zweiter Hand, und musste den Raum mit einem zweiten Schreibtisch teilen, der wohl für die zugesagte Schreibkraft vorgesehen war. Ich seufzte tief und blickte aus dem Fenster. Das Fenster ging auf einen Parkplatz mit vielfarbigen Aschentonnen, die ihre Ursache darin hatten, dass man den Müll sorgsam trennte, wohl ebenfalls aus Gründen des Rohstoffmangels. Ich mochte mir nicht überlegen, aus dem Inhalt welcher dieser Tonnen letzten Endes der armselige Bodenbelag gefertigt war. Dann lachte ich lautlos auf angesichts der bitteren Ironie des Schicksals. Wenn dieses Volk sich damals im rechten Augenblicke nur etwas mehr Mühe gegeben hätte, so hätte sich heute angesichts der Rohstoffe des gesamten Ostens derartige Sammeltätigkeit erübrigt. Abfälle aller Art hätte man achtlos in nur zwei Tonnen werfen können oder sogar in nur eine einzige. Ich schüttelte den Kopf, verständnislos.

Vereinzelt trieben sich Ratten dort in dem Hofe herum, abwechselnd mit Gruppen von Rauchern. Ratten, Raucher, Ratten, Raucher, so ging das in einem fort. Ich blickte wieder auf meinen bescheidenen, ja armseligen Schreibtisch und die billige, relativ weiße Wand dahinter. Da konnte man draufhängen, was man wollte, selbst einen bronzenen Reichsadler, es wurde nicht besser. Man konnte schon froh sein, wenn die Wand nicht unter der Last zusammenfiel. 400 Quadratmeter Büro hatte ich einst, jetzt saß der Führer des Großdeutschen Reiches in einer Schuhschachtel. Was war nur aus der Welt geworden?

Und was aus meiner Schreibkraft?

Ich sah auf die Uhr. Es war kurz nach halb eins.

Ich öffnete die Tür und sah hinaus. Es war niemand zu sehen bis auf eine Dame mittleren Alters in einem Kostüm. Sie lachte, als sie meiner ansichtig wurde.

»Ach, Sie sind das! Proben Sie schon? Wir sind ja alle so gespannt!«

»Wo ist meine Sekretärin!«

Sie blieb kurz stehen, um nachzudenken. Dann sagte sie: »Das ist eine 400-Euro-Kraft, oder? Dann kommt die vermutlich nur nachmittags. Etwa gegen zwei.«

»Ach was«, sagte ich verdutzt, »und was mache ich bis dahin?«

»Ich weiß nicht«, sagte sie und wandte sich lachend zum Weitergehen, »vielleicht einen kleinen Blitzkrieg?«

»Das werde ich mir merken!«, sagte ich recht frostig.

»Wirklich?« Sie blieb stehen und drehte sich noch einmal kurz um. »Das ist ja super. Ich freue mich, wenn Sie's für Ihr Programm brauchen können! Wir sind ja hier alle in einer Firma!«

Ich ging wieder in mein Büro und schloss die Tür. Auf beiden Schreibtischen stand eine Schreibmaschine ohne Walze vor einem vermutlich irrtümlich dort angebrachten Fernsehapparat. Ich beschloss, meine Fortbildung im Rundfunkwesen fortzusetzen, fand aber keinen kleinen Bedienungskasten. Es war unerfreulich. Ich griff zornig zum Telefon – dann ließ ich den Hörer wieder auf die Gabel sinken. Ich wusste ja gar nicht, mit wem mich die Zentrale hätte verbinden sollen. In diesem Umfelde brachte mir die ganze moderne technische Infrastruktur überhaupt nichts. Ich seufzte, und an mein Herz pochte ein Moment des bangen Verzagens. Jedoch nur kurz: Ich schob die Anfechtungen der Schwäche entschlossen zur Seite. Ein Politiker macht aus dem Vorhandenen das Beste. Beziehungsweise aus dem nicht Vorhandenen, wie in diesem Fall. Nun, dann konnte ich ja genauso gut einmal hinausgehen und zwischenzeitlich das neue deutsche Volk betrachten.

Ich trat vor die Türe und sah mich um. Gegenüber war eine kleine Grünanlage, deren Laubbäume schon intensivste Herbstfarben trugen. Links und rechts schlossen sich andere Häuser an. Mein Blick streifte eine verrückte Frau, die am Rande jener Grünanlage einen Hund an der Leine führte und im Begriffe war, dessen Hinterlassenschaft aufzuklauben. Ich überlegte kurz, ob sie wohl schon sterilisiert war, kam aber zu dem Schlusse, dass sie in jedem Falle für Deutschland wenig repräsentativ sein konnte, also wählte ich eine andere Richtung und begab mich aufs Geratewohl nach links.

Ein Zigarettenautomat hing an der Wand, an dem sich vermutlich die Raucher versorgten, die den Parkplatz mit den Ratten teilten. Ich passierte ihn und etliche Passanten. Meine Uniform wurde offenbar nicht als störend empfunden, das mochte daher rühren, weil derlei hier nicht unüblich zu sein schien. Mir begegneten zwei Männer in mäßig imitierten Wehrmachtsuniformen, eine Krankenschwester und zwei Ärzte. Diese Häufung kostümierter Figuren kam mir entgegen: Ich schätze die Aufmerksamkeit nicht mehr so sehr, seit ich damals, nach meiner Haftentlassung, von Anhängern regelrecht verfolgt wurde. Man musste sie im wahrsten Sinne des Wortes mit kleinen Manövern überlisten, damit man einmal von Fotografen ungestört eine kleine Rast einlegen konnte. Doch so, in dieser speziellen Umgebung, war ich gewissermaßen als ich selbst und doch inkognito unterwegs, ideal für das Studium der Bevölkerung. Denn viele Menschen benehmen sich in Gegenwart des Führers nicht mehr ganz natürlich. Ich sage dann immer: »Machen Sie sich keine Umstände!«, aber gerade die kleinen Leute scheren sich darum natürlich nicht. In meiner Münchner Zeit, da waren die kleinen Leute geradezu wie verrückt an mir gehangen. Das konnte ich hier nicht brauchen. Ich wollte den echten, den unverfälschten Deutschen sehen, den Berliner.

Einige Minuten später passierte ich eine Baustelle. Männer mit Helmen schlurften herum, es sah im Wesentlichen so aus, wie ich es noch von meiner bitterarmen Zeit in Wien kannte, während der ich mich auf Baustellen verdingt hatte, um mir mein tägliches Brot zu verdienen. Ich blickte neugierig durch den Zaun, ich erwartete, den Häusern beim Wachsen zusehen zu können, aber offenbar hatte die Technik hier nicht allzu große Fortschritte gemacht. Im oberen Stockwerk faltete ein Polier gerade einen Jüngling zusammen, er mochte ein Werkstudent sein, ein angehender Architekt, ein junger, hoffnungsvoller Mensch, wie ich einst einer war. Auch er musste sich der schieren Gewalt des Arbeiters unterwerfen, die erbarmungslose Welt der Baustelle war heute noch dieselbe wie einst. Da konnte der junge Mann Einblicke gewonnen haben in Sprachwissenschaft und Naturphilosophie, das zählte nichts in diesem Universum aus Zement und Stahl. Andererseits bedeutete das auch: Es gab sie noch immer, die brutale, schlichte Masse, ich musste sie nur erwecken. Und auch die Qualität des Blutes schien durchaus brauchbar.

Ich musterte weiterschlendernd die Gesichter, die mir entgegenkamen. Insgesamt hatte sich nicht allzu viel geändert. Die Maßnahmen unter meiner Regierungszeit hatten sich offenbar ausgezahlt, auch wenn sie wohl nicht fortgesetzt worden waren. Vor allem Mischlinge waren kaum zu erkennen. Man sah relativ starke östliche Einflüsse, immer wieder slawische Elemente in den Gesichtern, aber das war in Berlin ja schon immer so gewesen. Was hingegen neu war, war ein erhebliches türkisch-arabisches Element im Straßenbild. Frauen mit Kopftüchern, alte Türken in Jacke und Schiebermütze. Zu einer Vermengung des Blutes war es allerdings allem Anscheine nach nicht gekommen. Die Türken, die ich sah, sahen aus wie Türken, eine Verbesserung durch arisches Blut war da nicht konstatierbar, obwohl die Türken daran sicher ein erhebliches Interesse hatten. Schleierhaft blieb mir jedoch, was der Türke in so großer Zahl auf der Straße trieb. Dazu noch um diese Uhrzeit. Um importiertes Dienstpersonal schien es sich jedenfalls nicht zu handeln, von Eile war bei den Türken nichts zu spüren. Eher ließ ihre Art des Fortkommens eine gewisse Gemächlichkeit erahnen.

Ein Klingeln riss mich aus meinen Gedanken. Ein Läuten, wie es üblicherweise in Schulen das Ende einer Stunde oder des Unterrichtes ankündigte. Ich sah auf, tatsächlich war unweit ein Schulgebäude zu sehen. Ich beschleunigte meine Schritte und setzte mich auf eine freie Bank dem Gebäude gegenüber. Vielleicht ergab sich eine Schulpause oder sonst eine Gelegenheit, einmal in großer Zahl die Jugend zu mustern. Und in der Tat strömte eine erhebliche Menge aus dem Gebäude, allerdings war eine nähere Identifikation der Schulart völlig unmöglich. Etliche Buben konnte ich ausmachen, es schien jedoch keine gleichaltrigen Mädeln zu geben. Was aus dem Gebäude kam, war entweder im Grundschulalter oder schien bereits durchaus gebärfähig. Es mochte sein, dass die Wissenschaft einen Weg entdeckt hatte, jene verwirrenden Jahre der Pubertät zu vermeiden und vor allem die jungen Frauen sofort in ein fruchtbares Alter zu katapultieren. Der Gedanke war im Grunde naheliegend, da eine über lange Jahre der Jugend durchgeführte Abhärtung sinnvoll nur beim Manne ist. Die Spartaner des klassischen Griechenland hatten es damit nicht anders gehalten. Dafür sprach auch: Die jungen Frauen kleideten sich in jedem Fall sehr körperbetont und signalisierten eindeutig das Bestreben der Partnerwahl zur gemeinsamen Familiengründung. Allerdings waren sie, und das war wiederum verwunderlich, in den wenigsten Fällen Deutsche. Es schien sich zugleich auch um eine Schule für türkische Gastschüler zu handeln. Bereits nach wenigen Gesprächsfetzen formte sich ein erstaunliches, ja nachgerade erfreuliches Bild.

Tatsächlich konnte ich beobachten, wie offenbar bei jenen türkischen Schülern meine Prinzipien als richtig erkannt und zu Direktiven umgesetzt worden waren. Den jungen Türken wurden ganz offensichtlich nur die einfachsten Sprachkenntnisse beigebracht. Korrekter Satzbau war kaum zu erkennen, es glich eher einem Sprachverhau, von geistigem Stacheldraht durchzogen, von mentalen Granaten zerpflügt wie die Schlachtfelder der Somme. Was übrig blieb, mochte allenfalls zur notdürftigen Verständigung reichen, aber nicht zu organisiertem Widerstand. In Ermangelung eines ausreichenden Wortschatzes wurden zudem die meisten Sätze mit ausladenden Gesten ergänzt, eine regelrechte Zeichensprache wurde angewendet gemäß Vorstellungen, wie ich sie selbst entwickelt und gewünscht hatte. Zwar für die Ukraine, für das eroberte russische Gebiet, aber es war natürlich für jede andere beherrschte Bevölkerungsgruppe genauso angemessen. Eine weitere technische Maßnahme schien obendrein dazugekommen zu sein, etwas, das ich freilich nicht hatte vorhersehen können: Jene türkischen Schüler mussten offenbar kleine Ohrstöpsel tragen, die eine Aufnahme unnötiger zusätzlicher Informationen oder Wissensbestandteile verhindern sollten. Das Prinzip war einfach und schien fast zu gut zu funktionieren – einige dieser jungen schülerartigen Gestalten warfen Blicke von einer derartigen geistigen Sparsamkeit, dass man sich kaum vorstellen konnte, welche nützliche Tätigkeit sie eines Tages für die Gesellschaft würden erfüllen mögen. Den Bürgersteig jedenfalls, wie ich wieder mit einem raschen Blick feststellen konnte, fegten weder sie noch sonst jemand.

Als die Schüler beider Rassen meiner ansichtig wurden, ging ein freudiges Wiedererkennen über einige ihrer Gesichter. Es war ganz klar, dass die deutschstämmigen Schüler mich wohl aus dem Geschichtsunterrichte kannten, die türkischstämmigen aus den Untiefen des Fernsehapparates. Es kam, wie es kommen musste. Ich wurde wieder fälschlicherweise identifiziert als der »andere Herr Stromberger aus Switsch«, musste einige Autogramme geben und mehrere Fotos mit diversen Schülern machen lassen. Das Durcheinander war nicht übertrieben, aber doch so beträchtlich, dass ich vorübergehend den Überblick verlor und fast den unsinnigen Eindruck gewann, die deutschen Schüler sprächen denselben zerhackten Sprachsalat. Als ich aus dem Augenwinkel eine weitere verrückte Frau sah, die geradezu akribisch die einzelnen Exkrementteile ihres Hundes auflas, hielt ich den rechten Zeitpunkt für gekommen, mich wieder in die Ruhe und Abgeschiedenheit meines Büros zurückzuziehen.

Ich saß gerade etwa zehn Minuten hinter meinem Schreibtische und betrachtete die neuerliche Wachablösung von Rauchern zu Ratten, als die Türe sich öffnete und jemand eintrat, der möglicherweise erst vor Kurzem jener Gruppe der Schulfrauen unbestimmbaren Alters entwachsen war. Sie trug allerdings auffallend schwarze Kleidung zu ihren langen, dunklen Haaren, die sie glatt zur Seite gescheitelt hatte. Und gewiss, wer hätte eine Vorliebe fürs Dunkle, ja Schwarze besser zu schätzen gewusst als ich, nicht zuletzt bei der SS hatte das immer sehr schneidig ausgesehen. Doch im Gegensatz zu meinen SS-Männern sah die junge Frau fast schon beunruhigend bleich aus, was besonders ins Auge stach, weil sie wiederum einen auffallend dunklen, fast bläulichen Lippenstift bevorzugte.

»Um Gottes willen«, sagte ich aufspringend, »fühlen Sie sich wohl? Ist Ihnen kalt? Setzen Sie sich rasch!«

Sie sah mich unbeirrt ein Kaugummi kauend an, zog dann zwei Stöpsel an Schnüren aus ihrem Ohr und sagte: »Hm?«

Ich begann an der Theorie der Türkenstöpsel zu zweifeln. Die junge Frau strahlte überhaupt nichts Asiatisches aus, ich musste der Sache wohl ein anderes Mal auf den Grund gehen. Und zu frieren schien sie auch nicht, jedenfalls ließ sie einen schwarzen Rucksack von ihrer Schulter gleiten und zog den schwarzen Herbstmantel aus. Darunter trug sie gewöhnliche Kleidung, mit der Einschränkung, dass auch diese von komplett schwarzer Färbung war.

»Na«, sagte sie dann, ohne weiter nach meiner Frage zu forschen, »Sie sind denn wohl der Herr Hitler!« Sie hielt mir ihre Hand hin.

Ich schüttelte ihre Hand, setzte mich wieder und sagte relativ knapp: »Und wer sind Sie?«

»Vera Krömeier«, sagte sie. »Det is ja kuhl. Kann ich Sie jleich mal wat fragen? Is det Messed Ekting?«

»Verzeihung?«

»Na det, wat der de Niro ooch macht. Und der Patschino. Messed Ekting. Wo man so janz drinne is in seine Rolle?«

»Sehen Sie, Fräulein Krömeier«, sagte ich bestimmt und erhob mich, »ich weiß nicht genau, wovon Sie reden, aber entscheidend ist vor allem, dass Sie wissen, wovon *ich* rede, und da …«

»Da hamse recht«, sagte Fräulein Krömeier und nahm mit zwei Fingern das Kaugummi aus dem Mund. »Hamwa hier ooch 'nen Papierkorb? Den verjessense nämlich meestens.« Sie sah sich um, entdeckte keinen Papierkorb, stand mit einem »Moment« auf, schob das Kaugummi wieder in den Mund und verschwand. Ich stand ein wenig unnütz in der Mitte des Raumes. Dann setzte ich mich wieder. Kurz darauf kehrte sie zurück, einen leeren Papierkorb in der Hand. Sie stellte ihn ab, holte erneut das Kaugummi aus ihrem Mund und ließ es zufrieden in den Korb fallen.

»So«, sagte sie, »bessa.« Dann wandte sie sich wieder mir zu. »Wat hamse sich denn so vorjestellt, Meesta?«

Ich seufzte. Sie also auch. Ich musste wohl ganz von vorne anfangen.

»Zunächst«, sagte ich, »heißt das nicht ›Meister‹, sondern ›Führer‹. Also ›Mein Führer‹, wenn Sie möchten. Und ich möchte, dass Sie anständig grüßen, wenn Sie hier hereinkommen!«

»Jrüßen?«

»Mit dem Deutschen Gruß natürlich! Mit dem erhobenen rechten Arm.«

Begreifend leuchtete ihr Gesicht auf, dann war sie mit einem Satz auf den Beinen: »Ick hab det ja jewusst. Jenau det isset doch! Messed Ekting! Soll ick et jleich ma' machen?«

Ich nickte zustimmend. Sie eilte aus der Tür, schloss sie, klopfte an, und als ich »Herein« sagte, trat sie ein, riss ihren Arm senkrecht in die Höhe und schrie: »JUTEN MORJEN, MEEN FÜHRA!« Und dann fügte sie hinzu: »Det jehört so jeschrien, wa? Ick hab det ma' innem Film jesehen.« Dann hielt sie erschrocken inne und brüllte: »ODA JEHÖRT DET ALLET JESCHRIEN? HAM DIE BEI DEM HITLA IMMA ALLE DAUERND JESCHRIEN?« Sie musterte mein Gesicht und sagte wieder in einer besorgten, aber normalen Stimmlage: »Det war jetz ooch wieder falsch, oda? Det tut ma leid! Nehmn Sie jetze wen anderet?«

»Nein«, sagte ich beruhigend, »das ist schon in Ordnung. Ich erwarte von keinem Volksgenossen Perfektion. Ich erwarte nur, dass er sein Bestes gibt, ein jeder auf seinem Posten. Und Sie scheinen mir auf einem ausgezeichneten Wege dazu. Aber bitte, tun Sie mir einen Gefallen: Schreien Sie nicht mehr!«

»Jawohl, meen Führa!«, sagte sie und fügte dann hinzu: »Jut, wa?«

»Sehr schön«, lobte ich. »Die Hand sollte allerdings etwas weiter nach vorn. Sie melden sich schließlich nicht in einer Dorfschule!«

»Jawohl, meen Führa. Un wat machn wa nu?«

»Zunächst«, sagte ich, »zeigen Sie mir, wie man diesen Fernsehapparat bedient. Dann entfernen Sie den Apparat auf Ihrem Schreibtisch, Sie werden ja hier nicht fürs Fernsehen bezahlt. Und dann brauchen wir eine vernünftige Schreibmaschine für Sie. Es geht da nicht jeder Apparat, wir brauchen den Schrifttyp Antiqua 4 mm, und was immer Sie für mich schreiben, schreiben Sie mit einem Zeilenabstand von einem Zentimeter. Sonst kann ich das Ganze nur mit Brille lesen.«

»Schreibmaschine kannick nich«, sagte sie, »ick kann nur oofm Pezeh. Und wenn Se mir den wegnehmen, kannick janüscht mehr. Aba erstens kriegen wir mit dem Computer jede Schriftgröße, die Se brauchen. Und zweetens kann ick Ihnen schon mal Ihren Computer anschließen.«

Und dann stellte sie mir eine der erstaunlichsten Errungenschaften aus der Geschichte der Menschheit vor: den Computer.

XII.

Es ist immer wieder erstaunlich, dass sich das schöpferische Element im Arier nicht unterkriegen lässt. Auch mich, der ich das Prinzip ja schon seit Langem erkannt habe, überrascht dessen geradezu unfehlbares Zutreffen selbst unter widrigsten Umständen stets von Neuem.

Vorausgesetzt natürlich, das Klima ist angemessen.

Es waren ehedem bereits die zuverlässig albernsten Diskussionen, die ich da führen musste über den Germanen in grauer Vorzeit im Wald, und ich habe nie geleugnet: Wenn es kalt ist, macht der Germane nichts. Da heizt er vielleicht noch. Das sieht man am Norweger, am Schweden. Es hat mich insofern auch nicht erstaunt, als ich erfuhr, welchen Erfolg neuerdings der Schwede mit seinen Möbeln feiert. Der Schwede in seinem Lausestaat ist ohnehin die ganze Zeit auf der Suche nach Feuerholz, da ist es nicht verwunderlich, dass dabei auch einmal ein Stuhl herumkommt oder ein Tisch. Oder ein sogenanntes Sozialsystem, das Millionen von Schmarotzern die Heizwärme kostenlos in ihre Blockhäuser liefert, was im Übrigen auch nur zu weiterer Verweichlichung und fortgesetzter Trägheit führt. Nein, der Schwede zeigt neben dem Schweizer das Schlechteste am Germanen, aber eben – und das soll man nie aus dem Auge verlieren – aus einem einfachen Grunde, wegen des Klimas. Sobald hingegen der Germane in den Süden kommt, erwacht in ihm unfehlbar die Kreativität, der Schöpfungswille, dann baut er die Akropolis in Athen, die Alhambra in Spanien, die Pyramiden in Ägypten, das weiß man ja alles, man übersieht es nur allzu leicht in seiner Selbstverständlichkeit, da sehen manche den Arier vor lauter Bauten nicht. Und in Amerika gilt natürlich dasselbe: Ohne die ausgewanderten Deutschen wäre der Amerikaner nichts, ich habe es schon wieder und wieder bedauert, dass man damals den ganzen Deutschen keine eigene Scholle anbieten konnte, wir haben zu Anfang des 20. Jahrhunderts Hunderttausende Auswanderer an den Amerikaner verloren. Seltsamerweise, wie ich anmerken möchte, denn die wenigsten sind dort Bauern geworden, da hätten sie eigentlich genauso gut hierbleiben können. Aber die meisten haben vermutlich gedacht, das Land dort sei größer, und in einiger Zeit würde ihnen dort ihr eigener Bauernhof zugewiesen, und in der Zwischenzeit haben sie dann natürlich anderweitig das Brot verdienen müssen. So haben sich dann diese Leute Berufe gesucht, kleine handwerkliche Tätigkeiten, sagen wir Schuster oder Schreiner oder etwas in der Atomphysik, was sich eben so anbot. Und dieser Douglas Engelbart, sein Vater war schon nach Washington ausgewandert, was ja bereits südlicher ist, als man gemeinhin glaubt, aber der junge Engelbart geht dann sogar nach Kalifornien, was *noch* weiter südlich ist, und sein germanisches Blut wallt in der Wärme auf, und er erfindet prompt dieses Mäusegerät.

Also: fantastisch.

Ich muss ja sagen, dass ich mit diesem Computerwesen nie viel anfangen konnte. Ich habe das am Rande mitbekommen, was der Zuse da zusammengeschraubt hat, ich glaube, aus irgendeinem Ministerium wurde es wohl auch gefördert, aber das war alles in allem mehr so eine Sache für professorale Brillenträger. Für die Front zu unhandlich, ich hätte diesen Zuse mit seinem schrankförmigen Elektronengehirn nicht durch die Pripjetsümpfe waten sehen mögen. Oder im Fallschirmjägereinsatz auf Kreta, der Mann wäre heruntergekommen wie ein Stein, man hätte ihm einen eigenen Lastensegler mitgeben müssen, und wofür das Ganze? Das war ja im Grunde alles besseres Kopfrechnen, man kann gegen Schacht sagen, was man will, aber das, was dieser Apparat von Zuse da leistete, das hätte Schacht nach 72 Stunden unter Feindfeuer im Halbschlaf zusammengerechnet, während er sich nebenher ein Kommissbrot schmiert. Insofern habe ich mich auch zunächst gesträubt, als das Fräulein Krömeier mich an diesen Bildschirm schob.

»Ich muss diese Gerätschaften nicht kennen«, habe ich gesagt, »die Sekretärin hier sind doch Sie!«

»Deshalb setzen Se sich jetze da hin, meen Führa«, sagte daraufhin Fräulein Krömeier, ich erinnere mich noch, als sei es gestern gewesen, »weil sonst heeßt et nachher nur ›Helfen Se ma hia‹ und ›Helfen Se ma da!‹, und zu meener eijentlichen Arbeit komm ick denn jar nüscht mehr.«

Diesen Ton schätze ich an und für sich nicht, aber die beinahe ruppige Art erinnerte mich sehr daran, wie mir damals der Adolf Müller das Autofahren beigebracht hat. Das war kurz nachdem einem Chauffeur von mir unter der Fahrt mal ein Rad abgefallen ist, da ist der Müller mit mir, ich muss schon sagen, scharf ins Gericht gegangen, auch wenn es ihm dabei wohl weniger um die nationale Sache gegangen ist, als dass er Angst gehabt hat, wenn ich mir den Hals breche, dass er dann den

Druckauftrag für den »Völkischen Beobachter« verliert, der Müller war ja kein Fahrlehrer, der war ja vor allem immer auch Geschäftsmann. Obwohl, vielleicht tue ich ihm unrecht, wie ich jetzt erfahren habe, hat er sich offenbar kurz nach Kriegsende erschossen, und mit einem Suizid verdient man ja letzten Endes nichts. Jedenfalls hat er mich daraufhin mitgenommen in seinem Wagen, damit ich mal sehe, wie man richtig zu fahren hat, oder in meinem Fall, worauf man bei einem Chauffeur achten muss. Das war eine ungemein wertvolle Stunde, so viel wie von diesem Müller habe ich von manchem Professor in Jahren nicht gelernt. Wie ich überhaupt hier einmal betonen möchte, dass ich mir sehr wohl von anderen Leuten auch etwas sagen lasse, jedenfalls wenn es sich dabei nicht gerade um diese althergebrachten Kretins aus dem Generalstab handelt. Autofahren, das können sicher manche Leute besser als ich, aber ob man nun eine Frontlinie begradigt oder wie lange man in einem Kessel Widerstand leistet, das entscheide immer noch ich und nicht irgendein Herr Paulus, der gerade kalte Füße kriegt.

Wenn ich nur daran denke!

Na ja. Nächstes Mal.

Jedenfalls erklärte ich mich aufgrund verschiedener Reminiszenzen bereit, den Ausführungen des Fräulein Krömeier zu folgen, und ich muss sagen: Es hat sich gelohnt. Mich hatte vor allem diese Schreibmaschine abgeschreckt. Ich wollte nie Buchhalter werden oder ein Bürohengst, und auch meine bisherigen Bücher habe ich stets nur diktiert. Das hätte noch gefehlt, dass ich da vor mich hintippe wie irgendein schwachsinniger Schmierfink in einer Lokalpostille, aber dann kam eben dieses Wunderwerk deutschen Erfindergeistes, dann kam dieser Mausapparat.

Etwas Genialeres ist selten erfunden worden.

Man fährt damit auf dem Tische umher, und genau so, wie man damit auf dem Tische umherfährt, fährt eine kleine Hand auf dem Bildschirme umher. Und wenn man eine Stelle auf der Bildröhre berühren möchte, dann presst man auf jene Mausvorrichtung, und schon berührt die kleine Hand die Stelle auf der Röhre. Es ist dies so kinderleicht, ich war regelrecht fasziniert. Dennoch wäre es freilich nur eine heitere Spielerei gewesen, wenn es lediglich zur Vereinfachung irgendwelcher Bürotätigkeiten gedient hätte. Doch es zeigte sich, dass jener Apparat eine erstaunliche Mischform war.

Man konnte damit schreiben, man konnte aber auch über ein Leitungsnetz mit allen Personen und Institutionen in Verbindung treten, die sich dazu ebenfalls bereit erklärt hatten. Obendrein mussten – anders als beim Telefonapparat – viele Teilnehmer gar nicht mehr selbst vor ihrem Computer sitzen, sondern einfach nur Dinge hinterlegen, sodass man in ihrer Abwesenheit darauf zugreifen konnte, alle möglichen Krämer taten dies. Was mich jedoch besonders erfreute, war, dass Zeitungen, Zeitschriften, ja alle möglichen Formen von Wissen abrufbar waren. Es war wie eine riesige Bibliothek mit unbegrenzten Öffnungszeiten. Wie hatte ich das vermisst! Wie oft hatte ich nach einem harten Tag voller schwieriger militärischer Entscheidungen morgens um zwei Uhr noch ein wenig lesen wollen. Und gewiss, der gute Bormann tat sein Möglichstes, aber wie viele Bücher kann ein einzelner einfacher Reichsleiter besorgen? Zudem war in der Wolfsschanze auch nicht unbegrenzt Platz. Diese wunderbare »Internetz« genannte Technologie hingegen bot schier alles zu jeder Tages- und Nachtzeit. Man musste es nur in einem Apparat namens »Google« suchen und das Ergebnis mit jenem herrlichen Mausgerät berühren. Und nach kurzer Zeit stellte ich fest, dass ich ohnehin immer bei derselben Adresse landete: einem urgermanischen Nachschlagewerk namens Wikipedia, unschwer als eine Wortschöpfung zu erkennen aus Enzyklopädie und dem altgermanischen Forscherblut der Wikinger.

Das war ein Projekt, angesichts dessen mir fast die Tränen kamen.

Hier dachte tatsächlich einmal niemand an sich. In wahrhaftiger Selbstaufgabe und Selbsthingabe trugen dort zahllose Menschen zum Wohle der deutschen Nation allerlei Wissen zusammen, ohne einen Pfennig dafür zu verlangen. Es war dies eine Art Winterhilfswerk des Wissens, die zeigte, dass auch in Abwesenheit einer nationalsozialistischen Partei das deutsche Volk instinktiv sich selbst unterstützte. Man musste natürlich gewisse Abstriche machen, was das Expertentum solcher uneigennütziger Volksgenossen anging.

So nahm ich, um nur ein Beispiel zu nennen, mit Erheiterung zur Kenntnis, dass mein Vizekanzler von Papen 1932 behauptet hatte, man würde mich nach meinem Machtantritt innerhalb von zwei Monaten an die Wand gedrückt haben, dass ich quietschte. Man konnte in diesem Internetz aber auch lesen, dass von Papen dasselbe nicht in zwei, sondern in drei Monaten zu bewerkstelligen gedachte oder auch in sechs Wochen. Des Öfteren gedachte er mich zudem nicht an die Wand zu drücken, sondern in die Ecke. Oder auch in die Enge. Möglicherweise sollte ich auch nicht gedrückt werden, sondern gequetscht, und das Ziel war denkbarer Weise auch kein Quietschen, sondern ein Quieken. Letzten Endes musste der unbedarfte Leser sich die

Wahrheit wohl dahingehend zusammenreimen, dass von Papen innerhalb eines Zeitraums zwischen sechs und zwölf Wochen auf mich in irgendeiner Art und Weise zu drücken gedachte, bis ich einen beliebigen hohen Ton von mir gäbe. Was letztlich den tatsächlichen damaligen Absichten dieses selbst ernannten Strategen immer noch erstaunlich nahe kam.

»Ham Se schon 'ne Adresse?«, fragte Fräulein Krömeier.

»Ich wohne im Hotel«, sagte ich.

»Für E-Mail. Für elektronische Post.«

»Die schicken Sie auch ans Hotel!«

»Also nicht«, sagte sie und tippte etwas in ihren Computer. »Unta welchem Namen soll ick Se eintragen?«

Ich sah sie mit gerunzelter Stirn streng an.

»Unta welchem Namen, meen Führa?«

»Unter meinem«, sagte ich, »selbstverständlich!«

»Det wird vermutlich schwer«, sagte sie und tippte etwas ein.

»Was soll daran schwer sein?«, fragte ich. »Unter welchem Namen kriegen denn Sie Ihre Post?«

»Unta Vulcania17 et web Dee Ee«, sagte sie. »Da ham wa't schon: Ihr Name is vaboten.«

»Wie bitte?«

»Ick kann et noch bei einijen anderen Anbietern probieren, aber det wird nüscht viel ändern. Und wenna nüscht verboten is, dann hatt 'n sich schon einer von den Irren jesichert.«

»Was heißt hier gesichert«, fragte ich genervt, »es heißen natürlich mehr Leute Adolf Hitler. Es heißen ja auch mehr Leute Hans Müller. Da sagt die Post auch nicht, dass nur einer Hans Müller heißen darf. Einen Namen kann man sich doch nicht reservieren!«

Sie sah mich erst leicht irritiert an, dann ein wenig so, wie ich früher öfter mal den greisen Reichspräsidenten Hindenburg angesehen hatte.

»Es gibt jede Adresse nur einmal«, sagte sie fest, aber so langsam, als müsse man fürchten, ich könnte ihren Ausführungen sonst nicht folgen. Dann tippte sie weiter.

»Da ham wa et schon: Adolf Punkt Hitler is wech«, sagte sie. »Adolfhitler im Janzen ooch und Adolf Unterstrich Hitler sowieso.«

»Wieso Unterstrich? Was für ein Unterstrich?«, versuchte ich noch herauszufinden, »wenn überhaupt, dann einen Herrenstrich!« – aber Fräulein Krömeier tippte schon weiter.

»Datselbe gilt für AHitler und A Punkt Hitler«, meldete sie tippend. »Nur Hitler und nur Adolf ooch.«

»Dann muss man es eben zurückholen«, sagte ich trotzig.

»Da kann man nichts zurückholen«, antwortete sie gereizt.

»Bormann hätte es gekonnt! Sonst hätten wir ja nie die ganzen Häuser auf dem Obersalzberg gekriegt. Glauben Sie denn, der war vorher völlig unbewohnt? Da wohnten natürlich schon Leute, aber Bormann hatte da eben seine Methoden ...«

»Wünschen Se lieber, det sich der Herr Bormann um Ihre E-Mail-Adresse kümmert?«, fragte Fräulein Krömeier besorgt und auch leicht gekränkt.

»Bormann ist momentan leider unauffindbar«, gab ich zu, und, um die Truppe nicht zu entmutigen, fügte ich an: »Ich bin sicher, Sie geben Ihr Bestes.«

»Dann mach ick mal einstweilen weiter, wenn det für Sie in Ordnung is«, sagte sie, »wann ham Se denn Jeburtstach?«

»20. April 1889.«

»Hitler89 ist ooch weg, Hitler 204 – nee, mit Ihrem Namen kommen wa nich weita.«

»Frechheit!«, sagte ich.

»Und wenn Se sich ’n anderen Namen wählen? Ick heeß ja ooch nich Vulcania17.«

»Aber das ist doch ungeheuerlich! Ich bin doch nicht irgendein Hanswurst!«

»Det is nu ma so im Intanet. Wer zuerst kommt, mahlt zuerst. Se können ja ooch wat Symbolischet wählen!«

»Ein Pseudonym?«

»So wat.«

»Dann … nehmen Sie Wolf«, sagte ich widerwillig.

»Nur Wolf? Det jibt’s sicher schon. Det is zu eenfach.«

»Dann in Gottes Namen eben Wolfs … schanze!«

Sie tippte.

»Is schon wech. Wolfsschanze 6 können Se haben.«

»Ich bin doch nicht Wolfsschanze6!«

»Warten Se mal, wat jibt’s denn da noch – wie hieß det Ding: Obasalzbach?«

»Berg! Obersalz*berg*!«

Sie tippte. Dann sagte sie: »Oje. Obersalzberg 6 möchten Se wahrscheinlich ooch nich, oder?« Und ohne eine Antwort abzuwarten, fuhr sie fort: »Ick probier’s mal mit Reichskanzlei. Det is doch wat für Sie. Und … Reichskanzlei 1 können Se haben.«

»Nicht Reichskanzlei«, sagte ich, »probieren Sie ›Neue Reichskanzlei‹. Die habe ich wenigstens gemocht.«

Sie tippte wieder. »Treffer«, sagte sie. »Det jeht.« Dann blickte sie zu mir.

Ich scheine in jenem kurzen Augenblicke etwas entmutigt gewirkt zu haben, jedenfalls fühlte sie sich bemüßigt, mit einem tröstlichen, nachgerade mütterlichen Tonfalle zu sagen: »Schauen Se doch nich so! Sie bekommen Ihre E-Mail in die Neue Reichskanzlei. Det klingt doch richtich jut!« Sie hielt inne, schüttelte den Kopf und fügte dann hinzu: »Wenn ick det kurz sagen darf, also – Se machen det richtich fantastisch! Unglaublich überzeujend! Ick muss echt oofpassen, det ick nich' denke, Sie hätten da wirklich mal jewohnt ...«

Für einen Moment sagte niemand von uns etwas, während sie weitere Dinge in den Computer eingab.

»Wer beaufsichtigt das alles eigentlich?«, fragte ich dann. »Es gibt doch kein Reichspropagandaministerium mehr.«

»Niemand«, sagte sie. Dann hakte sie vorsichtig nach: »Aber – det wissen Se doch, oder? Det jehört dazu, nich wahr? Ick mein – det ick Ihnen det allet erklären muss, als hätt Se irgendwer erst jestern uffjetaut?«

»Ich bin Ihnen hier keinerlei Rechenschaft schuldig«, sagte ich etwas harscher, als ich es vorgehabt hatte, »beantworten Sie meine Frage!«

»Nee«, sagte sie seufzend, »det läuft allet ziemlich unjeregelt, meen Führa. Wir sind ja nicht in China. Da hamse 'ne Zensur!«

»Gut zu wissen«, sagte ich.

xiii.

Ich war froh, dass ich nicht mitbekommen hatte, wie nach dem Kriege die Siegermächte das Reich geteilt hatten. Wenn ich dabei gewesen wäre, der Anblick hätte mir schlicht das Herz zerrissen. Andererseits muss man auch sagen: Angesichts des Zustands, in dem sich das Land damals befand, machte das den Kohl auch nicht mehr fett. Zumal Kohl, wie ich den – allerdings fraglos propagandistisch gefärbten – Unterlagen entnehmen konnte, nur in geringem Maße vorhanden war. Der Winter 1946 soll insgesamt unerfreulich gewesen sein. Ich kann bei genauerer Betrachtung daran nichts Schlechtes finden: Gemäß dem alten spartanischen Erziehungsideal bringt unerbittliche Härte noch immer die stärksten Kinder und Völker hervor, und ein Hungerwinter, der sich erbarmungslos in das Gedächtnis einer Nation brennt, wird umso nachhaltiger dafür sorgen, dass sie es sich künftig überlegen wird, bevor sie einen weiteren Weltkrieg verliert.

Wenn ich den demokratischen Geschichtsschreibern glauben darf, wurde nach meinem Ausscheiden aus der aktiven Politik Ende April 1945 gerade mal eine jämmerliche Woche weitergekämpft. Das ist indiskutabel. Der Widerstand der Werwölfe wurde von Dönitz abgeblasen, und Bormanns teuer angeschaffte Bunkeranlagen wurden überhaupt nicht richtig genutzt. Gut, dass der

Russe seine Völkerfluten über Berlin ergießen würde, egal wie viele Menschenleben es kostet, damit hatte man noch immer rechnen müssen. Aber ich muss zugeben, ich hatte schon mit einer gewissen Vorfreude in den Unterlagen nachgeforscht, welch blaue Wunder auf diese überheblichen Amerikaner gewartet hatten – nun musste ich zu meiner tiefsten Enttäuschung feststellen: kein einziges.

Ein Trauerspiel.

Es bewahrheitete sich wieder das, was ich schon 1924 niedergeschrieben hatte – dass am Ende eines Krieges die wertvollsten Elemente des Volkes selbstlos an der Front gefallen sind und nur noch der mittelmäßige bis minderwertige Ausschuss übrig bleibt, der sich dann natürlich zu schade oder widersinnigerweise sogar zu fein ist, dem Amerikaner aus dem Untergrunde heraus ein anständiges Blutbad zu bereiten.

Und ich gebe auch zu: An dieser Stelle meiner Überlegungen machte ich mir einen Vermerk. Es ist schon interessant, wie man die Dinge mit einem gewissen Abstand auf völlig neue Weise zu betrachten vermag. Nachdem ich selbst auf diesen Umstand des frühen Todes der besten Volkselemente hingewiesen hatte, war es doch erstaunlich, wie ich hatte davon ausgehen können, dass es in diesem Kriege anders hätte sein sollen. Ich notierte mir also gewissenhaft: »Nächster Krieg: Minderwertige zuerst!« Dann, als mir durch den Kopf ging, dass eine Anfangsoffensive der Minderwertigen möglicherweise nicht den gewünschten Erfolg bringen würde, korrigierte ich den Eintrag auf »Mittelmäßige zuerst«, dann auf »Die Besten zuerst, hernach aber rechtzeitig gegen Mittelmäßige und ggf. Minderwertige austauschen«, um dann aber wieder »Auch ausreichend Gute bis sehr Gute beimischen« dazuzuschreiben. Letzten Endes strich ich alles wieder durch, notierte »Gute, Mittelmäßige und Minderwertige besser einteilen!« und vertagte die Lösung des Problems. Entgegen kleingeistiger Vermutungen muss der Führer nicht immer sofort die richtige Antwort kennen – er muss sie nur im richtigen Moment parat haben, in diesem Falle, sagen wir, passend zum nächsten Kriegsausbruch.

Der weitere Verlauf der Dinge nach der jämmerlichen Kapitulation des unfähigen Dönitz überraschte nur bedingt. Tatsächlich hatten sich die Alliierten über der Beute so zerstritten, wie ich es vorhergesehen hatte – allerdings hatten sie bedauerlicherweise darüber die Aufteilung derselben nicht vergessen. Der Russe behielt seinen Teil Polens und schenkte dem Polen dafür großzügig Schlesien, Österreich machte sich unter der Führung einiger Sozialdemokraten in die Neutralität davon. Im restlichen Deutschland wurden unter Vorspiegelung wahlartiger Vorgänge mehr oder minder mäßig getarnte Marionettenregime installiert, unter der Führung von Figuren wie den ehemaligen Zuchthäuslern Adenauer und Honecker, dem fetten Wirtschaftswahrsager Erhard oder – auch nicht sehr überraschend – Kiesinger, einem jener Hunderttausende lauwarmer Gesellen, die 1933 rasch noch in die Partei eingetreten waren. Ich möchte sagen, es erfüllte mich mit einer gewissen Genugtuung zu lesen, dass diesem Fähnlein im Gesinnungswinde gerade jener Parteibeitritt in letzter Sekunde zum Verhängnis wurde.

Natürlich hatten die Siegermächte auch ihren alten Plan zur Vollendung gebracht, dem Volke einen völlig übertriebenen Föderalismus einzuimpfen, um dauerhaften Streit innerhalb der Nation sicherzustellen. Es gab zahlreiche sogenannte Bundesländer, die sich natürlich prompt sofort gegenseitig in alle Angelegenheiten hineinredeten und alles zerpflückten, was das vollkommen unfähige Bundesparlament an Beschlüssen ausschied. Ausgerechnet auf mein geliebtes Bayern machte diese Maßnahme sogar den unsinnigsten und nachhaltigsten Eindruck. Hier, wo ich den Grundstein meiner Bewegung einst legte, wurden nun mit Vorliebe die allerdümmsten Kraftmeier verehrt, die ihre scheinheilige Frömmelei und ihre jederzeitige Käuflichkeit durch das Leeren und Schwenken großer Maßkrüge zu verbergen trachteten und an denen die gelegentlichen Bordellbesuche noch das Ehrlichste waren.

Im Norden des Landes hatte sich unterdessen die Sozialdemokratie breitgemacht, die ihren Herrschaftsbereich zu einem riesigen sozialromantischen Vereinsheim ausbaute und dafür das Volksvermögen nach Herzenslust verschleuderte. Die übrigen Gestalten dieser Republik waren, so schien es mir, alle gleichermaßen wenig erwähnenswert, es handelte sich um das übliche Schwätzervolk parlamentarischer Politikdarsteller, deren übelste Gestalten wie schon nach dem Ersten Weltkriege mit größter Dringlichkeit zum Kanzler berufen wurden. Es muss sich wohl dann auch um einen besonderen »Spaß« des Schicksals gehandelt haben, dass es ausgerechnet die klobigste und teigartigste unter diesen geistigen Mikroben erwählte, um ihr die sogenannte Wiedervereinigung in den ausladenden Schoß zu schleudern.

Bei dieser vorgeblichen »Wiedervereinigung« handelte es sich zugegebenermaßen um eine der wenigen erstklassigen Propagandalügen dieser Republik: Denn zu einer echten Wiedervereinigung fehlten doch einige nicht ganz unwesentliche Bestandteile wie eben jenes den Polen verehrte Schlesien, aber auch Elsass-Lothringen oder Österreich. Allein schon daran kann man auch die Dürftigkeit jener handelnden Regierungsdarsteller ermessen, dass sie gerade mal in der Lage waren, dem zu jener Zeit schwächelnden Russen ein paar völlig heruntergewirtschaftete Quadratkilometer abzuschwatzen, nicht aber dem französischen Erbfeinde eine prosperierende Region, die das Land wirklich weitergebracht hätte.

Doch je größer die Lüge, desto bereitwilliger wird sie geglaubt – zum Dank für seine heroische »Vereinigungs«-Tat durfte jener Kanzlerplatzhalter sechzehn Jahre lang das Land »regieren«, vier Jahre länger als ich selbst. Unvorstellbar. Dabei wirkte der Mann doch wie Göring nach Einnahme eines Doppelzentners Barbital. Allein schon der Anblick war lähmend. Fünfzehn Jahre lang habe ich am Erscheinungsbild einer kraftvollen Partei gearbeitet, jetzt musste ich lesen, dass man dieses Land genauso gut in der Strickjacke verwalten konnte. Ich war nur froh, dass Goebbels das nicht mehr mitbekommen hatte. Der arme Mann würde im Grabe weiß glühend rotieren, bis es durch den deutschen Mutterboden hinaufraucht.

Der französische Erbfeind hatte sich inzwischen zu unserem engsten Freunde entwickelt. Bei jeder Gelegenheit fielen sich die leitenden Hampelmänner um den Hals und schworen, sich nie wieder wie echte Männer streiten zu wollen. Der feste Wille dazu wurde in einem europäischen Bündnis zementiert, einer Bande gleich, wie sie Schulbuben manchmal schließen. Diese Bande verbrachte die weitere Zeit damit, darüber zu streiten, wer gerade der Anführer sein durfte und wer wie viele Süßigkeiten mitzubringen hatte. Der Ostteil des Kontinents versuchte es unterdessen dem Westteile an Albernheit gleichzutun, wenn auch mit einem Unterschied: Hier unterblieben Streitereien vollkommen, weil es einzig und allein galt, den bolschewistischen Gewaltherrschaften hinterherzuspeicheln. Während ich derlei las, wurde mir so überwältigend schlecht, dass ich mehrfach überlegte, mich zu übergeben. Ich hatte dann aber keine Lust dazu.

Dass man sich im Westen überhaupt vorwiegend kindischen Streitereien widmen konnte, hatte seine Ursache darin, dass sich um die wichtigeren Dinge das amerikanische Finanzjudentum kümmerte, das dort ungebrochen herrschte. Es hatte sich aus der deutschen Restmasse die Dienste des windelweichen Sturmbannführers Wernher von Braun gesichert, ein mir schon von jeher suspekter Opportunist, der ja auch erwartungsgemäß sofort bereit war, seine bei der Produktion unserer V2 gewonnenen Kenntnisse an den Höchstbietenden zu verschachern. Seine Raketen sicherten den Transport der amerikanischen Weltzerstörungswaffen und damit die Weltherrschaft, was verwirrenderweise in knapp fünfundvierzig Jahren zum Bankrott des bolschewistisch-jüdischen Modells im Osten führte. Und ich kann nicht verhehlen, dass mich das zunächst stark verwirrte.

Welcher Taschenspielertrick mochte dahinterstecken?

Seit wann ruinierte der Jude den Juden?

Das Rätsel musste vorerst ungelöst bleiben. Fest stand: In der Folge der Beseitigung der bolschewistischen Herrschaftssysteme hatte man dem deutschen Marionettenregime einen Friedensvertrag und die Unabhängigkeit ausgehändigt. Von einer echten Unabhängigkeit konnte ohne eigene Raketenwaffen natürlich keine Rede sein.

Im Gegenteil mühten sich Regierungen jedweder Couleur nicht um solide Aufrüstung, sondern um eine tiefere Verstrickung in europäische Händel, was die Außenpolitik extrem vereinfachte; im Grunde schrieben Dutzende Rücksichtnahmen vor, was man zu tun hatte, man hätte das Amt genauso gut einem Fünfjährigen anvertrauen können.

Die einzige vorherrschende Ideologie bestand in einer völlig ungebremsten Expansion des Kinderbündnisses, was dazu führte, dass praktisch jeder dabei war, selbst die unterentwickeltsten Besiedler europäischer Randregionen. Wenn allerdings jedermann im selben Verein ist, ist die Mitgliedschaft nichts Besonderes mehr. Wer sich dann Vorteile durch eine Vereinigung suchen will, muss innerhalb des Vereins einen neuen Verein gründen. Dieselben Bestrebungen gab es erwartungsgemäß auch hier, die Stärkeren überlegten bereits, sich in einem eigenen Klub zusammenzutun oder die Schwächsten hinauszubefördern, was den Urverein selbstverständlich völlig ad absurdum führte.

Wahrhaft erschütternd zeigte sich allerdings die deutsche Gegenwart. An der Spitze des Landes stand eine klobige Frau mit der zuversichtlichen Ausstrahlung einer Trauerweide, die sich schon dadurch diskreditierte, dass sie den bolschewistischen Ostspuk sechsunddreißig Jahre lang mitgemacht hatte, ohne dass ihre Umgebung dabei irgendeine Form von Unwohlsein hatte feststellen können. Sie hatte sich mit den bayerischen Gemütstrinkern zusammengetan, einer, wie mir schien, erbärmlichen Kopie des Nationalsozialismus, die halbgare, sozial wirkende Elemente statt mit nationaler Gesinnung mit der altbekannt ultramontanen Vatikanhörigkeit der Zentrumselemente vergangener

Tage verbrämte. Weitere Lücken im Programm stopfte man mit Gebirgsschützen und Blaskapellen, es war derart dürftig, man hätte nur so dreinschlagen mögen in die Reihen des verlogenen Gesindels.

Weil aber auch das zur Regierungstätigkeit noch nicht reichte, wählte die Ostfrau eine weitere Gruppierung, die aus rat- und orientierungslosen Jünglingen bestand, welche sich als Maskottchen einen in jeder Hinsicht unbrauchbaren Außenminister hielt. All jenen Mitgliedern der Jünglingspartei war zu eigen, dass ihnen die Unsicherheit und Unerfahrenheit bei jeder Bewegung aus allen Poren quoll. Kein Mensch der Welt hätte solchen feigen Figuren auch nur eine Schachtel Reißzwecken anvertrauen mögen, wenn es nur den Hauch einer Alternative gegeben hätte. Den gab es aber nicht.

Es trieb mir im Angesicht der Sozialdemokratie die Tränen in die Augen, wenn ich etwa an einen Otto Wels dachte, einen Paul Löbe. Gewiss, das waren vaterlandslose Gesellen gewesen, Lumpen, gar keine Frage, aber doch Lumpen von einem gewissen Format. Heute wurde die deutsche Sozialdemokratie von einem penetranten Wackelpudding und einer biederen Masthenne geleitet. Wer seine Hoffnungen weiter links suchte, war sogar vollends verraten. Es gab dort nicht einen, der wusste, wie man einen Bierkrug auf dem Schädel des politischen Gegners zertrümmert, der Leiter des Schweinestalls hatte zudem mehr Angst um den Lack seines Sportwagens als um die Nöte seiner Anhänger.

Einziger Lichtblick in dem ganzen demokratischen Unwesen war eine wunderliche Partei, die sich »Die Grünen« nannte. Natürlich gab es auch dort vollkommen weltfremde pazifistische Schwachköpfe, aber selbst unsere Bewegung musste sich 1934 ihre SA abstoßen, eine üble, doch notwendige Sache, bei der wir uns sicher nicht mit Ruhm bekleckert hatten, aber immerhin mit Röhm. Nein, was mir an diesen »Grünen« halbwegs erfreulich schien, war, dass sie über eine Wurzel verfügten, von deren Existenz die NSDAP damals nicht hatte wissen können, deren Berücksichtigung ich jedoch nicht schlecht finden konnte. Es war nach dem Kriege durch eine gewaltige Industrialisierung und Motorisierung zu erheblichen Schäden an Land, Luft, Boden, Menschen gekommen. Dem Schutze der deutschen Umwelt nun hatten sich jene »Grünen« verschrieben, auch etwa dem Schutze der mir so lieb gewordenen bayerischen Bergwelt, in der offenbar der deutsche Wald doch sehr gelitten hatte. Unfug war freilich die Ablehnung der zu sagenhaften Dingen fähigen Atomenergie, doppelt bedauerlich, dass sich nun aufgrund einiger japanischer Zwischenfälle nahezu sämtliche Parteien dazu entschlossen hatten, diese aufzugeben – und damit auch den Zugang zu waffenfähigem spaltbarem Material zu verlieren. Aber militärisch war diese Republik ohnehin völlig zu vernachlässigen.

All jene politischen Versager hatten in Jahrzehnten das beste Heer der Welt derart verlottern und verludern lassen, dass man sie allesamt hätte an die Wand stellen mögen. Gewiss, ich habe selbst gepredigt und gepredigt, dass man den Osten nie ganz erledigen darf, dass da immer ein gewisser Konflikt bleiben muss, dass ein gesundes Volk alle fünfundzwanzig Jahre einen Krieg braucht zur Bluterneuerung. Aber was in diesem Afghanistan stattfand, das war kein die Truppe stählender Dauerkonflikt, das war ein ausgemachter Witz. Diese mustergültigen Opferzahlen rührten gar nicht – wie von mir zunächst vermutet – von einer ungeheuren technischen Überlegenheit, sondern daher, dass man dort überhaupt nur eine Handvoll Männer hingeschickt hatte. Militärisch war das Ganze, so viel war auf den ersten Blick klar, völlig fragwürdig, die Menge der entsandten Truppen bemaß sich auch nicht am zu erreichenden Ziel, sondern nach bester parlamentarischer Manier daran, dass weder in der Bevölkerung noch bei den »Bundesgenossen« Unmut aufkommen sollte. Wie zu erwarten, wurde prompt beides nicht erreicht. Das einzige Resultat war, dass der Heldentod, das vornehmste Ende eines Soldatenlebens, praktisch nicht mehr stattfand. Trauergottesdienste wurden abgehalten, wo Freudenfeste angebracht gewesen wären, das deutsche Volk hielt es inzwischen für das Normalste, wenn Soldaten von der Front zurückkehrten, womöglich noch unversehrt!

Wirklich erfreulich war nur eines: Der deutsche Jude war auch nach sechzig Jahren nachhaltig dezimiert. Etwa 100 000 zählte man noch, gerade ein Fünftel des Vorkommens von 1933 – das Bedauern darüber hielt sich in Grenzen, was logisch schien, aber nicht unbedingt zu erwarten gewesen war. Angesichts des Aufschreis, den etwa das Schwinden des deutschen Waldes verursachte, hätte man hier ja auch eine Art semitischer »Wiederaufforstung« für möglich halten können. Doch Neuansiedlungen und die sonst vor allem bei Gebäuden beliebte sentimentalitätsbedingte Wiederherstellung alter Zustände (Dresdner Frauenkirche, Semperoper u. a. m.) war meines Wissens völlig ausgeblieben.

Fraglos hatte die Schaffung eines Staates Israel hier eine gewisse Entlastung besorgt, sinnvollerweise hatte man den Staat inmitten arabischer Völker platziert, sodass alle Beteiligten auf Jahrzehnte und Jahrhunderte hinaus unablässig miteinander beschäftigt waren. Die – zweifellos ungewollte – Folge des Judenschwundes war zudem ein sogenanntes Wirtschaftswunder gewesen. Die demokratische Geschichtsschreibung rechnete das natürlich dem feisten Erhard und seinen angloamerikanischen Helfershelfern zu, jeder normale Mensch konnte allerdings sehen, dass dieser Wohlstand Hand in Hand mit dem Verschwinden der jüdischen Parasiten zusammenging. Wer es noch immer nicht hatte glauben mögen, brauchte nur in den östlichen Teil des Landes sehen, wo man – Gipfel der Idiotie – jahrzehntelang eigens den Bolschewisten und seine jüdischen Lehren importiert hatte.

Da hätte man genauso gut eine Horde degenerierter Affen wirtschaften lassen können, die hätten es besser hinbekommen. Die sogenannte Wiedervereinigung hatte daran nichts gebessert, man hatte allenfalls den Eindruck, man hätte die Affen gegen andere Affen ausgetauscht. Es gab ein Millionenheer an Arbeitslosen und eine stumme Wut in der Bevölkerung, eine Unzufriedenheit mit den Zuständen, die mich an 1930 erinnerte, nur dass es damals dafür noch nicht dieses treffende Wort gab: »Politikverdrossenheit« – es besagte, dass man ein Volk wie das deutsche nicht unbegrenzt blenden kann.

Anders ausgedrückt: Alles in allem war die Lage für mich hervorragend. So hervorragend, dass ich gleich beschloss, die Situation im Auslande genauer zu überprüfen. Leider wurde ich davon durch eine dringende Botschaft abgehalten. Jemand wandte sich unbekannterweise mit einem militärischen Problem an mich, und da ich ja derzeit gerade keinen Staat zu leiten hatte, beschloss ich kurzfristig, jenen Volksgenossen zu unterstützen. Die nächsten dreieinhalb Stunden verbrachte ich daher mit einer Minenräum-Übung namens *Minesweeper.*

xiv.

Natürlich höre ich an dieser Stelle laut den Chor jener Reichsbedenkenträger, die aufheulen: Wie kann denn der Führer der nationalsozialistischen Bewegung in die Rundfunksendung eines Ali Wizgür hineingehen? Und ich kann diese Frage verstehen, wenn sie, sagen wir, aus einer künstlerischen Erwägung heraus gestellt wird, weil man natürlich große Kunst nicht durch Politik entstellen soll. Man ergänzt ja auch nicht die Mona Lisa mit einem Hakenkreuz. Aber es kann freilich das Gestammel irgendeines Conferenciers – und um einen solchen handelte es sich letztlich bei jenem Wizgür – niemals zu den Formen der Hochkultur zählen, eher im Gegenteil. Wenn aber die Bedenken von einer Richtung herrühren, die fürchtet, dass die nationale Sache unter einer Präsentation in einem solchen möglicherweise minderwertigen Zusammenhange litte, da muss ich dann entgegnen, dass es Dinge gibt, die die meisten Menschen rein vom Verstande her nicht begreifen können, auch nicht beurteilen. Es ist dieses eine Angelegenheit, in der man nun einmal dem Genius des Führers vertrauen muss.

In der Tat muss ich an dieser Stelle eingestehen, dass ich in jenem Momente so etwas wie einem Missverständnis unterlag. Persönlich ging ich zu diesem Zeitpunkte noch davon aus, dass die Dame Bellini und ich gemeinsam zum Wohle Deutschlands an der Umsetzung meines Programms arbeiten wollten. Tatsächlich sprach jedoch die Dame Bellini fortwährend von nichts anderem als meinem vermeintlichen Bühnenprogramm. Aber ebendeshalb kann man hier wieder einmal erkennen, dass die reine, angeborene Begabung, der Instinkt des Führers, dem angelernten Wissen himmelweit überlegen ist. Während sich der mühsam kalkulierende Wissenschaftler, der angestrengt strebende Parlamentspolitiker nur zu leicht von oberflächlichen Sachverhalten ablenken lässt, spürt der wahrhaft Berufene unterschwellig den Ruf des Schicksals, selbst wenn ein Name wie Ali Wizgür dem vollkommen entgegengesetzt scheint. Tatsächlich glaube ich, dass hier die Vorsehung erneut eingegriffen hat wie damals 1941, als ein früher und extrem harter Wintereinbruch die Offensive in Russland bremste, bevor wir zu weit vorrückten – und uns so den Sieg schenkte.

Oder geschenkt hätte, wenn meine unfähigen Generäle …

Aber da rege ich mich gar nicht mehr auf.

Das nächste Mal gehe ich das ganz anders an, mit einem Generalstab, treu ergeben, gezüchtet und aufgewachsen aus den Reihen meiner SS, dann ist das alles ein Klacks.

Im Falle des Wizgür griff aber nun das Schicksal zum Missverständnis, um meine Entscheidung zu beschleunigen. Denn ich wäre, und das können sich die Kleinkrämer merken, ich wäre *auch* in seine Sendung gegangen, wenn ich gewusst hätte, um welches Produkt es sich dabei handelte – aber nach längerer Bedenkzeit, die mich vielleicht die Gelegenheit gekostet hätte. Ich habe schon frühzeitig Goebbels klargemacht, dass ich notfalls auch bereit bin, den Hanswurst zu geben, sofern ich nur die Aufmerksamkeit der Menschen bekomme. Denn man kann niemanden gewinnen, der einem nicht zuhört. Und Zuhörer brachte mir jener Wizgür zu Hunderttausenden.

Bei rechtem Lichte betrachtet, war jener Wizgür einer jener »Künstler«, wie sie nur eine bürgerliche Demokratie hervorbringen konnte. Aufgrund genetischer Vermischung paarte sich hier welsches, ja asiatisches Aussehen mit tadellosem, wenn auch in schwer erträglichen Dialekt gefärbtem Deutsch. Diese Mischung gerade schien es, die jenem Wizgür seine Funktion ermöglichte. Sie entsprach in etwa der jener weißen Schauspieler, die sich in den USA schwarz schminkten, um Rollen als Darsteller für dümmliche Neger zu erhalten. Die Parallele war augenfällig, nur handelte es sich in diesem Falle nicht um den Konsum von Negerscherzen, sondern um den von Ausländerwitzen. An diesen schien ein derartiger Bedarf zu herrschen, dass es gleich mehrere dieser Rassekomödianten gab. Begreiflich war das nicht. In meinen Augen ist der Rasse- oder Ausländerwitz ein Widerspruch in sich. Zur Verdeutlichung mag ein Scherzwort dienen, das mir ein Kamerad 1922 erzählt hat.

Es begegnen sich zwei Veteranen.

»Wo sind Sie denn verwundet worden?«, fragt der eine.

»An den Dardanellen«, sagt der zweite.

Antwortet der erste: »Gerade da soll es ja so schmerzhaft sein!«

Ein heiteres Missverständnis, das ohne weitere Schwierigkeiten jeder Soldat zum Besten geben kann. Durch Austausch des Personals kann der heitere und sogar auch der belehrende Effekt verändert werden. Er lässt sich steigern, wenn man zum Beispiel die Rolle des Fragenden mit einem notorischen Besserwisser besetzt, sagen wir Roosevelt oder Bethmann-Hollweg. Wenn man nun aber annimmt, der dumme Fragende wäre kein Veteran, sondern ein Silberfischchen, fehlt die Heiterkeit sofort, da jeder Zuhörer denkt: Wie soll das Silberfischchen wissen, wo die Dardanellen sind?

Ein Dummer, der dumme Dinge tut, ist nicht komisch. Ein guter Witz braucht eine Überraschung, damit er seine belehrende Wirkung in größtem Umfange entfalten kann. Und natürlich kann es nicht überraschen, dass ein Türke ein Einfaltspinsel ist. Freilich, nähme der Türke in dem Witze allenthalben die Rolle des genialen Wissenschaftlers ein, dann wäre schon aufgrund der Absurdität ein Heiterkeitserfolg gewiss. Derartige Witze erzählte allerdings weder Herr Wizgür noch einer seiner Kollegen. Gängig waren in diesem Metier Schwänke und Anekdoten rund um mäßig bis kaum gebildete Ausländer, die in erbärmlichem Kauderwelsch schwer Verständliches stammelten. Dabei war die übliche demokratische Verlogenheit dieser »liberalen« Gesellschaft offenkundig: Während es insgesamt als verwerflich galt, sämtliche Ausländer über einen Kamm zu scheren und daher von deutschen Polit-Humoristen unablässig eine nachgerade sortenreine Trennung zu erfolgen hatte, konnten Wizgür und seine fragwürdigen Konsorten ähnliche Inder, Araber, Türken, Polen, Griechen, Italiener jederzeit nach Belieben in einen Topfe werfen.

Mir konnte das Vorgehen freilich recht sein, sogar gleich in doppeltem Maße. Ein großes Publikum des Herrn Wizgür sicherte auch mir eine große Aufmerksamkeit, zudem konnte ich aufgrund der Beschaffenheit jener Scherze beruhigt davon ausgehen, dass das Publikum in besonderem Maße ein volksdeutsches war. Nicht, weil deutsche Zuschauer über besonderes Nationalbewusstsein verfügt hätten, leider, sondern weil umgekehrt die Türken ein einfaches, stolzes Volk sind, das zwar gerne die ehrliche Burleske betrachtet, mit allerlei Tölpeln besetzt, doch Belehrungen und Veralberungen durch seine ehemaligen oder ausgewanderten Volksgenossen nicht schätzt. Es ist essenziell für den Türken, jederzeit der Achtung und des Respekts der Umgebung sicher zu sein – das ist mit einer Rolle als Dummbeutel unvereinbar.

Ich erachtete somit diese Form von Humor als so überflüssig wie erbärmlich. Wer Ratten im Hause hat, holt ja auch keinen Clown, sondern den Kammerjäger. Wenn aber derlei nötig schien, galt es, vom ersten Auftritte an zu zeigen, dass ein aufrechter Deutscher für Scherze über Angehörige minderwertiger Rassen nicht der Hilfe ausländischer Handlanger bedurfte.

Eine junge Dame trat auf mich zu, als ich beim Studio ankam. Sie hatte eine sportliche Figur, man hätte sie für ein Blitzmädel halten können, aber seit meiner Erfahrung mit jener Özlem hatte ich beschlossen, etwas vorsichtiger zu sein. Die junge Dame war reichhaltig verkabelt, trug offenbar eine Art Mikrofon am Mund und wirkte generell, als käme sie direkt aus der Fliegerleitstelle.

»Hallo«, sagte die junge Dame und hielt mir ihre Hand hin, »ich bin die Jenny. Und du bist dann wohl der …«, und hierbei stockte sie ein wenig, »Adolf …?«

Für einen Moment überlegte ich, was mit dieser recht direkten, ja plumpen Vertraulichkeit anzufangen war. Allerdings schien sie bei niemandem auf Erstaunen zu stoßen. Tatsächlich war dies meine erste Begegnung mit dem Jargon des Fernsehgeschäftes. Man war hier, wie sich später herausstellen sollte, offenbar der Ansicht, das Sendeerlebnis habe etwas Verbindendes, ganz ähnlich dem gemeinsamen Kampfe im Schützengraben, und fürderhin sei man nunmehr Teil eines Kämpferbundes, dessen Mitglieder sich Treue schworen sowie das »Du« bis zum Tode oder doch wenigstens bis zur Einstellung der jeweiligen Sendung. Diese Herangehensweise schien mir zunächst unangemessen, allerdings musste man freilich mildernd in Betracht ziehen, dass die Generation jener Jenny wohl noch keine echte Fronterfahrung hatte sammeln können. Ich gedachte das mittelfristig zu ändern, beschloss einstweilen aber, Vertrauen mit Vertrauen zu vergelten, und sprach beruhigend zu dem jungen Ding:

»Du kannst Onkel Wolf zu mir sagen.«

Sie runzelte kurz die Stirne und sagte dann: »Gut, Herr, ähm … Onkel …, kommen Sie bitte mit in die Maske?«

»Natürlich«, sagte ich und folgte ihr durch die Senderkatakomben, während sie sich ihr Mikrofonstäbchen an den Mund presste und »Elke, wir kommen jetzt zu dir« hineinsagte. Schweigend liefen wir die Flure entlang.

»Sie waren schon mal im Fernsehen?«, fragte sie dann. Mir fiel auf, dass das Duzen momentan wohl nicht mehr in Betracht kam. Vermutlich hatte die Aura des Führers sie inzwischen eingeschüchtert.

»Mehrfach«, sagte ich, »es liegt jedoch schon etwas zurück.«

»Ach«, sagte sie, »habe ich Sie womöglich schon mal gesehen?«

»Ich denke nicht«, schätzte ich, »das war damals auch hier in Berlin, im Olympiastadion …«

»Sie waren der Anheizer für den Mario Barth?«

»Ich war was?«, fragte ich noch, aber sie hörte schon längst nicht mehr zu.

»Sie sind mir gleich aufgefallen, das war super, was Sie da abgezogen haben. Das freut mich voll, dass Sie's auch selber geschafft haben. Das ist aber was anderes, was Sie jetzt machen, oder?«

»Etwas … ganz anderes«, bestätigte ich zögernd, »die Spiele sind ja jetzt auch schon seit Längerem beendet …«

»Da wären wir schon«, sagte Fräulein Jenny und öffnete eine Tür, hinter der sich ein Schminktisch befand, »ich lasse Sie jetzt bei Elke. Elke – das ist … äh … Onkel Rolf.«

»Wolf«, verbesserte ich, »Onkel Wolf.«

Elke, eine ordentlich aussehende Frau um die vierzig, runzelte die Stirn und blickte auf mich, dann auf einen Zettel neben ihren Schminksachen. »Wolf habe ich hier keinen. Bei mir auf der Liste steht jetzt Hitler«, sagte sie. Dann hielt sie mir die Hand hin, sagte: »Ich bin die Elke«, und dann: »Du bist der …?«

Hier war ich wohl wieder im duzenden Schützengraben angelangt, allerdings schien mir Frau Elke in einem etwas zu fortgeschrittenen Alter für Onkel Wolf.

»Herr Hitler«, entschied ich.

»Also gut, Herr Hitler«, sagte Frau Elke, »setz dich schon mal. Irgendwelche Sonderwünsche? Oder soll ich einfach mal machen?«

»Ich vertraue Ihnen voll und ganz«, sagte ich und setzte mich. »Ich kann mich ja nicht um alles kümmern.«

»So ist es recht«, sagt Frau Elke und hängte mir zum Schutze der Uniform einen Kittel um. Dann besah sie mein Gesicht. »Sie haben eine prima Haut«, lobte sie und griff zur Puderdose, »viele Menschen in Ihrem Alter trinken einfach zu wenig. Sie sollten mal das Gesicht vom Balder sehen ...«

»Ich trinke am liebsten viel stilles Wasser«, bestätigte ich ihr. »Es ist unverantwortlich, dem Volkskörper zu schaden.«

Frau Elke machte ein prustendes Geräusch und versenkte den kleinen Raum und uns beide in einer gewaltigen Puderwolke. »Entschuldigung«, sagte sie, »ich bringe das sofort wieder in Ordnung.« Dann begann sie mit einem kleinen Sauggerät die Wolke ein- und meine Uniformhose abzusaugen. Als sie gerade dabei war, große Teile meiner Frisur abzustauben, öffnete sich die Tür. Im Spiegel sah ich Ali Wizgür eintreten. Er hustete.

»Gehört der Nebelwerfer zum Programm?«, fragte er.

»Nein«, sagte ich.

»Das war mein Fehler«, sagte Frau Elke, »aber wir kriegen ihn schon wieder hin.« Das gefiel mir. Keine falschen Ausflüchte, keine Ausreden, sondern standhaft sich zu Fehlern bekennen und diese eigenverantwortlich ungeschehen machen – es war immer wieder erfreulich, dass auch in den vergangenen Jahrzehnten das deutsche Rassegut nicht vollkommen im demokratischen Erbsumpfe versunken war.

»Super«, sagte Wizgür und hielt mir die Hand hin. »Frau Bellini hat mir schon gesagt, dass du die Knaller nur so raushaust. Ich bin der Ali.«

Ich raschelte meine unverpuderte Hand unter dem Friseurkittel hervor und schüttelte die seine. Kleine Lawinen rieselten mir aus dem Haar.

»Angenehm. Hitler.«

»Und? Läuft's? Passt alles?«

»Ich denke, ja. Oder, Frau Elke?«

»Ich hab's gleich«, sagte Frau Elke.

»Geile Uniform«, sagte Wizgür, »alter Schwede! Die sieht ja richtig original aus! Wo kriegt man denn so was her?«

»Ja, das ist nicht ganz einfach«, überlegte ich, »zuletzt war ich meistens bei Josef Landolt in München ...«

»Landolt«, grübelte Wizgür, »nie gehört. Aber München – dann ist der bei Pro Sieben? Die haben einige echt klasse Ausstatter an der Hand.«

»Er wird sich zwischenzeitlich wohl zurückgezogen haben«, vermutete ich.

»Ich seh schon, das haut super hin, du mit dem Nazi-Teil und ich. Obwohl, die Nazi-Nummer ist natürlich nicht ganz neu.«

»Ja und?«, fragte ich argwöhnisch.

»Nee, klar, die ist trotzdem immer wieder gut«, sagte er. »Ist ja nicht weiter tragisch. Alles war schon mal da ... Die Ausländermasche hab ich mir in New York abgeguckt, das war in den Neunzigern da ganz angesagt. Wo hast du die Führersache her?«

»Letzten Endes von den Germanen«, sagte ich.

Wizgür lachte. »Die Bellini hat schon recht, du ziehst dein Ding echt voll durch. Okay, wir sehen uns dann. Brauchst du irgendein Stichwort? Oder soll ich irgendein Thema anschneiden, bevor ich dich ansage?«

»Nicht nötig«, sagte ich.

»Ich könnte das ja nicht«, sagte Wizgür, »so ganz ohne Text. Da wär ich aufgeschmissen. Aber ich hab auch nie viel für diese Improtheatersache übrig gehabt ... Hau rein, Alter! Wir sehen uns gleich.« Damit verließ er den Raum.

Eigentlich hatte ich mit weiteren Anweisungen gerechnet.

»Und nun?«, fragte ich Frau Elke.

»Na sowas«, lachte sie, »der Führer weiß nicht wohin?«

»Es gibt keinen Grund zur Überheblichkeit«, tadelte ich, »der Führerstaat beruht auf Staatsführung, nicht auf Fremdenführung.«

Frau Elke riss mit einer Art Prusten rasch das Puderdöschen aus ihrer Schnaubzone. »Diesmal kriegen Sie mich nicht«, sagte sie, damit offenbar endgültig zum Siezen übergehend. Sie zeigte in eine Ecke des Raumes. »Sehen Sie hier? Über den Bildschirm können Sie die Sendung verfolgen. Davon gibt's noch mehr, auch in der Garderobe oder beim Catering. Jenny holt Sie dann wieder ab und sorgt dafür, dass Sie pünktlich zu Ihrem Auftritt kommen.«

Die Sendung entsprach allem, was ich bis dahin von ihr gehört und gesehen hatte. Wizgür kündigte einige Sendeschnipsel an, dazu wurden kleine Filmchen gezeigt, in denen Wizgür wahlweise als Pole oder Türke auftrat und in verschiedenen Varianten deren Unzulänglichkeiten zu gespielten Bühnenwitzen verarbeitete. Letzten Endes war er nicht gerade ein Chaplin, andererseits war das wohl auch gut so. Das Publikum nahm seine Darbietung wohlwollend auf, und wenn man den Begriff weit genug fasste, lag dem Ganzen auch wenigstens teilweise ein politisches Bewusstsein zugrunde, sodass meine Botschaft hier fraglos die Gelegenheit hatte, auf fruchtbaren Boden zu fallen.

Die Übergabe sollte mit einem festen Satze erfolgen, den Wizgür auch anstandslos aufsagte: »Den Kommentar zum Tage spricht Adolf Hitler.« Daraufhin trat ich das erste Mal aus der Kulisse in das gleißende Licht der Scheinwerfer.

Es war, als käme ich nach entbehrungsreichen Jahren in der Fremde nach Hause in den Sportpalast. Die Hitze der Lichter brannte mir ins Antlitz, ich registrierte die Gesichter des jungen Publikums. Es mochten mehrere Hundert sein, stellvertretend für die Zehntausende, die Hunderttausende vor den Apparaten, es war exakt die Zukunft des Landes, es waren die Menschen, auf die ich mein Deutschland zu bauen gedachte. Ich spürte die Anspannung in mir und die Freude. Hatte ich jemals Zweifel gehabt, verschwanden sie nun im Taumel der Vorbereitung. Stundenlang zu reden war ich gewohnt, nun sollten fünf Minuten reichen.

Ich trat ans Rednerpult und schwieg.

Mein Blick ging in das Rund des Aufzeichnungsstudios. Ich horchte hinein in die Stille, gespannt, ob die Jahrzehnte der Demokratie wie erwartet nur geringe Spuren in den jungen Köpfen hinterlassen hatten. Es war ein Lachen bei der Nennung meines Namens durch das Publikum gegangen, das nun rasch verebbte, mit meiner Person konfrontiert zog Ruhe in das Rund. Ich konnte in ihren Gesichtern lesen, wie sie wohl zuerst mein Antlitz mit den Gesichtern ihnen bekannter professioneller Darsteller abzugleichen versuchten, ich sah die Verunsicherung, die ich mit schlichtem Blickkontakt in atemlose Stille überführen konnte. Hatte ich noch mit Zwischenrufen gerechnet, war die Sorge unbegründet – auf jeder Versammlung im Hofbräukeller war die Zahl der Störungen größer gewesen.

Ich trat kurz vor, machte Anstalten zu sprechen, verschränkte dann aber nur die Arme – sogleich sank der

Geräuschpegel noch einmal auf ein Hundertstel, ja Tausendstel des vorherigen. Aus dem Augenwinkel sah ich, wie in Anbetracht der scheinbaren Ereignislosigkeit der Dilettant Wizgür zu schwitzen begann. Es war sofort ersichtlich, dass er nicht um die Macht der Stille wusste, sondern sie eher fürchtete. Seine Augenbrauen versuchten sich an Grimassen, als hätte ich meinen Text vergessen. Eine Assistentin versuchte mir Zeichen zu geben und pochte aufgeregt auf ihre Armbanduhr. Ich zögerte die Stille weiter hinaus, indem ich langsam den Kopf hob. Ich spürte die Spannung im Saal, die Unsicherheit des Wizgür. Ich genoss es. Ich ließ die Luft in meine Lungen strömen, richtete mich vollends auf und gab der Stille einen Klang. Es kann eine fallende Stecknadel genügen, wo alles auf Kanonendonner lauscht.

»Volksgenossen und Volksgenossinnen!
Was ich,
was wir
soeben
in zahlreichen
Beiträgen
gesehen haben,
ist wahr.
Es ist wahr,
dass der Türke kein Kulturschöpfer ist
und auch
dass er
keiner mehr wird.
Dass er eine Krämerseele ist,
deren geistige Fähigkeiten
die eines Leibeigenen
üblicherweise nicht
zu sehr

übersteigen.
Dass der Inder
eine
religiös verwirrte schwatzhafte Natur
hat.
Dass das Verhältnis des Polen zum Eigentum
nachhaltig!
gestört ist.
Es sind dies
alles
allgemeine Wahrheiten,
die jedem Volksgenossen
und jeder Volksgenossin
ohne Weiteres
einleuchten.
Jedoch ist es eine
nationale Schande, dass hier in Deutschland
nur
ein türkischer! Anhänger unserer Bewegung
dieses auch laut zu sagen wagt.
Volksgenossen und Volksgenossinnen:
Wenn ich die Gegenwart Deutschlands betrachte,
so überrascht mich das nicht!
Der Deutsche der Gegenwart
trennt seinen Abfall gründlicher
als seine Rassen
mit einer einzigen Ausnahme:
auf dem Felde des Humors.
Hier macht
nur!
der Deutsche Scherze über den Deutschen,
der Türke macht Scherze über den Türken.
Die Hausmaus macht Scherze über die Hausmaus

und
die Feldmaus über die Feldmaus.
Das hat sich zu ändern,
und das *wird* sich ändern.
Ab heute, 22.45 Uhr, scherzt die Hausmaus
über die Feldmaus,
der Dachs über den Rehbock
und der Deutsche über den Türken.
Daher schließe ich mich inhaltlich
in vollem Umfang
der Ausländerkritik meines Vorredners an.«

Damit trat ich ab.

Die Stille war erstaunlich.

Ich ging mit festem Schritt hinter die Kulissen. Aus dem Publikum war noch immer kein Laut zu hören. Der Dame Bellini flüsterte gerade ein Kollege etwas ins Ohr. Ich stellte mich neben sie und beobachtete wieder das Publikum. Die Augen der Menschen waren verwirrt, sie suchten Halt auf der Bühne und schweiften zurück zu dem Moderatorenschreibtisch. Dort saß jener Wizgür und klappte auf der Suche nach einer launigen Verabschiedung ratlos den Mund auf und zu. Es war jene sichtliche Überforderung, die im Publikum einen wahren Lachsturm hervorrief. Ich verfolgte nicht unzufrieden seine völlige Unfähigkeit, die letzten Endes in einem lauwarmen »Bis zum nächsten Mal und schalten Sie wieder ein« versiegte. Die Bellini räusperte sich. Sie schien für einen Augenblick unsicher, so beschloss ich, ihr etwas Mut zuzusprechen.

»Ich weiß, was Sie jetzt denken«, sagte ich ihr.

»So?«, meinte sie. »Wissen Sie das?«

»Natürlich«, antwortete ich. »Mir ging es einmal ähnlich. Wir hatten erstmals den Circus-Krone-Bau angemietet, und es war nicht sicher, ob …«

»Entschuldigen Sie«, sagte die Bellini, »ein Anruf.«

Sie zog sich in einen Winkel der Kulissen zurück und hob ihr mobiles Telefongerät ans Ohr. Was sie hörte, schien ihr nicht zu gefallen. Ich versuchte gerade, ihre Miene zu deuten, als ich eine Hand an der Uniform spürte. Es war jener Wizgür, der mich am Kragen riss. Sein Gesicht hatte nichts Heiteres mehr. Mir wurde wieder einmal schmerzlich das Fehlen meiner SS bewusst, als er mich an die Kulissen drückte und zwischen den Zähnen hervorstieß:

»Du Arschloch schließt dich hier nicht irgendwelchen Vorrednern an!«

Aus den Augenwinkeln sah ich einige Ordner herbeilaufen. Wizgür stieß mich nochmals an die Wand, ließ mich aber los. Sein Kopf war dunkelrot. Dann drehte er sich um und schrie: »Was läuft hier für eine abgewichste Scheiße? Ich dachte, der macht hier sein Nazi-Programm!« Mit unverminderter Lautstärke wandte er sich dann an den neben uns stehenden Hotelreservierer Sawatzki: »Wo ist die Carmen? Wo? Ist? Die? Carmen?!«

Blass, aber straff gespannt eilte die Dame Bellini herbei. Ich überlegte, ob ich in jenem Augenblicke mit ihrer vollen Bündnistreue rechnen konnte, kam aber zu keinem endgültigen Ergebnis. Sie machte beschwichtigende Handbewegungen und öffnete den Mund zu einer Äußerung, kam jedoch nicht dazu.

»Carmen! Endlich! Hier läuft eine Riesenscheiße ab! Hast du das gesehen? Hast du *das* gesehen? Was ist das für ein Arschloch? Du hast gesagt, ich mache meine Ausländernummer und der macht seinen Nazi-Scheiß. Du hast gesagt, er wird mir widersprechen! Er wird sich über Türken im Fernsehen aufregen oder so! Und jetzt das! Was heißt hier ›Anhänger der Bewegung‹? Welche Bewegung? Wieso Anhänger? Wie stehe ich denn jetzt da?«

»Ich hab dir aber auch gesagt, dass er anders ist«, sagte die Bellini, die sich erstaunlich rasch wieder vollkommen in den Griff bekam.

»Das ist mir scheißegal«, schäumte jener Wizgür, »ich sage es hier und jetzt: Ich will diese Drecksau nicht mehr in meiner Sendung. Der hält sich an keine Absprachen! Ich lass mir von dem Arschloch nicht die Sendung ruinieren.«

»Bleib ruhig«, sagte die Bellini jetzt mit einer eigentümlich sanft-energischen Stimme. »Das ist doch gar nicht so schlecht gelaufen.«

»Ist alles in Ordnung?«, fragte einer der beiden Saalordner.

»Schon klar«, sagte die Dame Bellini beschwichtigend, »ich habe das hier unter Kontrolle. Beruhige dich, Ali.«

»Ich beruhige mich überhaupt nicht«, gellte Wizgür, dann bohrte er mir seinen Zeigefinger knapp unter den Schulterriemen. »Du machst mir hier nichts kaputt, Freundchen«, und dabei hämmerte er unablässig wie ein Specht mit dem Zeigefinger auf meine Brust, »du glaubst, du kommst hier durch mit deiner albernen Hitleruniform und deiner ach so undurchschaubaren Masche, aber ich sag dir, das ist überhaupt nicht neu, das ist ein ganz alter Hut. Du bist ein Amateur. Was glaubst du, was du hier machst? Du kommst und setzt dich ins gemachte Nest? Aber daraus wird nichts, mein Lieber, das kannst du dir abschminken! Wenn hier jemand Anhänger hat, dann bin ich das! Das ist *mein* Publikum, das sind *meine*

Fans, da hältst du dich mal schön raus! Du bist ein erbärmlicher Amateur, und deine Uniform und deine ganze Nummer ist absolute Scheiße. Mit dem Quatsch kannst du demnächst in irgendwelchen Bierzelten auftreten oder im Schützenverein, ich sage dir: Du wirst nichts mehr!«

»Ich brauche nichts zu sein«, sagte ich gelassen, »hinter mir stehen Millionen volksdeutsche Genossen, die …«

»Hör mit deiner Scheiße auf«, kreischte Wizgür, »du bist hier nicht auf Sendung! Glaubst du, du kannst mich provozieren? Du provozierst mich nicht! Mich!! Nicht!!!«

»Kommt runter«, sagte die Bellini jetzt laut, »alle beide. Klar, wir müssen das alles noch ein wenig überarbeiten. Das braucht noch ein wenig Feintuning. Aber es war gar nicht so schlecht. Eben was Neues. Jetzt beruhigen wir uns und schauen, was die Kritiken sagen …«

Und wenn ich seit meiner jüngeren Gegenwart einmal meiner Berufung absolut sicher war, dann war es in diesem Augenblick.

XV.

Es sind die Momente der Krise, die den wahren Führer offenbaren. In denen er Nervenstärke zeigt, Durchhaltewillen, unbedingte Entschlossenheit, obgleich die Welt sich gegen ihn stellt. Wenn Deutschland mich nicht gehabt hätte, wäre 1936 niemand ins Rheinland einmarschiert. Alle haben sie gezittert, wir hätten nichts tun können, wenn der Gegner sich zum Losschlagen entschlossen hätte, gerade einmal fünf Divisionen hatten wir einsatzbereit, die Franzosen allein das Sechsfache, und dennoch habe ich es gewagt. Niemand hätte das getan außer mir, und ich habe in jener Zeit genau beobachtet, wer zu mir stand, mit den Beinen oder mit dem Herzen, das Schwert in der Hand, Seite an Seite.

Und es sind jene Momente der Krise, in denen das Schicksal auch die wahren Getreuen offenbart. Es sind diese Momente des Zweifels, in denen aus dem Wagnis der Erfolg erwächst, wenn – aber nur wenn – der fanatische Glaube ungebrochen ist. Wo man diejenigen erkennt, die diesen Glauben nicht haben, sondern die nur in banger Erwartung verfolgen, auf welche Seite sie sich zu schlagen haben. Eine Führernatur muss diese Leute im Auge behalten. Es ist möglich, sie zu benutzen, jedoch darf man nicht den Erfolg der Bewegung von ihnen abhängig machen. Sensenbrink war einer von ihnen.

Sensenbrink trug das, was man in diesen Tagen wohl unter einem erstklassigen Anzug versteht. Er versuchte gelassen zu wirken, aber ich sah natürlich, dass er blass war, die Blässe des Spielers, der weiß, dass er den Verlust nicht ertragen könnte, mehr noch, dass er den Augenblick nicht ertragen könnte, in dem deutlich wird, dass der Verlust unabwendbar ist. Diese Sorte von Menschen hat nie ein eigenes Ziel vor Augen, sie wählen jeweils das Ziel, das den nächsten Erfolg verspricht, und sie erkennen dabei nicht, dass dieser Erfolg niemals ihr eigener sein wird. Diese Menschen hoffen, sie wären Erfolgsmenschen, doch sie sind nur Erfolgsbegleiter, und weil sie das ahnen, fürchten sie den Augenblick der Niederlage, in dem deutlich wird, dass der Erfolg nicht nur nicht der ihre ist, sondern sogar nicht einmal von ihrer Begleitung abhängig ist. Sensenbrink bangte um seine Reputation, nicht um die nationale Sache. Es war absolut sicher, dass Sensenbrink niemals für Deutschland und mich vor der Feldherrnhalle im Kugelhagel verbluten würde. Im Gegenteil: Wie zufällig gesellte er sich näher zur Dame Bellini, und wer nicht völlig blind war, konnte sehen, dass trotz all seines aufgeblasenen Selbstbewusstseins es letztlich er war, der sich von ihr moralische Unterstützung erhoffte. Das verwunderte mich nicht.

Ich habe vier Paradefrauen in meinem Leben kennengelernt. Frauen, die für eine Partnerwahl natürlich undenkbar gewesen wären. Ich meine: Da kommt Mussolini zu Besuch oder Antonescu, und wenn man dann solch einer Frau sagt, sie möge jetzt ins Nebenzimmer gehen und nicht ungefragt störend herauskommen, dann muss man auch sicher sein, dass das so geschieht. Eva hat das gemacht, von den vieren hingegen hätte ich das nie verlangen können. Die Riefenstahl zum Beispiel gehörte dazu, eine wunderbare Frau, aber die hätte mir bei so einem Ansinnen doch die Kamera an den Kopf geschmissen! Und so eine war die Dame Bellini wohl auch, die war so recht vom Kaliber dieses verehrungswürdigen Quartetts.

Ich denke nicht, dass jemand anderes als ich gemerkt hat, wie auch sie um die Bedeutung dieser Stunden, dieser Minuten wusste, aber was hat sich diese fantastische Frau im Griff gehabt! Sie zog vielleicht eine winzige Spur kräftiger an ihrer Zigarette, als man es sonst manchmal an ihr sah, aber das war auch schon alles. Ihr sehniger, straffer Körper hielt sich aufrecht, sie war aufmerksam, stets bereit zu hilfreichen Anweisungen, zur richtigen, raschen Reaktion, wie eine lauernde Wölfin. Und kein einziges graues Haar, sie mochte vielleicht sogar jünger sein als geschätzt, Ende dreißig, ein Prachtweib! Deutlich war ihr auch anzumerken, dass ihr die plötzliche Nähe des Sensenbrink unangenehm war, nicht, weil sie ihn als aufdringlich empfunden hätte, nein, weil sie seine Weichlichkeit verachtete, weil sie spürte, dass er ihr nicht seine Kraft zur Verfügung stellte, sondern sich vielmehr selbst an ihrer Energie festhielt. Ich hatte große Lust, sie fragen zu lassen, wie sie den Abend verbrächte. Ich dachte plötzlich mit einer gewissen Wehmut an die Abende auf dem Obersalzberg. Wir saßen oft noch lange gemütlich zu dritt, viert, fünft beisammen, manchmal habe ich etwas erzählt, manchmal nicht, ja manchmal haben wir auch über Stunden geschwiegen, unterbrochen von einem gelegentlichen Husten, oder ich habe auch einmal den Hund gestreichelt, ich habe diese Zusammenkünfte immer als sehr besinnlich empfunden.

Es ist ja auch nicht immer einfach, als Führer ist man einer der wenigen Menschen im Staate, die auf die einfache Freude eines gewöhnlichen Familienlebens verzichten müssen.

Und in so einem Hotel ist es doch immer recht einsam, das war eines der Dinge, die sich in den letzten sechzig Jahren am allerwenigsten geändert hatten.

Dann fiel mir ein, dass ich die Dame Bellini in meiner Situation wohl selbst fragen müsste, und das wiederum hatte etwas unangemessen Vertrauliches, zumal wir uns ja noch nicht lange kannten. Ich beschloss, den Gedanken zu verschieben. Andererseits fand ich, wäre es doch angebracht gewesen, meine Rückkehr in die große Öffentlichkeit ein wenig feierlich zu begehen. Mit einem Glas Schaumwein oder dergleichen, nicht für mich freilich, aber ich war stets gerne dabei, wenn andere in einer fröhlichen Stimmung die Gläser erhoben. Da blieb mein Blick am Hotelreservierer Sawatzki hängen.

Seine Augen strahlten mich an, sie waren voll unmissverständlicher Hochachtung, ich kannte diesen Blick, den ich hier nicht falsch interpretiert wissen möchte. Sawatzki gehörte nicht zu den Leuten im SA-Hemd, die man nachts aus Röhms Bett zerrt und denen man sofort angewidert einige Kugeln in den ekelerregenden Leib jagt, die tödliche erst zum Schluss. Nein, Sawatzki betrachtete mich mit einer Form der stillen Verehrung, die ich zuletzt in Nürnberg von den Hunderttausenden gesehen hatte, denen ich Hoffnung gegeben hatte. Die aufgewachsen waren in einer Welt der Demütigung und Zukunftsangst, der zaudernden Schwätzer und Kriegsverlierer, und die in mir die feste Hand sahen, die sie führte, die willig bereit waren, mir zu folgen.

»Nun«, sagte ich und trat auf ihn zu, »hat es Ihnen gefallen?«

»Unglaublich«, sagte Sawatzki, »beeindruckend. Ich habe Ingo Appelt gesehen, aber der ist lasch verglichen mit Ihnen. Sie haben Mumm. Es ist Ihnen wirklich egal, was die Leute von Ihnen denken, oder?«

»Im Gegenteil«, sagte ich, »ich will die Wahrheit sagen. Und sie sollen denken: Das ist jemand, der die Wahrheit sagt.«

»Und? Denken sie das jetzt?«

»Nein. Aber sie denken nicht mehr dasselbe wie vorher. Und das ist alles, was man erreichen muss. Den Rest macht die stetige Wiederholung.«

»Na ja«, sagte Sawatzki, »sonntagvormittags um elf, ich weiß ja nicht, ob das so viel bringt.«

Ich sah ihn verständnislos an. Sawatzki räusperte sich. »Kommen Sie«, sagte er dann, »wir haben im Catering eine Kleinigkeit vorbereitet.«

Wir gingen nach hinten, wo einige Fernsehbeschäftigte recht gelangweilt herumstanden. Ein etwas verwahrloster Geselle drehte sich lachend und mit vollem Munde zu mir um, hustete dann und lieferte einen brauchbaren Deutschen Gruß ab, während ich vorbeiging. Ich klappte den Gruß erwidernd den Arm zurück und ließ mich von Sawatzki zu jenem Bereich des Büffets lotsen, an dem der Sekt bereit stand, ein durchaus anspruchsvolles Produkt im Übrigen, wenn ich Sawatzkis Reaktion recht deutete, der einen Büffetgehilfen mit der Bereitstellung zweier Gläser beauftragte und dabei bemerkte, dass es jene Sorte Schaumwein ja nicht alle Tage gebe.

»Der Wizgür kriegt ja auch nicht alle Tage so einen eingeschenkt«, sagte der Gehilfe.

Sawatzki lachte und reichte mir mein Glas, erhob seines und sagte: »Auf Sie!«

»Auf Deutschland!«, sagte ich. Dann stießen wir an und tranken.

»Was ist«, fragte Sawatzki besorgt, »schmeckt er nicht?«

»Wenn ich überhaupt Wein zu mir nehme, ist es üblicherweise eine Trockenbeerenauslese«, erklärte ich. »Ich weiß schon, diese herbe Note gehört dazu, gewiss, sie gilt hierbei sogar als vorteilhaft, aber mir ist das zu sauer.«

»Ich kann Ihnen auch etwas anderes …«

»Nein, nein, ich bin's ja gewohnt.«

»Aber Sie könnten einen Bellini nehmen.«

»Bellini? Wie die Dame?«

»Ja, sicher. Der könnte was für Sie sein. Warten Sie!«

Während Sawatzki davonsprang, stand ich etwas unentschlossen herum, für einen Moment erinnerte mich all das an jene furchtbaren Augenblicke in den Jahren meiner politischen Anfänge, zu Beginn der Kampfzeit, als ich noch nicht in die Gesellschaft eingeführt war und mich dort oftmals noch ein wenig verloren fühlte. Allerdings dauerte diese unschöne Erinnerung wirklich nur den Bruchteil einer Sekunde, denn kaum hatte sich Sawatzki abgewandt, als eine junge brünette Dame auf mich zukam und sagte:

»Das war total gut! Wie kommt man bloß auf so was wie die Hausmaus und die Feldmaus?«

»Das können Sie auch«, sagte ich zuversichtlich. »Sie müssen nur mit offenen Augen durch die Natur gehen. Aber viele Deutsche haben leider heute verlernt, die einfachen Dinge zu sehen. Darf ich fragen, welche Ausbildung Sie genossen haben …«

»Ich studiere noch«, sagte sie, »Sinologie, Theaterwissenschaften und …«

»Um Gottes willen«, lachte ich, »hören Sie auf! Ein hübsches Mädel wie Sie und solch ein verkopfter Unfug! Suchen Sie sich lieber einen tapferen jungen Mann, und tun Sie etwas für die Erhaltung des deutschen Blutes!«

Sie lachte sehr ansehnlich: »Das ist Messed Ekting, oder?«

»Da ist er ja!«, rief hinter mir die Dame Bellini. Sie kam mit Sensenbrink und dem gequält lächelnden Wizgür im Schlepptau und gesellte sich zu uns. »Lasst uns anstoßen! Wir sind doch alle Profis hier. Und rein professionell muss man anerkennen: Das war eine Supersendung! So was hat es bisher nicht gegeben. Das wird die Erfolgskombination!«

Sensenbrink verteilte eifrig Gläser mit Schaumwein, während Sawatzki zurückkehrte und mir ein Glas mit etwas Apricotfarbenem in die Hand drückte.

»Was ist das?«

»Probieren Sie ruhig«, sagte er und erhob sein Glas. »Meine Herrschaften: Auf den Führer!«

»Auf den Führer!«

Es gab ein allgemeines, wohlwollend-erfreutes Gelächter, und ich hatte alle Hände voll zu tun, die Glückwünsche abzuwehren. »Bitte, meine Herrschaften, vor uns liegt noch viel Arbeit!« Ich nahm vorsichtig einen Schluck des Getränks und nickte Herrn Sawatzki anerkennend zu. Es schmeckte sehr fruchtig, schmeichelte dem Gaumen und war doch nicht von übertriebenem Aufwand, im Wesentlichen schien es sich um ein einfaches Fruchtmus nach Bauernart zu handeln, das, wahrscheinlich durch einen kleinen Anteil an Schaumwein, noch etwas Lebendigkeit bekam, diese aber nur in einem ganz geringen Maße, sodass man nach dem Genuss kein übertriebenes Aufstoßen oder ähnliche Unannehmlichkeiten zu fürchten hatte. Die Bedeutung solcher Details ist nicht zu unterschätzen. Man muss in meiner Situation stets auf ein tadelloses Auftreten achten.

Das Bedauerliche an solchen informellen, aber doch wichtigen Zusammenkünften ist, dass man sich nicht nach Belieben einfach zurückziehen kann, solange man nicht parallel einen Krieg zu führen hat. Wenn man gerade einen Sichelschnitt in Nordfrankreich führt, wenn man gerade Norwegen im Handstreich besetzt, da sind alle natürlich voller Verständnis, wenn man sich nach dem Erheben der Gläser in sein Arbeitszimmer absentiert, um die für den Endsieg nötigen U-Boot-Entwürfe zu studieren oder den kriegsentscheidenden Schnellbomber mitzuentwickeln. Doch im Frieden steht man dann eben da und verschwendet Zeit mit dem Trinken von Fruchtmus. Zunehmend ging mir Sensenbrinks lärmende Art auf die Nerven, und auch das sauertöpfische Gesicht des Wizgür machte den Abend nicht angenehmer. Ich entschuldigte mich daher wenigstens vorübergehend, um etwas vom Büffet zu mir zu nehmen.

In rechteckigen, beheizten Blechgefäßen hatte man diverse Würste und mancherlei Gebratenes aufgefahren sowie große Mengen an Nudeln, alles Dinge, die mir nicht sonderlich zusagten. Ich wollte schon umkehren, als neben mir Sawatzki auftauchte.

»Kann ich Ihnen helfen?«

»Nein, nein, es ist schon in Ordnung …«

»Oh Mann!« Sawatzki schlug sich mit der flachen Hand an die Stirn. »Sie suchen den Eintopf, stimmt's?«

»Nein, ich kann ja … ich kann ja eines dieser belegten Brote dort nehmen …«

»Aber ein Eintopf wäre ihnen lieber, oder? Der Führer liebt die einfache Küche!«

»Tatsächlich wäre mir das jetzt das Liebste«, gab ich zu. »Oder irgendetwas ohne Fleisch.«

»Es tut mir leid, da haben wir nicht schnell genug geschaltet«, sagte er, »ich hätte es mir denken können. Aber wenn Sie einen Moment warten …«

Er zog sein tragbares Telefongerät hervor und fingerte etwas daran herum.

»Kann Ihr Telefon auch kochen?«

»Nein«, sagte er, »aber es gibt zehn Minuten von hier ein Lokal, das für gutbürgerliche Küche und Eintöpfe sehr gelobt wird. Wenn Sie möchten, lasse ich etwas von dort kommen.«

»Nur keine Umstände. Mir ist ohnehin danach, ein paar Schritte zu gehen«, sagte ich, »ich kann den Eintopf ja auch dort zu mir nehmen.«

»Wenn Sie nichts dagegen haben«, sagte Sawatzki, »bring ich Sie hin. Ist ja nicht weit.«

Wir verdrückten uns und spazierten durch die doch schon recht kühle Berliner Nacht. Das war deutlich angenehmer als das Herumstehen in diesem Kantinenraum, in dem sich die ganzen Rundfunkmenschen unablässig gegenseitig beweihräucherten. Gelegentlich wirbelten unsere Füße ein wenig Laub auf.

»Kann ich Sie mal etwas fragen?«, meinte Sawatzki.

»Fragen Sie ruhig.«

»Ist das Zufall? Ich meine, dass Sie auch Vegetarier sind?«

»Absolut nicht«, sagte ich, »es ist eine Sache der Vernunft. Ich bin es nun schon so lange, da war es eigentlich nur eine Frage der Zeit, bis sich auch andere Leute dieser Überzeugung anschließen. Nur zu den Büffetköchen scheint es sich noch nicht herumgesprochen zu haben.«

»Nein, ich meinte: Waren Sie's schon immer? Oder erst, seit Sie Hitler sind?«

»Ich war schon immer Hitler. Wer hätte ich denn vorher sein sollen?«

»Na ja, vielleicht haben Sie herumprobiert. Churchill. Oder Honecker.«

»Himmler glaubte an diesen esoterischen Humbug, an Seelenwanderungen und das ganze Mystische. Ich war vorher nie dieser Honecker.«

Sawatzki sah mich an. »Und Sie finden nie, dass Sie es mit Ihrer Kunst etwas übertreiben?«

»Man muss alles mit ganzer, mit fanatischer Entschlossenheit machen. Sonst kommt man zu nichts.«

»Aber, um ein Beispiel zu nennen: Das sieht doch niemand, ob Sie Vegetarier sind.«

»Erstens«, sagte ich, »ist das eine Sache des Wohlbefindens. Und zweitens ist es zweifellos das, was die Natur wünscht. Sehen Sie, ein Löwe, der rennt gerade mal zwei, drei Kilometer, dann ist er völlig erschöpft. Zwanzig Minuten, ach was: eine Viertelstunde. Das Kamel hingegen – eine Woche. Das macht die Ernährung.«

»Ein hübscher Fall von Scheinlogik ...«

Ich blieb stehen und sah ihn an. »Was heißt hier Scheinlogik? Also gut, dann anders herum: Wo ist Stalin?«

»Tot, würde ich sagen.«

»Aha. Und Roosevelt?«

»Auch.«

»Petain? Eisenhower? Antonescu? Horthy?«

»Die ersten beiden sind tot, und von den anderen zweien habe ich noch nie was gehört.«

»Schön, die sind jedenfalls auch tot. Und ich?«

»Na, Sie nicht.«

»Eben«, sagte ich zufrieden und nahm den Weg wieder auf. »Ich bin überzeugt: Auch, weil ich Vegetarier bin.«

Sawatzki lachte. Dann machte er sich daran, mich einzuholen. »Das ist gut. Schreiben Sie so was eigentlich nicht auf?«

»Wieso? Ich weiß das doch.«

»Ich hätte immer Angst, dass ich so was vergesse«, sagte er und wies auf eine Gaststättentüre. »Da müssen wir rein.«

Wir betraten das kaum gefüllte Lokal und bestellten bei einer älteren Kellnerin. Sie musterte mich mit einem irritierten Blick. Sawatzki machte eine beschwichtigende Handbewegung, sodass die Dame anschließend anstandslos die Getränke brachte.

»Schön hier«, sagte ich, »das erinnert mich an die Kampfzeit in München.«

»Sie kommen aus München?«

»Nein, aus Linz. Oder eigentlich …«

»… oder eigentlich aus Braunau«, sagte Sawatzki, »ich hab ein bisschen nachgelesen.«

»Wo kommen Sie denn her?«, fragte ich zurück. »Wie alt sind Sie überhaupt? Sie sind doch noch keine dreißig!«

»Siebenundzwanzig«, sagte Sawatzki. »Ich komme aus Bonn, ich habe in Köln studiert.«

»Ein Rheinländer«, sagte ich erfreut, »sogar ein studierter Rheinländer!«

»Germanistik und Geschichte. Eigentlich hätte ich Journalist werden wollen.«

»Gut, dass Sie es nicht geworden sind«, bescheinigte ich ihm, »ein Lügengesindel durch und durch.«

»Die Fernsehbranche ist auch nicht besser«, sagte er. »Es ist unglaublich, was wir für einen Mist produzieren. Und wenn wir mal was Gutes haben, dann wollen es die Sender lieber mistiger haben. Oder billiger. Oder beides.« Und dann fügte er rasch hinzu: »Mit Ausnahme von Ihnen natürlich. Das ist was anderes. Da habe ich das erste Mal das Gefühl, dass man nicht nur irgendeinen beliebigen Quatsch verkauft. So wie Sie das angehen, also – ich bin ganz begeistert. Das mit dem Vegetarismus und alles, bei Ihnen ist nichts nachgemacht – bei Ihnen ist das irgendwie Teil eines ganzen Konzepts.«

»Ich bevorzuge den Begriff Weltanschauung«, sagte ich, aber ich war insgesamt sehr erfreut von dieser jugendlichen Begeisterung.

»Eigentlich war das schon immer das, was ich machen wollte«, sagte Sawatzki. »Nicht irgendwas verticken. Sondern was Gutes. Bei Flashlight muss man so viel Schrott mitverkaufen. Wissen Sie was? Als Kind wollte ich immer im Tierheim arbeiten. Armen Tieren helfen, so was in der Art. Oder Tiere retten. Irgendwas Positives bewirken.«

Die Kellnerin stellte zwei Schüsseln Eintopf vor uns. Ich war ganz gerührt: Der Eintopf sah richtig gut aus. Und er roch so, wie ein Eintopf riechen muss. Wir begannen zu essen. Eine Zeit lang sagte keiner von uns etwas.

»Gut?«, fragte Sawatzki.

»Sehr gut«, sagte ich löffelnd, »wie direkt aus der Feldküche.«

»Ja«, nickte er, »das hat was. Einfach, aber gut.«

»Sind Sie verheiratet?«

Er schüttelte den Kopf.

»Verlobt?«

»Nein«, meinte er, »eher interessiert. Es gäbe da schon jemanden.«

»Aber?«

»Sie weiß noch nichts davon. Ich weiß auch nicht, ob sie was von mir wissen will.«

»Sie müssen mutig drauflosgehen. Sie sind doch sonst nicht schüchtern!«

»Na ja, aber sie …«

»Nicht zögern. Forsch voran. Frauenherzen sind wie Schlachten. Man gewinnt sie nicht durch Zögerlichkeit. Man muss alle Kräfte zusammenfassen und beherzt einsetzen.«

»Haben Sie so Ihre Frau kennengelernt?«

»Nun, ich konnte mich jedenfalls nicht über mangelndes weibliches Interesse beklagen. Generell bin ich allerdings eher andersherum vorgegangen.«

»Andersherum?«

»Ich habe vor allem in den letzten Jahren mehr die Schlachten gewonnen wie Frauen.«

Er lachte. »Wenn Sie das nicht aufschreiben, tu ich's. Wenn das so weitergeht, sollten Sie sich überlegen, ein Buch zu schreiben. Einen Ratgeber à la Hitler. Wie man eine glückliche Beziehung führt.«

»Ich weiß nicht, ob ich dazu berufen bin«, sagte ich, »meine Ehe war ja nun doch eher kurz.«

»Stimmt, habe ich gehört. Aber das macht nichts. Das ist sogar noch besser: Wir nennen es ›Mein Kampf – mit meiner Frau‹. Das verkauft sich schon durch den Titel wie geschnitten Brot.«

Da musste auch ich lachen. Ich blickte nachdenklich auf Sawatzki, seine kurzen frech abstehenden Haare, seinen wachen Blick, sein flottes, aber nicht dummes Mundwerk. Und an seiner Stimme erkannte ich: Dieser Mann konnte einer von denen werden, wie sie damals mit mir gegangen waren. In die Festungshaft, in die Reichskanzlei, in den Führerbunker.

XVI.

»Ah, der Herr Hitler«, sagte der Zeitungskrämer, »das ist aber schön. Ich habe fast mit Ihnen gerechnet!«

»So«, sagte ich lachend, »warum das denn?«

»Na, ich habe Ihren Auftritt gesehen«, sagte er, »und dann habe ich mir gedacht, dass Sie vielleicht lesen wollen, was so darüber geschrieben wird. Und dass Sie bei der Gelegenheit vielleicht einen Ort suchen, an dem die Auswahl an Zeitschriften etwas größer ist! Kommen Sie rein, kommen Sie rein! Setzen Sie sich. Möchten Sie einen Kaffee? Was ist? Ist Ihnen nicht gut?«

Das war mir unangenehm, dass er mir diese kleine Schwäche ansehen konnte, und es war auch wirklich eine kleine Schwäche gewesen, ein Aufwallen wohliger Gefühle, wie ich sie lange nicht mehr gespürt hatte. Ich war am Morgen gegen halb zwölf Uhr frisch erwacht, ich hatte eine Kleinigkeit zu mir genommen und dann in der Tat beschlossen, die Zeitungen zu lesen, das hatte der Zeitungskrämer alles ganz richtig erraten. Vor zwei Tagen waren auch die Anzüge geliefert worden, sodass ich in etwas weniger Offizielles hatte schlüpfen können. Es war ein einfacher dunkler Anzug im klassischen Schnitt, ich hatte dazu den dunklen Hut gewählt, ich war losmarschiert, und sofort zog ich weitaus weniger Blicke auf mich als sonst. Es war ein sonniger Tag, strahlend klar und erwartbar frisch temperiert, ich fühlte mich für den Moment aller Pflichten ledig und schritt tüchtig aus. Es war so friedlich, fast gewöhnlich, und da ich vorzugsweise Grünzüge und kleine Parks nutzte, gab es auch nicht so vieles, was meine Aufmerksamkeit erforderte, außer einer verrückten Frau, die sich bückte, sichtlich bemüht, im etwas zu lange ungemähten Grase die Exkremente eines Spaniels zu entdecken und aufzulesen. Für einen Moment dachte ich, dass auch eine Epidemie die Ursache für diese Irren sein konnte, allerdings schien der Vorgang niemanden zu beunruhigen. Im Gegenteil, wie ich kurz darauf bemerkte, hatte man hier und da fürsorglich eine Art Automat aufgestellt, bei der solche verrückten Frauen kleine Tüten herausziehen konnten. Ich kam vorerst zu dem Schlusse, dass es sich um Frauen handeln musste, denen der innige Kinderwunsch unerfüllt geblieben war, eine derartige Hysterieform, wie sie diese übersteigerte Fürsorge für allerlei Hunde darstellte, war da natürlich zwangsläufig. Und ich musste zugeben, diesen armen Wesen dann Tüten zu geben, war eine erstaunlich pragmatische Lösung. Langfristig galt es natürlich, die Frauen wieder ihrer eigentlichen Aufgabe zuzuführen, aber wahrscheinlich war wieder irgendeine Partei dagegen gewesen. Man kennt das ja.

Unter solchen weniger anstrengenden Überlegungen war ich ganz in Gedanken zum Zeitungskrämer spaziert, unbehelligt, kaum bis nicht erkannt, die Situation kam mir merkwürdig vertraut vor, aber erst die Worte des Zeitungskrämers hatten mir deutlich gemacht, woran es lag. Es war jene zauberhafte Stimmung, wie ich sie in meinen Anfängen in München nur zu oft erlebt hatte – nach meiner Entlassung aus der Festungshaft, ich war in München leidlich bekannt, noch war ich nur ein kleiner Parteivorsitzender, ein Redner, der dem Volke ins Herz schaute, und es waren die kleinen und kleinsten Leute, die mir in bewegender Weise ihre Zuneigung zuteil werden ließen. Ich ging über den Viktualienmarkt, die ärmsten Marktweiblein winkten mich freundlich zu sich, gaben mir einmal zwei Eier, ein Pfund Äpfel, man kam nach Hause wie der reinste Fourageur, wo einen die Vermieterin strahlend begrüßte, und die ehrliche Freude leuchtete ihnen so gleißend hell aus ihren Gesichtern wie in jenem Augenblicke dem Zeitungshändler. Und dieses Gefühl von damals, es kam so schnell über mich, noch bevor ich es selbst begreifen konnte, so überwältigend, dass ich rasch in eine andere Richtung blickte. Aber der Zeitungskrämer hatte natürlich aufgrund seiner langen Berufserfahrung eine beeindruckende Menschenkenntnis erworben, wie sie sonst nur manchen Droschkenfahrern zu eigen ist.

Ich hustete verlegen und sagte: »Keinen Kaffee, bitte. Eine Tasse Tee wäre schön. Oder ein Glas Wasser.«

»Kein Problem, kein Problem«, sagte er und füllte Wasser in einen Wasserkocher, ähnlich wie ich ihn in meinem Hotelzimmer hatte. »Ich hab die Zeitungen neben dem Sessel aufgehoben. Es sind nicht sehr viele, ich denke, das Internet ist da wohl die bessere Adresse.«

»Ja, dieses Internetz«, sagte ich zustimmend und setzte mich. »Eine sehr gute Einrichtung. Ich glaube auch nicht, dass mein Erfolg vom Wohlwollen der Zeitungen abhängig sein wird.«

»Ich will Ihnen ja nicht den Spaß verderben«, sagte der Zeitungskrämer, während er Teebeutel aus einem Fach holte, »aber Sie müssen keine Angst haben … Die, die Sie gesehen haben, mögen Sie.«

»Ich habe keine Angst«, stellte ich klar, »was gilt schon die Meinung eines Kritikers?«

»Na ja …«

»Nichts«, sagte ich, »nichts! Sie hat in den Dreißigern nichts gezählt, sie zählt jetzt nichts. Diese Kritiker erzählen den Leuten immer nur, was sie glauben sollen. Das gesunde Volksempfinden ist ihnen gleich. Nein, in seiner Seele weiß das Volk auch ohne unsere Herren Kritiker, was es zu denken hat. Wenn das Volk gesund ist, weiß es sehr gut, was etwas taugt und was nicht. Braucht der Bauer einen Kritiker, der ihm sagt, was die Erde taugt, in der er seinen Weizen anbaut? Der Bauer weiß es selbst am besten.«

»Weil er täglich seinen Acker sieht«, sagte der Zeitungskrämer, »aber Sie sieht er nicht jeden Tag.«

»Dafür sieht er täglich in das Fernsehgerät. Da hat er einen guten Vergleich. Nein, der Deutsche braucht keinen Meinungsvorbeter. Er bildet sich seine Meinung selbst.«

»Sie müssen's ja wissen«, sagte der Zeitungskrämer mit einem Schmunzeln und hielt mir den Zucker hin. »Sie sind ja der Fachmann der freien Meinungsbildung.«

»Was soll das denn heißen?«

»Bei Ihnen muss man wirklich aufpassen«, sagte der Krämer kopfschüttelnd, »man will dauernd anfangen, mit Ihnen zu reden, als wären Sie's wirklich.« Eine Hand klopfte außen an die Verkaufstheke. Er stand auf. »Lesen Sie mal, was die schreiben, ich hab jetzt Kundschaft. Ist ja auch nicht so viel.«

Ich blickte auf den kleinen Stapel neben dem Sessel. Ich war auf keiner Titelseite, aber das war ja auch nicht anzunehmen gewesen. Es hatten sich auch die großen Zeitungen nicht um das Thema gekümmert. Diese formidable »Bild«-Zeitung etwa war nicht dabei. Nun war jener Wizgür schon länger im Programm, da war eine

Berichterstattung wohl nicht so interessant gewesen. Es waren letzten Endes nur kleinere regionale Blätter, für die täglich einer der Redakteure in das Fernsehgerät sehen musste, um eine kleine Kolumne zu füllen. Drei dieser Redakteure also hatten in der Hoffnung auf Unterhaltung die Sendung des Wizgür eingeschaltet. Sie alle waren der Ansicht, dass meine Rede das Interessanteste der Sendung gewesen sei. Einer meinte, es sei erstaunlich, dass ausgerechnet eine Hitlerfigur auf den Punkt gebracht habe, was eigentlich die Sendung des Wizgür schon die ganze Zeit darstelle, nämlich eine Ansammlung von Ausländerklischees. Die beiden anderen sagten, Wizgür habe durch meinen »herrlich bösen Beitrag« endlich den Biss wiedergewonnen, den er selbst viel zu lange habe vermissen lassen.

»Und«, fragte der Zeitungskrämer, »zufrieden?«

»Ich habe schon einmal von ganz unten angefangen«, sagte ich und nahm einen Schluck Tee, »da habe ich vor zwanzig Leuten gesprochen. Ein Drittel von denen war vermutlich irrtümlich gekommen. Nein, ich kann mich nicht beklagen. Ich muss nach vorne sehen. Wie fanden Sie's?«

»Gut«, sagte er, »heftig, aber gut. Nur der Wizgür schien mir nicht recht begeistert.«

»Ja«, sagte ich, »das kenne ich noch von früher. Die Arrivierten schreien immer, wenn eine neue, frische Idee Einzug hält. Dann fürchten sie um ihre Pfründe.«

»Wird er Sie noch mal in seine Sendung lassen?«

»Er wird tun, was die Produktionsfirma ihm sagt. Er lebt vom System, er muss seine Spielregeln befolgen.«

»Man möchte kaum glauben, dass ich Sie erst vor ein paar Wochen vor meinem Kiosk aufgesammelt habe«, sagte der Zeitungskrämer.

»Die Regeln sind noch immer dieselben wie vor sechzig Jahren«, sagte ich, »die ändern sich nicht. Es sind nur weniger Juden beschäftigt. Deswegen geht es dem Volke auch besser. Apropos: Ich habe mich noch gar nicht recht bei Ihnen bedankt. Hat man …?«

»Keine Angst«, sagte der Zeitungskrämer, »wir haben da ein kleines Arrangement getroffen. Ich bin versorgt.« Dann klingelte sein tragbares Telefon. Er hob den Apparat an den Kopf und meldete sich. Ich griff mir zwischenzeitlich eine jener »Bild«-Zeitungen und blätterte sie durch. Das Blatt vermittelte eine durchaus ansprechende Mischung aus Volkszorn und Gehässigkeit. Den Anfang machten Berichte von politischen Tölpeleien, es formte sich das Bild einer so tumben wie jedoch letztlich immerhin gutartigen Kanzlermatrone, die unbeholfen durch eine Horde hinderlicher Zwerge schlurfte. Parallel dazu wurde von dem Blatte so gut wie jede demokratisch »legitimierte« Entscheidung als völliger Unsinn entlarvt. Insbesondere der Gedanke der europäischen Einigung war der herrlichen Hetzschrift komplett zuwider. Am besten gefiel mir jedoch die subtile Arbeitsweise. So wurde beispielsweise in einer Witzekolumne zwischen Scherzen über Schwiegermütter und gehörnte Ehemänner unauffällig folgender Witz untergebracht:

Ein Portugiese, ein Grieche und ein Spanier gehen in ein Bordell. Wer zahlt? Deutschland.

Der war sehr gelungen. Streicher hätte natürlich noch eine Zeichnung dazu in Auftrag gegeben, auf der diese drei verschwitzten, unrasierten Südländer ein unschuldiges Ding mit ihren dreckigen Fingern betatschen, während der ehrliche deutsche Arbeiter schuften muss, aber unterm Strich wäre das wohl hier eher hinderlich gewesen, es hätte den Scherz aus seiner klugen Unauffälligkeit herausgehoben.

Ansonsten wurde ein bunter Eintopf an Verbrechensgeschichten über die Seiten gegossen, danach folgte die seit jeher beste erhältliche Beschwichtigungsberichterstattung – der Sport, und dann eine Versammlung von Fotos, auf denen berühmte Menschen alt oder hässlich aussahen, eine vollendete Symphonie von Neid, Missgunst und Niedertracht. Eben aus diesem Grunde hätte ich es gerne gesehen, wenn eine kleine Notiz meines Auftrittes in diesem Umfelde Erwähnung gefunden hätte. Aber der Zeitungskrämer hatte das Blatt völlig zu Recht nicht auf den Stapel gelegt, es fand sich nichts. Ich ließ das Blatt sinken, als der Krämer sein Telefon wieder wegsteckte.

»Das war mein Sohn«, sagte er, »der, dessen Schuhe Ihnen nicht gefallen. Er hat gefragt, ob Sie der Typ aus meinem Kiosk sind. Er hat Sie gesehen. Auf dem Handy von einem Freund. Ich soll Ihnen sagen, Sie seien total krass.«

Ich blickte den Zeitungskrämer verständnislos an.

»Er findet Sie wohl gut«, übersetzte der Krämer. »Ich will gar nicht wissen, was die alles für Filmchen auf ihren Handys haben, aber da landet auf jeden Fall nichts, was sie nicht irgendwie gut oder spannend finden.«

»Die Jugend empfindet noch unverfälscht«, bestätigte ich ihm. »Da gibt es kein gut oder schlecht, sie denken so, wie es ihnen die Natur eingibt. Wenn ein Kind richtig erzogen ist, wird es keine falsche Entscheidung treffen.«

»Haben Sie eigentlich Kinder?«

»Leider nein«, sagte ich. »Das heißt, es wurde gelegentlich aus interessierten Kreisen gestreut, es gäbe da einige Bankerten, wie es bei uns heißt.«

»Oho«, meinte der Zeitungskrämer und zündete sich launig eine Zigarette an, »es ging um den Unterhalt …«

»Nein, man wollte mich unmöglich machen. Eine Lächerlichkeit sondergleichen. Seit wann ist es unrecht oder unehrenhaft, einem Kinde das Leben zu schenken?«

»Sagen Sie das mal der CSU.«

»Gut, man muss da immer wieder auf die einfachen Menschen Rücksicht nehmen. Da kann man ja mit Argumenten kommen, wie man will, da überfordert man immer wieder viele damit. Himmler hat das mal versucht, in der SS. Der wollte gleiche Rechte für eheliche und uneheliche Kinder von SS-Männern durchsetzen, nicht mal da hat das richtig geklappt. Leider, die armen Kinder. Da wird so ein kleiner Bub, ein kleines Mädel schief angesehen, es wird gehänselt, die anderen Kinder tanzen um es herum, sie singen Spottverse. Das ist auch nicht gut für den Gemeinsinn. Wir sind alle Deutsche, die ehelichen und die unehelichen. Ich sage immer: Kind ist Kind, das gilt im Kindbett wie im Schützengraben. Man muss es natürlich auch anschließend versorgen, das ist klar. Aber was wäre das für ein Schweinehund, wenn er sich anschließend aus dem Staube macht?«

Ich legte die »Bild«-Zeitung wieder zurück.

»Und was ist dann aus der Sache geworden?«

»Nichts. Das waren Verleumdungen, natürlich. Und man hat dann auch nichts mehr davon gehört.«

»Na, dann«, sagte der Zeitungskrämer und nahm einen Schluck Tee.

»Ich weiß natürlich nicht, ob sich irgendwann die Gestapo noch darum gekümmert hat, aber das wird wohl nicht mehr nötig gewesen sein.«

»Wahrscheinlich nicht. Sie haben die Presse ja gleichgeschaltet …« Und dabei lachte er, als habe er einen Witz gemacht.

»Ganz genau«, nickte ich. Dann ertönte der »Walkürenritt«.

Fräulein Krömeier hatte mir das eingerichtet. Nachdem wir diese ganzen Computer in Betrieb genommen hatten, war ihr aufgefallen, dass man mir auch eines jener tragbaren Telefone besorgt hatte. Es war jenes Gerät eine unglaubliche Angelegenheit, mit der man obendrein ebenfalls in diesem Internetz herumfahren konnte, und das sogar noch einfacher als mit dem Mausgerät: Man steuerte es einfach mit den Fingern. Ich ahnte sofort, dass ich hier schöpferische arische Genialität in Händen hielt, und natürlich ließ sich mit wenigen Handgriffen herausfinden, dass die Marktreife jener Technik bei der hervorragenden Firma Siemens entwickelt worden war. Diese Handgriffe musste freilich Fräulein Krömeier durchführen, die Leseanzeige war ohne Brille nicht zu entziffern. Ich wollte im Anschlusse das ganze Telefon ihr überantworten, letzten Endes darf sich der Führer nicht mit zu viel Krimskrams befassen, dafür gibt es schließlich ein Sekretariat. Andererseits erinnerte sie mich nicht zu Unrecht daran, dass ich ihrer Tätigkeiten nur halbtags gewiss war. Ich tadelte mich daraufhin auch im Stillen, ich war zu abhängig von meinem Parteiapparat geworden. Ich stand eben wieder am Anfang, da musste ich wohl oder übel auch einmal selbst an den Apparat.

»Wolln Se 'nen bestimmten Klingelton?«, hatte Fräulein Krömeier gefragt.

»Ich doch nicht«, hatte ich spottend erwidert, »ich arbeite doch nicht in einem Großraumbüro!«

»Na ja, denn mache ick halt den normalen rein.«

Daraufhin hörte man ein Geräusch, das klang, als

spielte ein betrunkener Clown Xylophon. Wieder und wieder.

»Was ist denn das?«, fragte ich entsetzt.

»Det is Ihr Telefon«, sagte Fräulein Krömeier und fügte hinzu: »meen Führa!«

»Und das klingt *so*?«

»Nur, wenn et klingelt.«

»Machen Sie das aus! Ich will nicht, dass die Leute mich für einen Idioten halten!«

»Drum hab ick Se ja jefragt«, sagte Fräulein Krömeier. »Is Ihnen der hier lieber?«

Man hörte mehr Clowns mit unterschiedlichsten Instrumenten.

»Das ist ja entsetzlich«, stöhnte ich.

»Aber is Ihnen nich ejal, wat die Leute von Ihnen halten?«

»Mein liebes Fräulein Krömeier«, sagte ich, »ich persönlich halte die kurze Lederhose für die männlichste Hose, die es gibt. Und wenn ich eines Tages wieder Oberbefehlshaber der Wehrmacht bin, werde ich eine ganze Division mit diesen kurzen Hosen ausrüsten. Und mit Wollstrümpfen.«

An dieser Stelle machte Fräulein Krömeier ein eigenwilliges Geräusch und begann sofort, sich die Nase zu putzen.

»Schon gut«, fuhr ich fort, »Sie kommen nicht aus Süddeutschland, Sie können das nicht verstehen. Doch wenn diese Division erst steht, wenn sie paradiert, dann wird man es sehen, dass all diese Witzeleien über die Seppelhose nichtig sind. Aber, und hier kommen wir zum eigentlichen Punkte: Ich habe auf dem Wege zur Macht erkennen müssen, dass man in dieser Hose als Politiker von den Wirtschaftsführern, von den Staatsmännern nicht ernst genommen wird. Ich habe weniges so bedauert, aber ich habe die kurze Wichs aufgeben müssen, und ich habe es getan, weil es meiner Sache und damit der Sache des Volkes dient. Und ich sage Ihnen: Ich habe diese wunderbaren Hosen nicht aufgegeben, damit mir ein Telefonapparat dieses Opfer zunichtemacht und mich dastehen lässt wie einen vollendeten Suppenkasper! Also holen Sie aus diesem Gerät endlich einen vernünftigen Klang.«

»Drum hab ich Se doch jefragt«, schniefte Fräulein Krömeier und legte das Taschentuch weg. »Ick kann det Ding klingeln lassen wie 'n janz normalet Telefon. Ich kann aber ooch jeden anderen Klang herbekommen. Sätze, Jeräusche, ooch Musik…«

»Auch Musik?«

»Wenn ick se nich selber spielen muss. Also, uff 'ner Schallplatte sollte se schon sein!«

Nun, und dann hatte sie mir den »Walkürenritt« eingestellt.

»Gut, nicht wahr?«, fragte ich den Zeitungskrämer und hob souverän den Apparat an mein Ohr. »Hitler hier!«

Ich hörte nichts außer weiteren reitenden Walküren.

»Hitler!«, sagte ich, »hier Hitler!« Und als die Walküren weiterritten, wechselte ich zu »Führerhauptquartier!« Für den Fall, dass der Anrufer zu überrascht war, dass er mich gleich selbst am Apparate hatte. Nichts geschah, nur die Walküren wurden lauter. Es tat inzwischen im Ohr regelrecht weh.

»HITLER HIER!«, schrie ich, »HIER FÜHRERHAUPTQUARTIER!« Ich kam mir vor wie 1915 an der Westfront.

»Bitte drücken Sie auf den grünen Knopf«, rief der

Zeitungskrämer mit einem wehleidigen Unterton, »ich hasse Wagner.«

»Welcher grüne Knopf?«

»Na, das Ding auf Ihrem Telefon«, schrie er, »Sie müssen's nach rechts schieben.«

Ich blickte auf den Apparat. Tatsächlich war hier ein grüner Schieber abgebildet. Ich schob ihn nach rechts, die Walküren verstummten, und ich schrie: »HITLER HIER! FÜHRERHAUPTQUARTIER!«

Nichts geschah, außer dass der Zeitungskrämer mit den Augen rollend meine Hand samt dem Apparat nahm und sie mit sanftem Druck an mein Ohr führte.

»Herr Hitler?«, hörte ich den Hotelreservierer Sawatzki, »hallo? Herr Hitler!«

»Jawohl«, sagte ich, »Hitler hier!«

»Ich versuche schon die ganze Zeit, Sie zu erreichen. Ich soll Ihnen von Frau Bellini ausrichten: Die Firma ist sehr zufrieden!«

»Nun ja«, sagte ich, »das ist schön. Ich selbst hatte mir allerdings etwas mehr erwartet.«

»Mehr?«, fragte Sawatzki irritiert, »noch mehr?«

»Mein lieber Herr Sawatzki«, sagte ich beschwichtigend, »drei Zeitungsartikel sind ganz gut und schön, aber wir haben schließlich andere Ziele …«

»Zeitungsartikel«, krähte Sawatzki, »wer redet von Zeitungsartikeln? Sie sind bei Youtube gelandet. Und Sie kriegen Klicks ohne Ende!« Dann senkte er seine Stimme und meinte: »Unter uns – es gab hier direkt nach der Sendung einige Stimmen, die Sie fallen lassen wollten. Ich nenne keine Namen. Aber jetzt … Schauen Sie sich das an! Die Jugend liebt Sie.«

»Die Jugend empfindet eben noch unverfälscht«, sagte ich.

»Und deswegen müssen wir sofort neue Sachen produzieren«, rief Sawatzki aufgeregt. »Ihr Anteil wird ausgedehnt. Es sind jetzt auch kleine Einspieler vorgesehen! Sie müssen sofort ins Büro kommen! Wo sind Sie?«

»Im Kiosk«, sagte ich.

»Gut«, sagte Sawatzki, »bleiben Sie da, ein Taxi ist unterwegs!« Dann legte er auf.

»Und«, fragte der Zeitungskrämer, »gute Nachrichten?«

Ich hielt ihm meinen Telefonapparat hin. »Kommen Sie damit zu einer Angelegenheit namens Jutjuub?«

xvii.

Es war Folgendes passiert: Jemand hatte mittels einer technischen Vorrichtung meinen Auftritt bei Wizgür aufgezeichnet und in das Internetz hineingetan, an einen Ort, bei dem jeder seine kleinen Filme ausstellen konnte. Und jeder konnte ansehen, was er wollte, ganz ohne dass die jüdische Schmierenjournaille ihm dabei Vorschriften machte. Selbstverständlich konnten auch Juden ihre Machwerke hier hineintun, aber ohne Bevormundung sah man gleich, wo das Ganze endete: Das Volk sah wieder und wieder meinen Auftritt bei Wizgür. Das konnte man an einer Zahl ablesen, die unter dem Filmausschnitt zu sehen war.

Nun traue ich solchen Zahlen gewöhnlich nicht allzu sehr. Ich habe lange genug mit Parteigenossen und Wirtschaftsführern zu tun gehabt, um zu wissen, dass es überall Karrieristen und andere zwielichtige Charaktere gibt, die gerne ein wenig nachhelfen, wenn es darum geht, Zahlen in das rechte Licht zu rücken. Sie verschönern sie, oder sie geben einem eine Vergleichszahl dazu, die ihre eigene Zahl sehr gut aussehen lässt, während sie Dutzende anderer Zahlen verschweigen, die geeignet wären, eine wesentlich ungünstigere Wahrheit zu enthüllen. Daher habe ich mich sogleich selbst daran gemacht und einige Zahlen jüdischer Machwerke angesehen. Ich überwand mich sogar, man darf da nicht zimperlich sein, und überprüfte etwa die Zahlen jenes Chaplin-Films »Der große Diktator«. Gut, die Besuchermengen hier waren über siebenstellig, aber man musste derlei natürlich in einem sauberen Vergleich berechnen. Chaplins billiges Machwerk lag schließlich seit etwa siebzig Jahren vor, insofern kommt man dann auf etwa 15 000 Besucher pro Jahr, immer noch beträchtlich, aber freilich nur auf dem Papier. Denn gewiss muss man auch hier von einem allmählich abnehmenden Interesse ausgehen. Naturgemäß ist die Neugier des Menschen auf aktuelle Ereignisse immer erheblich größer als auf abgehangene Ware, womöglich noch, wie hier, in schwarz-weißer Produktion, wo man heute doch den Farbfilm gewohnt ist. Insofern konnte man davon ausgehen, dass wohl dieser Film seine meisten Besucher im Internetz wohl in den sechziger und siebziger Jahren gehabt haben musste. Heute dürften im Jahr wohl allenfalls noch einige Hundert dazukommen, Filmstudenten vermutlich, einige Rabbiner und dergleichen »Fachpublikum«. Derlei Werte hatte ich jedoch in den letzten drei Tagen mühelos um das Tausendfache überboten.

Das war für mich vor allem in einer Hinsicht sehr interessant.

Bis zu jenem Augenblicke hatte ich meine besten Erfahrungen in Angelegenheiten der Volksaufklärung und Propaganda mit Methoden gemacht, die sich von den heutigen erheblich unterschieden. Ich hatte mit Kolonnen von Braunhemden der SA gearbeitet, die Fahnen schwenkend auf den Ladeflächen von Lastkraftwagen durch die Stadt fuhren und den bolschewistischen Rotfrontkämpfern die Faust ins Gesicht trieben, den Knüppel auf den Schädel, die gerne und mit meiner vollsten

Unterstützung auch einmal versuchten, mit dem Knobelbecher die Vernunft in diese verbohrten Kommunistenkörper hineinzutreten. Nun stellte ich fest, dass offenbar die schiere Attraktion einer Idee, einer Rede Hunderttausende zur Betrachtung und geistigen Auseinandersetzung zu bewegen vermochte. Eigentlich war das nur sehr schwer nachvollziehbar. Es war sogar schlichtweg unmöglich. Ich hatte eine leise Ahnung, wenn nicht sogar Befürchtung und rief daher sofort Sensenbrink an. Der war bester Laune.

»Eben haben Sie die 700 000 überschritten«, frohlockte er, »Wahnsinn! Haben Sie's gesehen?«

»Ja«, sagte ich, »aber Ihre Freude erscheint mir reichlich übertrieben. Das kann sich für Sie doch überhaupt nicht mehr rechnen!«

»Wie? Was? Sie sind Gold wert, mein Lieber! Das ist erst der Anfang, glauben Sie mir.«

»Trotzdem müssen Sie die Leute alle bezahlen!«

»Welche Leute?«

»Ich war ja eine Zeit lang selbst Propagandabeauftragter. Und ich weiß: Um 700 000 Leute auf seine Seite zu ziehen – da braucht man doch zehntausend Mann. Wenn sie fanatisch sind.«

»Zehntausend Mann? Was für zehntausend Mann?«

»Zehntausend Mann SA, theoretisch. Und das ist noch vorsichtig geschätzt. Aber eine SA haben Sie ja wohl noch nicht, oder? Also werden Sie wohl mindestens fünfzehntausend brauchen.«

»Sie sind vielleicht ein Vogel«, dröhnte Sensenbrink in bester Stimmung. Ich war nicht sicher, ob ich im Hintergrund ein Gläserklirren hörte. »Passen Sie auf, eines Tages nimmt Sie noch einer ernst!« Und damit legte er auf.

Das schien somit geklärt. Offenbar hatte Sensenbrink wirklich nichts damit zu tun. Diese Zustimmung schien aus dem Volk selbst zu kommen. Es konnte natürlich noch sein, dass Sensenbrink ein hemmungsloser Lügner war, ein Blender, diese Zweifel blieben, das ist eben das Ärgerliche mit Leuten, die man sich nicht selbst ausgesucht hat. Aber insgesamt schien er mir bei solchen Themen glaubwürdig. Also machte ich mich an die Produktion des nötig gewordenen Zusatzmaterials.

Wie immer, wenn Menschen kreativ überfordert sind, kommen sie mit den fragwürdigsten Vorschlägen. Ich sollte bizarre Reportagen drehen, etwas wie »Der Führer besucht die Sparkasse« oder »Der Führer im Schwimmbad«. Ich lehnte derlei vollendeten Schmarren kurzerhand ab. Politiker beim Sport, das ist fast immer eine Zumutung für die Bevölkerung. Ich habe meine Betätigung hierin dann auch direkt nach der Machtergreifung eingestellt. Ein Fußballspieler, ein Tänzer, die können das, das sehen die Leute jeden Tag in Vollendung, das kann sogar große Kunst sein. In der Leichtathletik etwa, ein vollendeter Speerwurf, das ist etwas Herrliches. Aber man denke sich, dann käme jemand wie Göring oder diese Kanzlermatrone, die ihm wie aus dem Gewicht geschnitten ist. Wer will das sehen? Das kann keine guten Bilder geben.

Sicher, da gibt es dann einige, die sagen: Sie soll sich dem Volke als dynamisch präsentieren, dazu muss sie nicht Springreiten oder rhythmische Sportgymnastik vollführen, aber so etwas Harmloses wie das Golfspiel, heißt es dann gerade in konservativen anglophilen Kreisen, das wäre doch bestimmt machbar. Aber wer einmal einen guten Golfspieler gesehen hat, der will mit Sicherheit nicht das Herumgestocher einer unförmigen Wachtel beobachten. Und was sollten da die anderen Staatsmänner sagen? Vormittags folgt sie mühsam den Zusammenhängen der Wirtschaftspolitik, nachmittags ist sie auf dem Golfplatze und prügelt dort unkoordiniert auf den Rasen ein. Und in Badehosen, das ist ohnehin das allergrößte Unding. Man konnte das Mussolini schon nicht ausreden. In jüngster Zeit macht das auch dieser fragwürdige leitende russische Staatslenker, ein interessanter Mann, zweifellos, aber dennoch ist es für mich eine ausgemachte Sache: Sobald ein Politiker das Hemd ablegt, ist seine Politik am Ende. Damit sagt er nichts anderes als: »Seht her, liebe Volksgenossen, ich habe eine erstaunliche Entdeckung gemacht: Meine Politik ist ohne Hemd besser.«

Was soll das für eine unsinnige Aussage sein?

Ich habe im Übrigen gelesen, dass unlängst sogar ein deutscher Kriegsminister sich in einem Schwimmbecken mit einem Frauenzimmer fotografiert haben lassen soll. Während die Truppe im Felde stand oder wenigstens doch kurz davor. Der Mann wäre bei mir keinen Tag mehr im Amt gewesen. Auf ein Rücktrittsgesuch hätte ich da verzichtet, man legt ihm eine Pistole auf den Schreibtisch, eine Kugel im Lauf, man verlässt den Raum, und wenn der Saukerl noch einen Funken Anstand hat, dann weiß er, was er zu tun hat. Und wenn nicht, findet man am nächsten Morgen die Kugel in seinem Kopf und den Kopf mit dem Gesicht nach unten in diesem Planschbecken. Und dann weiß auch wieder der Rest des Ladens, was passiert, wenn man in Badehosen der Truppe in den Rücken fällt.

Nein, derlei Badespäße kamen natürlich für mich nicht infrage.

»Wenn Ihnen das nicht passt, was wollen Sie denn stattdessen machen?«

Diese Frage stellte mir ein gewisser Ulf Bronner, ein Hilfsregisseur, vielleicht Mitte dreißig, ein auffallend schlecht gekleideter Mann. Er war nicht so schäbig gekleidet wie Kameramänner, die – wie ich seit meiner jüngsten Arbeit für und mit dem Rundfunk weiß – die am schäbigsten gekleideten berufstätigen Menschen der Welt sind, unterboten lediglich noch von Pressefotografen. Ich weiß nicht, warum das so ist, aber meiner Erkenntnis nach tragen Pressefotografen oft jene Lumpen auf, die den Fernseh-Kameraleuten kürzlich vom Leib gefallen sind. Der Grund ist wohl, dass sie glauben, niemand sähe sie, weil sie die Kamera schließlich selbst in der Hand halten. Ich hingegen denke oftmals, wenn ich ein ungünstiges Bild von jemandem in einer Illustrierten entdecke, wie er das Gesicht verzieht oder dergleichen: Wer weiß, wie der Fotograf gerade wieder ausgesehen hat. Der Regisseursdarsteller Bronner nun war besser gekleidet, aber nicht viel besser.

»Ich behandle Tagespolitik«, sagte ich ihm, »und natürlich Fragen, die darüber hinausreichen.«

»Keine Ahnung, wo das witzig sein soll«, brummte Bronner. »Politik ist immer Scheiße. Aber bitte, ist ja nicht meine Sendung.«

Ich habe in den Jahren gelernt: Fanatischer Glaube an die gemeinsame Sache ist nicht immer erforderlich. Und in manchen Dingen sogar hinderlich. Ich habe schon Regisseure gesehen, die vor lauter Kunstwillen nicht in der Lage waren, einen verständlichen Film zu drehen. Da war mir die Gleichgültigkeit des Bronner letzten Endes sogar lieber, sie ließ mir immerhin weitgehend freie Hand, wenn ich die erbärmlichen Leistungen der demokratisch gewählten Politrepräsentanten anzuprangern gedachte. Und da man die Dinge stets vereinfachen soll, wenn es denn möglich ist, wählte ich sogleich das nächstliegende Thema, im Wortsinne. Als Erstes stellte ich mich des Vormittags vor den Kindergarten neben der eigenwilligen Schule, an der ich inzwischen des Öfteren vorbeigelaufen war. Ich hatte schon mehrfach das unverantwortliche Verhalten der Autofahrer beobachtet, die dort mit erheblichem Tempo vorbeibrausten und bedenkenlos das Leben und die Gesundheit unserer Kinder aufs Spiel setzten. Ich plädierte zunächst in einer kurzen Ansprache heftig gegen jene Raserei, dann machten wir einige Aufnahmen dieser besinnungslosen Jugendmörder, die man später dazwischenmontieren konnte. Schließlich unterhielt ich mich mit den in großer Zahl vorbeilaufenden Müttern. Die Reaktionen waren erstaunlich. Die meisten fragten:

»Ist das hier die versteckte Kamera?«

Worauf ich zurückgab: »Keineswegs, gnädige Frau. Die Kamera ist ja hier, sehen Sie?« Dabei deutete ich auf das Aufnahmegerät und die Kamerägenossen, ich tat es nachsichtig und geduldig, denn mit dem technischen Verständnis von Frauen ist das immer so eine Sache. Sobald dies geklärt war, wollte ich von der jeweiligen Dame wissen, ob sie üblicherweise in dieser Gegend verkehre.

»Dann sind Ihnen womöglich auch diese Autofahrer hier aufgefallen?«

»J-jaaa«, sagte sie gedehnt, »wieso …?«

»Würden Sie mir zustimmen, dass man angesichts des Verhaltens zahlreicher Autofahrer Angst haben muss um die Kinder, die hier spielen?«

»Ähm, schon, irgendwie, aber … sagen Sie, worauf wollen Sie hinaus?«

»Sprechen Sie Ihre Befürchtungen ganz frei heraus, Frau Volksgenossin!«

»Moment! Ich bin keine Volksgenossin! Aber wenn Sie schon fragen … Man ärgert sich da schon manchmal, wenn man mit den Kindern hier vorbeigeht …«

»Warum verhängt dann diese frei gewählte Regierung keine härteren Strafen gegen solche rücksichtslosen Raser?«

»Ich weiß nicht …«

»Wir werden das ändern! Für Deutschland. Sie und ich! Welche Strafen würden Sie fordern?«

»Welche Strafen ich fordere …?«

»Finden Sie, die bisherigen Strafen reichen aus?«

»Ich weiß nicht so genau …«

»Oder werden sie nicht streng genug durchgesetzt?«

»Nein, nein, ich – ich möchte das lieber nicht.«

»Wie? Und die Kinder?«

»Das ist … das ist alles schon so in Ordnung. So wie es ist. Ich bin ganz zufrieden!«

Das passierte oft. Es war wie in einem Klima der Angst, und das in dieser doch vorgeblich so freien Regierungsform. Die unschuldige einfache Frau aus dem Volke wagte nicht, in meiner Gegenwart offen zu sprechen, sobald ich in der schlichten Uniform des Soldaten auf sie zutrat. Ich war erschüttert. Und dies wiederholte sich in etwa drei Viertel der Fälle. Das letzte Viertel der befragten Personen sagte:

»Sind Sie hier der neue Ordner? Endlich spricht das mal einer aus! Das ist so eine Sauerei! Die gehören sofort ins Gefängnis!«

»Sie fordern also Zuchthaus?«

»Mindestens!«

»Ich hatte angenommen, die Todesstrafe gäbe es nicht mehr …«

»Leider!«

Nach einem ähnlichen Prinzip geißelte ich nun, was immer ich selbst oder in den Presse-Erzeugnissen wahrgenommen hatte. Vergiftete Lebensmittel, Autofahrer, die während des Führens ihres Fahrzeuges mit dem mobilen Apparat telefonierten, die barbarische Unsitte der Jägerei und dergleichen mehr. Und das Verblüffende war: Die Menschen forderten entweder drakonische Strafen oder, was wesentlich häufiger der Fall war, sie wagten es nicht, offen zu sprechen. Bei einer Gelegenheit war dies besonders ersichtlich. Denn hier hatten sich etliche Menschen bereits in der Innenstadt versammelt, um die Regierung zu kritisieren. Nachdem die naheliegende Lösung, nämlich Schlägertrupps, offenkundig derzeit niemandem mehr einzufallen schien, hatte man aber doch wenigstens eine Art Marktstand errichtet, um Unterschriften zu sammeln, die letzten Endes die beeindruckend hohe Zahl von 100 000 Abtreibungen pro Jahr in Deutschland verhindern sollten.

Eine derartige Massenermordung deutschen Blutes ist selbstverständlich auch für mich nicht hinnehmbar – jeder Kretin konnte sofort sehen, dass dies bei 50 Prozent Buben mittelfristig zum Ausfall von drei Divisionen führen würde. Wenn nicht von vier. Allerdings mochte sich in meiner Gegenwart plötzlich keiner dieser braven, anständigen Menschen mehr zu seiner Gesinnung bekennen, und kurz nach unserem Eintreffen wurde die Aktion dann auch komplett abgebrochen.

»Was sagt man dazu?«, fragte ich Bronner. »Diese armen Menschen sind wie ausgewechselt. So viel zu dieser sogenannten Meinungsfreiheit.«

»Wahnsinn«, staunte Bronner, »das lief ja noch besser als die Sache mit den Hundehaltern gegen Leinenzwang!«

»Nein«, sagte ich, »das haben Sie falsch verstanden. Das bei den Hundehaltern, das waren keine anständigen Menschen, die sich da aus dem Staube gemacht haben. Das waren alles Juden. Haben Sie denn die Sterne nicht gesehen? Die wussten gleich, mit wem sie es zu tun hatten.«

»Das waren doch keine Juden«, wandte Bronner ein, »in den Sternen stand doch nicht ›Jude‹. Da stand ›Hund‹.«

»Das ist typisch für den Juden«, klärte ich ihn auf. »Nur Verwirrung stiftet er. Und auf den Flammen der Ratlosigkeit kocht er dann seine schmierige Giftsuppe.«

»Das ist doch …«, schnaufte Bronner, und dann lachte er. »Sie sind wirklich unglaublich!«

»Ich weiß«, sagte ich. »Sind eigentlich die Uniformen für Ihre Kameraleute schon da? Die Bewegung muss künftig einheitlich auftreten!«

In der Produktionsfirma wurden unsere Enthüllungen mit großer Begeisterung aufgenommen. »Sie könnten offenbar sogar einen Pfarrer zum Atheisten bekehren«, lachte die Dame Bellini bei der Sichtung des Materials.

»Das sollte man eigentlich meinen, doch ich habe das bereits im größeren Umfang versucht«, erinnerte ich mich, »bei vielen dieser Pfaffen schafft man das nicht einmal mit Lagerhaft.«

Bereits zwei Wochen nach meiner Premiere bei jenem Wizgür wurden nun diese Beiträge in die Sendung eingefügt, zusätzlich zu meiner flammenden Rede, die ich jeweils gegen Ende hielt. Und nach vier weiteren Wochen kam jeweils noch ein Beitrag dazu. Es war im Grunde wie Anfang der zwanziger Jahre. Nur mit dem Unterschied, dass ich mir damals eine Partei gekapert hatte.

Diesmal war es eine Rundfunksendung.

Ich behielt im Übrigen auch recht mit meiner Einschätzung, was diesen Wizgür anging. Tatsächlich verfolgte er mit einem gewissen Groll, wie ich mehr und mehr Einfluss und Macht in seiner Sendung gewann, wie sich deutlich die Führernatur durchsetzte. Dennoch trat er dieser Entwicklung nicht entgegen. Er passte sich zwar nicht direkt an, er protestierte jedoch nur auf das Kläglichste hin und wieder und jammerte hinter den Kulissen den Firmenverantwortlichen die Ohren voll. Ich an seiner Stelle hätte alles auf eine Karte gesetzt, ich hätte mir von Anfang an jegliche Einmischung verbeten, ich hätte unter vergleichbaren Umständen gleich nach dem ersten Auftritt mit der Einstellung jeder Arbeit für den Sender geantwortet, was hätten mich da Verträge interessiert. Aber jener Wizgür klammerte sich, wie es nicht anders zu erwarten war, verzweifelt an seine jämmerlichen Errungenschaften, an seinen fragwürdigen Ruhm, an seinen Sendeplatz, als wäre es eine Auszeichnung. Dieser Wizgür hätte niemals für seine Überzeugungen Rückschläge in Kauf genommen, er wäre nie in die Festungshaft gegangen.

Andererseits: Welche Überzeugungen sollte er schon haben? Was hatte er außer einer fragwürdigen Herkunft aufzuweisen, außer sinnentleertem prahlerischem Geschwätz? Da hatte ich es natürlich einfacher, hinter mir stand ja immerhin die Zukunft Deutschlands. Ganz zu schweigen vom Eisernen Kreuz. Oder dem Verwundetenabzeichen, das belegte, dass ich für Deutschland auch schon mein Blut geopfert hatte. Was hingegen hatte jener Wizgür geopfert?

Und da erwarte ich selbstverständlich nicht unbedingt das Verwundetenabzeichen in Gold. Wo soll er das herhaben, ohne einen Krieg? Und wenn er es gehabt hätte, wäre wiederum fraglich gewesen, ob er sich noch für seine Unterhaltungssendung geeignet hätte. Die Leute, die solche raren, hohen Verwundetenauszeichnungen tragen, von denen ist bei genauerer Betrachtung oft nicht mehr allzu viel übrig. Das liegt in der brutalen Natur der Dinge. Menschen, die fünfmal oder öfter an der Front verwundet wurden, von Bajonetten, Granaten, Gas, die haben Glasaugen oder künstliche Arme, oder der Mund ist schief zusammengewachsen, wenn überhaupt noch ein Unterkiefer da ist, das ist zugegebenermaßen nicht das Holz, aus dem uns das Schicksal die besten Humoristen schnitzt. Und so verständlich eine gewisse Bitterkeit in ihrer Situation auch sein mag, man muss hier als Führer auch einmal die andere Seite sehen. Da sitzen die Leute im Publikum in bester Stimmung, sie haben sich fein gemacht, sie möchten sich nach einem harten Arbeitstage in der Schrapnellfabrik oder in der Fliegerwerft einmal entspannen oder auch nach einem langen nächtlichen Bombardement, da habe ich schon Verständnis dafür, dass die Bevölkerung von einem guten Komödianten etwas anderes erwartet als zwei amputierte Unterschenkel. Da muss man dann in aller Deutlichkeit auch einmal sagen: Hier ist der sofortige tödliche Granatentreffer für alle wohl die bessere Lösung als ein Verwundetenabzeichen mit anschließender Verwendung als Spaßmacher an der Heimatfront.

Insgesamt merkte man aber eben sofort, dass dieser

Wizgür nicht nur keine Weltanschauung besaß, die es mit der nationalsozialistischen aufnehmen konnte, sondern dass er überhaupt keine hatte. Und ohne eine gefestigte Weltanschauung ist man in der modernen Unterhaltungsindustrie selbstverständlich ohne jede Chance und fernerhin auch ohne Daseinsberechtigung, das Weitere regelt dann die Geschichte.

Oder die Einschaltquote.

xviii.

Der Führer ist nichts ohne sein Volk. Das heißt natürlich, der Führer ist schon auch etwas ohne sein Volk, aber man sieht es dann nicht, was er ist. Das ist jedem gesund denkenden Menschen leicht begreiflich zu machen, denn das wäre ja, wie wenn man einen Mozart irgendwo hinsetzt, man gibt ihm aber kein Klavier – da merkt dann auch niemand, dass das ein Genie ist. Da hätte er nicht einmal als Wunderkind auftreten können, mit seiner Schwester. Gut, die hätte dann noch ihre Geige gehabt, aber nimmt man der auch die Geige weg, was hat man dann noch? Zwei Kinder, und die können allenfalls noch Verse im Salzburger Dialekt aufsagen oder dergleichen Allerweltslieblichkeiten, aber das will keiner sehen, das gibt es ja in jedem Wohnzimmer zur Weihnachtszeit. Des Führers Geige hingegen ist das Volk.

Und seine Mitarbeiter.

Natürlich kann man da schon den Einwand der Skeptiker erahnen, die neunmalklug daherschwatzen, man könne nicht zwei Geigen auf einmal spielen. Aber da sieht man auch wieder einmal, was solche Leute für einen Blick auf die Realität haben. Da kann nicht sein, was nicht sein darf. Wenn es aber doch so ist! Genau daran sind ja zahllose auch recht große Führer letzten Endes gescheitert! Man nehme Napoleon zum Beispiel, der Mann war ein Genie, gar keine Frage. Aber eben nur auf der militärischen »Geige«. Gescheitert ist er an den Mitarbeitern. Und da stellt sich die Frage, bei jedem Genie: Was wählt es für Mitarbeiter? Friedrich der Große etwa, der hatte einen Kurt Christoph Graf von Schwerin, einen General, der sich für sein Land vom Pferd hat schießen lassen, die Fahne noch in der Hand, oder einen Hans Karl von Winterfeldt. Der Mann ist 1757 unter tödlichen Säbelhieben zusammengebrochen, das waren noch Mitarbeiter! Aber Napoleon?

Da muss man sagen: Er hatte eine unglückliche Hand, und das ist noch höflich formuliert. Eine Vetternwirtschaft schlimmster Sorte, da stand die Verwandtschaft Schlange. Der schwachsinnige Bruder Joseph sitzt in Spanien, Bernadotte heiratet dessen Schwägerin, Jérôme kriegt Westfalen, die Schwestern werden in irgendwelchen italienischen Grafschaften versorgt, und dankt es ihm jemand? Der schlimmste Parasit war noch Louis, den er als König nach Holland gesetzt hat und der da nach Belieben an seiner eigenen Königskarriere feilte, als hätte er Holland selbst erobert. Mit solchen Mitarbeitern ist weder ein Krieg zu führen noch eine Welt zu regieren. Insofern habe ich stets größten Wert auf exzellente Mitarbeiter gelegt. Und diese in überwiegender Mehrheit auch gefunden.

Ich meine: Allein die Belagerung Leningrads!

Zwei Millionen Zivilisten eingeschlossen, ohne jede Lebensmittellieferung. Es gehört schon ein gewisses Pflichtbewusstsein dazu, da täglich auch noch tausend Bomben hineinzuwerfen, zum Beispiel auch und sogar gezielt auf die Lebensmittellager. Die Leute da, die waren zum Schluss so weit, die haben sich gegenseitig den Schädel eingeschlagen, nur um die Erde fressen zu dürfen, in die der verbrannte Zucker hineingeschmolzen war. Natürlich, diese Zivilisten waren rassisch nicht erhaltenswert, aber der einfache Soldat hätte sich doch leicht denken können: Diese armen, armen Leute! Zumal der Landser auch in vielen Fällen außergewöhnlich tierlieb ist.

Ich habe das selbst in den Schützengräben miterlebt, da sind Leute in das schlimmste Sperrfeuer gerannt, um ihre »Maunzi« zurückzuholen, oder die haben ihre wochenlang aufgesparten Rationen noch geradezu brüderlich mit einem zugelaufenen »Bello« geteilt. Da sieht man auch wieder, dass der Krieg im Menschen nicht nur die härtesten, sondern auch die weichsten, wärmsten Gefühle entfacht, dass der Kampf eben in vielfacher Hinsicht das Beste aus dem Menschen herausmeißelt. Als unbehauener Block geht der einfache Mann in die Schlacht, und heraus kommt er als einwandfreier Tierfreund mit dem unerbittlichen Willen, das Notwendige zu vollziehen. Und daran, dass diese einfachen Menschen, diese Hunderttausende von Soldaten und Katzenfreunden dann aber nicht sagen: »Lassen wir's doch ruhiger angehen, schlimmstenfalls verhungern die Leningrader eben etwas langsamer«, sondern dass sie stattdessen sagen: »Nur munter hinein mit der Bombe! Der Führer wird sich bei seinem Befehl schon das Richtige gedacht haben!«, daran erkennt man eben, dass man die richtigen Mitarbeiter hatte.

Oder auch von Neuem hat, überlegte ich, während ich Fräulein Krömeier zusah, wie sie den Schluss meiner letzten Führerrede abtippte. Insgesamt war ich mit den Leistungen des Fräulein Krömeier sehr zufrieden. An ihrer Arbeit gab es überhaupt nichts auszusetzen, ihr Einsatz war vorbildlich, neuerdings stand sie mir sogar ganztags zur Verfügung. Lediglich das Aussehen war verbesserungswürdig. Nicht, dass sie nicht gepflegt gewirkt hätte, aber dieses aller Freundlichkeit zum Trotze doch recht düstere Auftreten, diese fast ein wenig todesnahe Bleichheit war einer so fröhlichen, lebensbejahenden Bewegung, wie sie der Nationalsozialismus unbestreitbar darstellt, wenig förderlich.

Andererseits muss ein Führer über derlei auch hinwegsehen können. Von Ribbentrop etwa war vom Aussehen her ein durch und durch repräsentabler Herrenmensch, ein vorbildliches Kinn, erstklassiges Genmaterial – doch letzten Endes war der Mann zeitlebens eine Wurst. Und damit ist dann auch niemandem gedient.

»Sehr schön, Fräulein Krömeier«, sagte ich, »ich denke, das war es für heute.«

»Ick druck Ihnen det noch rasch aus«, sagte sie. Sie tippte etwas in ihren Computer. Dann holte sie einen kleinen Spiegel aus ihrer Tasche, dazu ihren dunklen Lippenstift, um sich den Mund nachzuziehen. Dies schien mir eine passende Gelegenheit, das Thema anzusprechen.

»Was sagt denn da eigentlich Ihr Verlobter dazu?«

»Welcha Valobte? Wozu? Meen Führa!«

Der korrekte Einsatz der Führeransprache war noch immer verbesserungsfähig.

»Nun, Sie werden ja vielleicht oder bestimmt doch einen jungen Mann haben, einen, sagen wir Verehrer …«

»Nee«, sagte Fräulein Krömeier malend, »da jibt et keenen …«

»Also, ich will da nicht indiskret sein oder insistieren«, beruhigte ich sie, »aber Sie können es mir ruhig sagen. Wir sind hier ja nicht bei den Katholiken. Ich kenne da keine Vorbehalte, wenn zwei junge Menschen sich mögen, dann ist da kein Trauschein vonnöten. Wahre Liebe adelt sich selbst!«

»Det is ja allet schön und jut«, sagte Fräulein Krömeier und presste mit einem Blick in den Spiegel die Lippen aufeinander, »aba et jibt jrad keenen, weil ick ihn vor vier Wochen pasönlich abjesächt hab! Ick kann Ihnen sagen: Det war vielleicht 'n echtet Arschloch!«

Ich muss ein wenig überrascht dreingeblickt haben, jedenfalls sagte Fräulein Krömeier sofort: »Ouh! Det is mir jetzt so rausjerutscht! Det jeht natürlich nicht im Führahauptquartier! Ick meine natürlich: Der Mann war ein elender Schweinehund! Meen Führa!«

Ich verstand nicht ganz, was dieser Wortaustausch bezwecken oder verbessern sollte, jedoch sprach aus ihrem ganzen Mienenspiele das ehrlichste Bemühen und nun auch ein gewisser Stolz, offenkundig auf die zweite Formulierung.

»Zunächst«, sagte ich streng, »sind wir genau genommen nicht im Führerhauptquartier, Fräulein Krömeier, weil ich nämlich nicht Oberbefehlshaber der Wehrmacht bin, jedenfalls derzeit nicht. Und zweitens finde ich, dass solche Worte überhaupt nicht in den Mund eines deutschen Mädels gehören! Und schon gar nicht in den Mund meiner Sekretärin!«

»Na, wenn et aba doch so war! Da hätten Se dabei sein müssen, da würden Se det ooch sagen! Ick könnte Ihnen Jeschichten erzählen …«

»Diese Geschichten gehen mich nichts an! Hier geht es um das Ansehen des Deutschen Reiches und in diesen Räumen auch der deutschen Frau! Wenn hier jemand vorbeikommt, möchte ich, dass er den Eindruck eines geordneten Staates hat und nicht …«

Weiter kam ich nicht, weil aus dem Auge von Fräulein Krömeier erst eine Träne lief und dann aus dem anderen Auge auch eine und dann überhaupt sehr viele Tränen. Es sind genau diese Momente, die ein Führer im Kriege meiden muss, denn hier raubt eventuelles Mitgefühl ihm natürlich die Konzentration, die er dringend für die siegreiche Durchführung von Kesselschlachten und Flächenbombardements braucht. In ungünstigeren Zeiten ist es, so habe ich gelernt, freilich etwas einfacher, da gibt man einmal den Befehl, dass jeder Meter Boden bis zum letzten Blutstropfen zu halten ist, im Grunde ist dann die Kriegführung für den Tag erledigt, da könnte man genauso gut heimgehen. Aber trotzdem sollte man sich unterdessen nicht in die Emotionen anderer Leute verzetteln.

Freilich befanden wir uns nun ja gerade mal nicht im Krieg. Und ich schätzte die untadelige Arbeitskraft des Fräulein Krömeier. Also reichte ich ihr ein Papiertaschentuch, von denen inzwischen offenbar wieder reichlich produziert wurden. »Es ist ja kein großer Schaden entstanden«, sagte ich beruhigend, »ich wollte nur, dass Sie künftig … ich zweifle nicht an Ihren Fähigkeiten, ich bin sogar sehr zufrieden mit Ihnen … Sie sollten sich diesen Tadel nicht so zu Herzen nehmen …«

»Ach«, schniefte sie, »et is ja nich wegen Ihnen. Et is ja nur, ick hab den … Kerl, ick hab ihn ja richtich jeliebt. Ick hab jedacht, det wird wat mit uns. Wat richtich Jroßes.« Dabei kramte sie in ihrem Rucksack und holte ihr Telefon hervor. Sie tappste ein wenig darauf herum, bis es ein Foto vom Schweinehund anzeigte, und hielt es mir hin.

»Der sah so jut aus. Und der war doch immer so … so besonders!«

Ich betrachtete das Bild. Der Mann sah in der Tat recht gut aus. Er war blond, hochgewachsen, wenn auch ein gutes Dutzend Jahre älter als das Fräulein Krömeier. Das Bild zeigte den Mann auf der Straße, in einem eleganten Anzug, dennoch hatte er nichts Geckenhaftes an sich, sondern er wirkte sogar außerordentlich gediegen, als leite er ein gesundes, kleines Unternehmen.

»Ich will Ihnen nicht zu nahetreten«, sagte ich, »aber es wundert mich nun wirklich nicht, dass diese Beziehung zu keinem glücklichen Ende gekommen ist …«

»Nicht?«, schniefte Fräulein Krömeier.

»Nein.«

»Und wieso?«

»Sehen Sie, Sie denken natürlich, Sie hätten die Beziehung beendet. Aber haben Sie nicht in Wahrheit selbst erkannt, dass Sie für diesen Mann nicht die richtige Partnerin sind?«

Fräulein Krömeier schniefte und nickte. »Aba det ging trotzdem allet so jut mit uns los. Und dann – det hätt ick nie jedacht …«

»Sicher«, sagte ich, »aber das sieht man doch auf den ersten Blick!«

Sie hielt inne. Ihre Faust zerknüllte das Taschentuch, als sie zu mir hochsah: »Wat? Det sieht man?«

Ich holte tief Luft. Es ist zwar erstaunlich, auf welche Nebenkriegsschauplätze einen die Vorsehung beim Kampf um die Zukunft des Deutschen Volkes verschlägt. Jedoch ist es auch wieder verblüffend, wie sie manches fügt und verbindet. Das Problem des Fräulein Krömeier und der würdigen Repräsentation völkischer Politik.

»Sehen Sie, ein Mann, gerade ein rassisch gesunder Mann wie dieser, will doch für sein Leben eine fröhliche, lebensbejahende Partnerin, eine Mutter für seine

Kinder, eine Frau, die den gesunden, den nationalsozialistischen Geist ausstrahlt …«

»Na, det binnick doch! Aba sowat von!«

»Ja, gewiss«, sagte ich, »Sie wissen es, und ich weiß es. Aber nun, also: Sehen Sie sich doch einmal mit den Augen eines Mannes in den besten Jahren! Immer diese schwarze Garderobe. Dieser dunkle Lippenstift, dieses Gesicht, von dem ich den Eindruck habe, dass Sie es immer besonders blass zurechtmachen … Ich, also, Fräulein Krömeier, ich bitte Sie, fangen Sie jetzt nicht wieder zu weinen an, aber ich habe an der Westfront 1916 Tote gesehen, die wirkten fröhlicher als Sie! Die dunklen Augen, und das bei Ihren schwarzen Haaren. Sie sind doch eine reizvolle junge Frau, warum tragen Sie nicht einmal ein paar fröhliche Farben? Eine hübsche Bluse oder einen lustigen Rock? Oder ein buntes Sommerkleid? Sie werden sehen, wie sich dann die Männer nach Ihnen umdrehen!«

Fräulein Krömeier sah mich reglos an. Dann fing sie an, herzlich zu lachen.

»Ick hab mer det jrade vorstellen müssen«, erklärte sie, »wie ick in dem Kleidchen da rumloofe wie die Heidi vom Alm-Öhi, mit Blümchen im Haar und allet, und wie ick ihm denn in der Fußgängerzone übern Weg loofe, ihm und dieser schicken Tante, und wie ick dabei rausfinde, det der – det der *Scheißtyp* verheiratet is. Ick muss echt sagen, da hätt ick noch blöder dajestanden als so schon, nee, det Bild is richtich ulkich. Det is lieb, det Se mich aufheitern«, sagte sie. »Und jetzt mach ick Feierabend.« Sie richtete sich auf, nahm ihren Rucksack und hängte ihn über die Schulter.

»Die Rede hol ick Ihnen noch ausm Drucker und leg se dann in Ihr Fach«, sagte sie, schon die Türklinke in der Hand, »noch'n schön' Abend, meen Führa! Nee, echt, ick innem Kleidchen …« Und damit ging sie hinaus.

Ich überlegte, was ich an diesem Abend machen wollte. Vielleicht sollte ich den neuen Apparat im Hotel anschließen lassen, den mir Sensenbrink hatte zukommen lassen. Man sollte damit Filme über das Fernsehgerät abspielen lassen können, Filme, die praktischerweise auch nicht mehr auf Rollen aufbewahrt wurden, sondern auf kleinen Plastikscheiben, von denen die Firma Flashlight ganze Regale voll besaß. Und Filme habe ich ja stets geschätzt, ich war durchaus neugierig, was ich wohl in den letzten Jahren verpasst hatte. Andererseits erwog ich auch, den künftigen Weltraumflughafen für Berlin zu entwerfen, es hatte sich ja gezeigt, dass man dann während der aktiven Kriegführung nur noch selten dazu kommen würde, insofern lag es nahe, jetzt verstärkt meiner alten Leidenschaft nachzugehen. Da öffnete sich die Tür noch einmal, und Fräulein Krömeier legte mir einen Brief auf den Schreibtisch.

»Der war noch im Postfach«, sagte sie, »der ist nicht mit der Post jekommen, den hat wohl einfach wer in'n Firmenbriefkasten jeworfen. Schön'n Abend nochmal, meen Führa!«

Der Brief war in der Tat an mich adressiert, der Absender hatte jedoch meinen Namen in Anführungszeichen gesetzt, so als ob es sich um eine Rundfunksendung dieses Namens handelte. Ich roch daran, es war in der Vergangenheit nicht selten der Fall gewesen, dass Frauen mir eine gewisse Verehrung ausdrücken wollten. Der Brief roch neutral. Ich öffnete ihn.

Ich erinnere mich noch deutlich an die Begeisterung, als ich gleich oben auf dem Brief ein tadelloses Hakenkreuz im weißen Felde sah. Ich hatte so schnell nicht mit positiven Reaktionen gerechnet. Sonst war zunächst nichts zu erkennen.

Ich entfaltete den Brief. Mit ungelenker, dicker schwarzer Schrift stand dort:

»Hör auf mit der Scheise, Du verfluchdes Judenschwein!«

Ich hatte schon lange nicht mehr so gelacht.

XIX.

Es war ein schöner kleiner Erfolg, als mich die junge Dame am Hotelempfang zum ersten Male mit dem Deutschen Gruß empfing. Ich war auf dem Wege zum Frühstücksraum, und während ich ihren Gruß mit zurückgeklapptem Arme erwiderte, ließ sie ihren Arm bereits sinken.

»Das kann ich auch nur machen, weil Sie so spät aufstehen und die Halle grade leer ist«, zwinkerte sie mir lächelnd zu, »also verraten Sie mich nicht!«

»Ich weiß, die Zeiten sind schwierig«, sagte ich mit gedämpfter Stimme, »noch! Aber es kommt die Zeit, da auch Sie wieder mit erhobenem Haupte zu Deutschland stehen können.« Dann ging ich zügig in den Frühstücksraum.

Nicht alle Bediensteten hatten die Zeichen der Zeit so klarsichtig erkannt wie die junge Dame an der Rezeption. Es wurden keine Hacken zusammengeschlagen, und der Gruß blieb allgemein bei einem nichtssagenden »Guten Morgen«. Andererseits waren die Blicke weit weniger reserviert als zuvor, seit ich vermehrt zum Tragen von Anzügen übergegangen war. Es war in diesem Zusammenhange ein wenig wie in der Systemzeit, dem Wiederanfang nach meiner Haftentlassung, es galt auch hier von ganz unten erneut zu beginnen, mit dem Unterschied, dass sich der Einfluss und die Gepflogenheiten des verweichlichten Bürgertums tiefer in das Proletariat hineingefressen hatten – mehr noch als damals hatte zunächst der Schafspelz bürgerlicher Kleidung zur Vertrauensbildung beizutragen. In der Tat konnte ich so morgens mein Müsli, meinen Orangensaft mit Leinsamenschrot zu mir nehmen und dabei an den Blicken eine restlose Anerkennung meiner bisherigen Leistungen spüren. Ich erwog gerade, aufzustehen und mir noch einen Apfel zu holen, als ich die Walküren reiten hörte. Mit einer souveränen Bewegung, die ich mir bei einigen jungen Geschäftsleuten abgesehen hatte, holte ich den Telefonapparat hervor und an mein Ohr.

»Hitler!«, sagte ich mit einer vorbildlich dezenten Stimme.

»Haben Sie heute schon die Zeitung gelesen?«, fragte ansatzlos die Stimme der Dame Bellini.

»Nein«, sagte ich, »wieso?«

»Dann schauen Sie sich's an. Ich rufe Sie in zehn Minuten wieder zurück!«

»Moment«, sagte ich, »was soll das heißen? Von welcher Zeitung reden wir überhaupt?«

»Von der mit Ihrem Bild vorne drauf«, sagte die Dame Bellini.

Ich stand auf und ging zu dem Stapel mit den Zeitungen. Dort lagen einige Exemplare jener »Bild«-Zeitung. Und vorne war ein Foto von mir abgebildet unter der Überschrift: »Irrer Youtube-Hitler: Fans feiern seine Hetze!«

Ich nahm die Zeitung mit zurück zu meinem Platz und setzte mich. Dann begann ich zu lesen.

Irrer Youtube-Hitler:

Fans feiern seine Hetze!

Ganz Deutschland rätselt: Ist das noch Humor?

Einst ermordete er Millionen – jetzt bejubeln ihn Millionen auf Youtube: Mit einem geschmacklosen Programm und bizarren Sprüchen hetzt ein »Comedian« als »Adolf Hitler« in Ali Wizgürs Show »Krass, Alter« gegen Ausländer, Frauen und Demokratie. Jugendschützer, Parteipolitiker und der Zentralrat der Juden sind entsetzt.

Kostproben seiner »Kunst« gefällig?

- *Die Türken sind keine Kulturschöpfer.*
- *100 000 Abtreibungen im Jahr sind unerträglich, da fehlen uns später vier Divisionen für den Ostkrieg.*
- *Beauty-OPs sind praktizierte Rassenschande.*

Bei älteren Deutschen weckt die Nazi-Hetze böse Erinnerungen. Rentnerin Hilde W. (92) aus Dormagen: »Schlimm. Der hat doch so viel Schaden angerichtet!« Die Politiker können seinen Erfolg kaum glauben. CSU-Minister Markus Söder: »Wahnsinn. Das hat mit Humor nichts mehr zu tun!« SPD-Gesundheitsexperte Karl Lauterbach zu BILD: »Das ist grenzwertig, verletzt Gefühle.« Grünen-Chefin Claudia Roth: »Grauenhaft, schalte immer gleich ab, wenn ich ihn sehe.« Dieter Graumann, Präsident des Zentralrats der Juden: »Eine unglaubliche Geschmacklosigkeit, wir erwägen Anzeige.«

Besonders bizarr: Niemand kennt den wahren Namen des »Comedians«, der dem Nazi-Monster erschreckend ähnlich sieht.

BILD hakte nach, fragte MyTV-Chefin Elke Fahrendonk:

BILD: »Was hat das noch mit Satire und Humor zu tun?«

Fahrendonk: »Hitler zeigt extreme Widersprüche unserer Gesellschaft auf – da ist seine extrem polarisierende Art künstlerisch gerechtfertigt.«

BILD: »Warum sagt der irre TV-Hitler nicht, wie er wirklich heißt?«

Fahrendonk: »Das ist bei Atze Schröder nicht anders, er hat auch ein Recht auf ein Privatleben.«

BILD verspricht: Wir bleiben dran.

Ich muss zugeben: Ich war überrascht. Nicht von der wirren Wirklichkeitswahrnehmung einer Zeitung, das kennt man ja zur Genüge, man weiß, dass die größten

Dummköpfe eines Landes mit Vorliebe in seinen Redaktionen zu finden sind. Allerdings hatte ich doch in jener »Bild«-Zeitung eine insgeheim verwandte Institution wahrgenommen, etwas verklemmt zwar, mit einer spießbürgerlichen Duckmäuserhaftigkeit, die vor dem entschlossenen klaren Wort immer noch ein wenig zurückschreckt, aber dennoch in zahlreichen inhaltlichen Positionen in eine ähnliche Richtung gehend. Davon war hier zunächst wenig zu spüren. Ich hörte die Walküren reiten und griff zum Telefon.

»Hitler.«

»Ich bin entsetzt«, sagte die Dame Bellini, »die haben uns nicht im Mindesten vorgewarnt!«

»Was erwarten Sie denn von einer Zeitung?«

»Ich rede nicht von der ›Bild‹, ich rede von MyTV«, ereiferte sich die Dame Bellini. »Die haben ja mit der Fahrendonk geredet, da hätte von denen wenigstens mal eine Vorwarnung kommen können.«

»Was hätte das denn geändert?«

»Nichts«, seufzte sie, »da haben Sie wohl recht.«

»Letzten Endes ist es nur eine Zeitung«, sagte ich, »das interessiert mich alles nicht.«

»Sie vielleicht nicht«, sagte die Dame Bellini, »aber uns schon. Die wollen Sie abschießen. Und wir haben in Sie einiges investiert.«

»Das bedeutet was?«, fragte ich scharf.

»Das heißt«, sagte die Dame Bellini fast kühl, »dass wir eine Anfrage von ›Bild‹ vorliegen haben. Und dass wir reden müssen.«

»Ich wüsste nicht worüber.«

»Ich schon. Wenn die Sie auf dem Kieker haben, dann werden die jeden Stein umdrehen. Ich möchte wissen, ob es da etwas gibt, was die finden könnten.«

Es ist immer wieder erheiternd zu beobachten, wann unsere Wirtschaftsführer es mit der Angst bekommen. Wenn das Geschäft nur verlockend genug erscheint, kommen sie in großer Freude gerannt und können einem kaum genug Geld hinterherwerfen. Wenn alles gut läuft, sind sie auch die Ersten, die ihren Anteil vergrößern möchten mit dem Hinweis, sie hätten schließlich das ganze Risiko getragen. Doch sobald irgendetwas gefährlich aussieht, sind sie als Allererstes dabei, dieses doch so verdienstreiche Risiko auf andere abzuwälzen.

»Wenn das Ihre Sorge ist«, spottete ich, »dann kommt die reichlich spät. Meinen Sie nicht, dass Sie so was früher hätten fragen sollen?«

Die Dame Bellini räusperte sich. »Ich fürchte, wir müssen Ihnen etwas beichten.«

»Und das wäre?«

»Wir haben Sie überprüfen lassen. Also, verstehen Sie mich nicht falsch: Wir haben Sie nicht beschatten lassen oder so. Aber wir haben mal eine Spezialagentur engagiert. Ich meine, man muss ja sichergehen, ob man einen überzeugten Nazi beschäftigt.«

»Na«, sagte ich gereizt, »dann wird Sie das Ergebnis sicher beruhigt haben.«

»Einerseits schon«, sagte die Dame Bellini, »wir haben nichts Nachteiliges gefunden.«

»Und andererseits?«

»Andererseits haben wir überhaupt nichts gefunden. Also – es war, als hätten Sie vorher überhaupt nicht existiert.«

»Und? Möchten Sie jetzt von mir wissen, ob ich vielleicht vorher doch schon mal existiert habe?«

Die Dame Bellini machte eine kurze Pause.

»Bitte, jetzt verstehen Sie uns nicht falsch. Wir sitzen

alle in einem Boot, wir wollen ja nur vermeiden, dass wir am Ende«, und hier lachte sie etwas gezwungen, »dass wir – natürlich ohne es zu wissen – so was wie den echten Hitler hier …« Dann machte sie eine ganz kurze Pause, bevor sie schloss: »Ich kann kaum glauben, was ich hier sage.«

»Ich auch nicht«, sagte ich, »das ist Hochverrat!«

»Können Sie mal einen Augenblick ernst bleiben?«, fragte die Dame Bellini. »Ich möchte nur, dass Sie mir eine Frage beantworten – sind Sie sicher, dass die bei ›Bild‹ nichts ausgraben können, was gegen Sie verwendet werden kann?«

»Frau Bellini«, sagte ich, »ich habe in meinem Leben nichts getan, dessen ich mich schämen müsste. Ich habe mich weder ungerechtfertigt bereichert noch überhaupt irgendetwas im eigenen Interesse getan. Das wird im Umgang mit der Presse jedoch wenig nützen. Wir müssen in jedem Fall damit rechnen, dass diese Zeitung einen Berg an üblen Schwindeleien erdichten wird. Vermutlich wird man mir wieder uneheliche Kinder herbeilügen, das ist ja bekanntlich das Schlimmste, was der spießbürgerlichen Verleumdungspresse einfällt. Aber ich kann mit diesem Vorwurf leben.«

»Uneheliche Kinder? Sonst nichts?«

»Was denn sonst?«

»Wie sieht es mit einem nationalsozialistischen Hintergrund aus?«

»Der ist einwandfrei«, beruhigte ich sie.

»Sie waren also nie in einer rechten Partei?«, hakte sie nach.

»Wo denken Sie hin?«, lachte ich über diese plumpe Fangfrage. »Ich habe die Partei praktisch mitbegründet! Mitgliedsnummer 555!«

»Bitte?«

»Nicht, dass Sie glauben, ich sei da womöglich nur Mitläufer gewesen.«

»War das vielleicht eine Jugendsünde?«, versuchte die Dame Bellini noch einmal reichlich plump meine tadellose Gesinnung zu entkräften.

»Wo denken Sie hin! Rechnen Sie doch mal mit. 1919 war ich dreißig. Ich habe mir den Schwindel sogar mit ausgedacht: Die 500 davor haben wir erfunden, damit die Mitgliederzahl besser aussieht! Das ist ein Schwindel, auf den ich durchaus stolz bin. Also ich versichere Ihnen: Das Schlimmste, was demnächst in dieser Zeitung über mich stehen kann, ist: Hitler fälschte seine Mitgliedsnummer. Ich denke, damit kann ich leben.«

Am anderen Ende der Leitung entstand wieder eine Pause. Dann sagte die Dame Bellini:

»1919?«

»Ja. Wann denn sonst? Man kann nur einmal in eine Partei eintreten, wenn man nicht austritt. Und ausgetreten bin ich ja wohl nicht!«

Sie lachte, es klang erleichtert: »Damit kann ich auch leben. ›Youtube-Hitler: 1919 schummelte er beim Parteieintritt!‹ Für die Schlagzeile würde ich beinahe sogar bezahlen.«

»Also, dann gehen Sie auf Ihren Posten, und halten Sie die Stellung. Wir geben keinen Meter preis!«

»Jawohl, mein Führer«, hörte ich die Dame Bellini lachen. Dann beendete sie das Telefonat. Ich ließ die Zeitung auf den Tisch sinken und sah plötzlich in zwei strahlend blaue Kinderaugen unter einem blonden Schopf, ein Bub, der die Hände schüchtern auf dem Rücken hatte.

»Ja, wen haben wir denn da?«, fragte ich. »Wie heißt denn du?«

»Ich«, sagte der Knirps, »ich bin der Reinhard.« Es war wirklich ein herziger Bub.

»Wie alt bist denn du?«, wollte ich wissen. Er hob zögerlich eine Hand hinter dem Rücken hervor und zeigte drei Finger, bevor er zögernd einen vierten hinzufügte. Hinreißend.

»Ich kannte mal einen Reinhard«, sagte ich und fuhr ihm sanft über den Kopf, »der hat in Prag gewohnt. Das ist eine sehr schöne Stadt.«

»Hast du den gemocht?«, fragte der Knirps.

»Den habe ich sogar sehr gemocht«, sagte ich, »das war ein ganz braver Mann! Der hat dafür gesorgt, dass ganz viele böse Menschen Leuten wie dir und mir nichts mehr tun können.«

»Wie viele?«, fragte der Bub, der sichtlich zutraulicher wurde.

»Ganz viele! Tausende! Ein ganz braver, tapferer Mann!«

»Hat der die eingesperrt?«

»Ja«, nickte ich, »auch.«

»Dann gab's bestimmt eins hintendrauf«, lachte der wunderbare Lausbub und nahm die andere Hand hinter dem Rücken hervor. Er hielt mir eine »Bild«-Zeitung hin.

»Hast du mir die mitgebracht?«, fragte ich ihn.

Er nickte. »Von der Mama! Die sitzt da drüben«, und dabei zeigte er auf einen entfernteren Tisch im Saale. Dann griff er in die Hosentasche und zog einen Filzstift hervor. »Ich soll fragen, ob du da ein Auto draufmalst.«

»Ein Auto«, lachte ich, »bist du sicher? Oder hat die Mama nicht eher von einem Autogramm gesprochen?«

Der Bub legte seine niedliche Stirne in Falten und

dachte angestrengt nach. Dann sah er mich betrübt an: »Weiß ich nimmer. Malst du mir ein Auto?«

»Sollen wir die Mama mal fragen?« Und damit stand ich auf, nahm den kleinen Mann an der Hand und brachte ihn zu seiner Mutter zurück. Ich signierte ihr die Zeitung und malte dem Buben auch noch ein schönes Automobil auf einen Zettel, einen prachtvollen Maybach mit zwölf Zylindern. Als ich wieder zu meinem Platz zurückging, läutete das Telefon. Es war die Dame Bellini.

»Sie machen das gut«, sagte sie.

»Ich mag Kinder«, sagte ich, »ich konnte ja nie eine eigene Familie gründen. Und hören Sie endlich auf, mich zu beobachten!«

»Wieso Kinder«, fragte die Dame Bellini hörbar verwundert, »nein, ich meine: Sie argumentieren gut, Sie sind schlagfertig. Sie sind so gut, dass Herr Sensenbrink und ich dachten, wir könnten denen gleich ein Interview anbieten. Denen von ›Bild‹!«

Ich dachte kurz nach, dann sagte ich: »Das machen wir nicht. Ich denke, wir kommen so öfter auf die Titelseite. Und das Interview kriegen sie, wenn *wir* es wünschen. Zu unseren Konditionen.«

XX.

Ich täusche mich nicht oft. Ich täusche mich im Gegenteile sogar sehr selten. Es ist dies einer der Vorteile, wenn man sich erst mit einer abgeschlossenen Lebenserfahrung in das politische Leben hineinbegibt, und ich sage bewusst: abgeschlossen. Denn es gibt ja dieser Tage so viele sogenannte Politiker, die vielleicht eine Viertelstunde hinter eine Ladentheke gestanden sind oder einmal im Vorbeigehen durch die offene Türe einer Werkhalle geblickt haben und die nun glauben, sie wüssten, wie das wahre Leben aussieht. Ich denke da nur einmal rein beispielshalber an diesen liberalen Asiatenminister. Der Mann hat seine Arztausbildung abgebrochen, um sich auf seine Karriere als Politikwürstchen zu konzentrieren, da kann man doch nun wirklich nur fragen: Und wozu? Ja, wenn er stattdessen gesagt hätte, er konzentriere sich zunächst auf seinen Arztabschluss, um dann zehn oder zwanzig Jahre als Arzt zu arbeiten, fünfzig, sechzig Stunden die Woche, um hernach, geschult durch die harte Realität, sich allmählich eine Meinung zu bilden und diese zu einem Weltbilde zu verfestigen, damit er dann anschließend guten Gewissens eine sinnvolle politische Arbeit beginnen könne, so wäre wohl noch unter günstigen Umständen ein Schuh daraus geworden. Aber natürlich ist dieses Bürschlein eines von dieser neueren, übelsten Sorte, die sich denkt, erst gehen wir in die Politik, und die Ahnung verfertigt sich wohl irgendwie unterwegs. Und so sieht das dann ja auch aus: Da wird heute dem Finanzjudentum das Wort geredet und morgen dem jüdischen Bolschewismus hinterhergelaufen, und so kommt dieses Jüngelchen letzten Endes auch daher: Wie der Klassentölpel, der immer dem Bus hinterherrennt. Ich kann nur sagen: Pfui! Hätte er besser gewartet, bis er die ersten Fronterfahrungen hinter sich hat, die Arbeitslosigkeit, das Männerheim in Wien, die Ablehnung durch diese professoralen Trottel der Akademie, dann wüsste er heute, wovon er redet. Irrtümer wären somit nur noch in ganz außergewöhnlichen Fällen möglich. Wie in dieser Angelegenheit mit der »Bild«-Zeitung. Da, muss ich zugeben, hatte ich mich getäuscht.

Ich war davon ausgegangen, das Pressegesindel würde über mich herfallen, meine Politik, meine Reden. Tatsächlich sandte man mir vor allem eine Horde Fotografen hinterher. Und schon zwei Tage später erschien ein großes Bild von mir, wie ich an einem der Stehtische des Zeitungskrämers Tee aus einem Pappbecher zu mir nahm. Der Krämer hatte sich zu mir gesellt, eine Flasche Limonade in der Hand, die jedoch in der Form einer Bierflasche ähnelte. In großer Schrift stand darüber:

Irrer Youtube-Hitler:

Hier gammelt er mit seinen Säuferfreunden

Abends hetzt er im Fernsehen gegen Ausländer und unsere Politiker, tagsüber steht er neben seinen Säuferfreunden: Deutschlands widerlichster »Comedian«, der sich »Adolf Hitler« nennt und dem Land noch immer seinen Namen verschweigt (BILD berichtete). Der Nazi-»Humorist« (links) hat sich herausgeputzt, die Uniform abgelegt, spielt den harmlosen Privatmann. Plant er schon die nächste Geschmacklosigkeit?

BILD wird weiter berichten.

Man muss tatsächlich zugeben: Der Zeitungskrämer hatte rein die Garderobe betreffend nicht seinen allerbesten Tag gehabt. Das lag daran, dass er sich vorgenommen hatte, Renovierungstätigkeiten an den Fensterläden zu erledigen. Insofern hatte er einige ausgemusterte Kleidungsstücke angelegt und einen Arbeitskittel darübergezogen, den er in den Zigarettenpausen ablegte und dann in der Tat so schäbig aussah, wie man – niemand kann das besser beurteilen als ich – es von jemandem bei der Verfertigung von Malerarbeiten erwarten kann. Aber deswegen war der Zeitungskrämer noch längst kein Säuferfreund von mir, wie ich ja ohnehin keine Trinkerfreundschaften pflege. Dennoch war mir schon diese Angelegenheit ausgesprochen unangenehm, letztlich hatte der Zeitungskrämer nun eine derartige Behandlung wirklich nicht verdient. Erfreulicherweise wusste er den Vorgang richtig zu nehmen. Ich hatte mich gleich des späteren Vormittags aufgemacht, um mich bei ihm für die Unannehmlichkeiten zu entschuldigen. Aber er hatte kaum Zeit für mich.

Ich traf ihn vor seinem Kiosk stehend an, wie er eine trotz des regnerisch kalten Wetters erstaunlich große Zahl von Leuten bediente. Ein großes Plakat prangte auf dem Kiosk über dem Verkaufsfenster: »›Bild‹ kaufen – heute mit mir und dem irren Youtube-Hitler!«

»Sie kommen gerade recht!«, rief er, als er mich sah.

»Ich wollte mich eigentlich entschuldigen«, rief ich zurück, »aber inzwischen weiß ich nicht mehr genau, wofür.«

»Ich auch nicht«, lachte der Zeitungskrämer, »schnappen Sie sich einen von den Filzstiften und signieren Sie! Das ist das Mindeste, was Sie für Ihren Säuferfreund tun können.«

»Sind Sie's wirklich?«, fragte auch sogleich ein Bauarbeiter, der mir seine Zeitung hinhielt.

»Jawohl«, sagte ich und signierte das Blatt.

»Als ich das mitbekommen habe, hab ich sofort ein Extrakontingent bestellt«, erzählte der Zeitungskrämer verkaufend über die Köpfe hinweg. »Ja, Sie können gleich rübergehen, der Herr Hitler signiert gerne.«

Tatsächlich signiere ich gar nicht so gerne. Man weiß nie, was die Leute mit so einer Unterschrift anfangen. Da schreibt man arglos seinen Namen auf einen Zettel, am nächsten Tag bastelt einer eine Erklärung oben drüber und plötzlich hat man Siebenbürgen unwiederbringlich an irgendwelche korrupten Balkangebilde verschenkt. Oder bedingungslos kapituliert, obwohl man doch noch eine gewaltige Zahl an Vergeltungswaffen in den Bunkern hat, mit denen man die Kriegswende nach Belieben herbeiführen könnte. Aber auf einer Zeitung schien die Unterschrift letzten Endes unbedenklich. Außerdem freute es mich, dass sich das erste Mal niemand beschwerte, dass ich nicht als Herr Stromberger oder sonst wie unterzeichnete, sondern mit meinem Namen.

»Hier bitte, quer über das Foto!«

»Können Sie ›Für Helga‹ drüberschreiben?«

»Kannsdu nächstes Mal auch was gegen die Kurden sagen?«

»Wir hätte damals in Krieg zusammegehn sollen! Dann wir hätte gewonn!«

Ein kleines Mädel wurde mit seiner Zeitung nach vorne durchgeschoben, ich signierte das Blatt besonders langsam. Das sollten sie ruhig fotografieren: Die Jugend vertraut dem Führer wie ehedem. Und nicht nur die Jugend. Eine steinalte Dame näherte sich mit einem jener modernen Gehwagen und einem Leuchten in den Augen. Sie hielt mir ihre Zeitung hin und sagte mit einer sehr zittrigen Stimme: »Erinnern Sie sich? 1935, in Nürnberg, ich war in dem Fenster gegenüber, wo Sie den Vorbeimarsch abgenommen haben! Ich hatte immer das Gefühl, Sie sehen mich an. Wir waren so stolz auf Sie! Und jetzt – Sie haben sich ja überhaupt nicht verändert!«

»Sie aber auch nicht«, flunkerte ich scherzhaft und schüttelte ihr gerührt die Hand. Nicht dass ich mich an die Dame hätte erinnern können, aber diese ehrliche Anhänglichkeit war von ganz eigenem Zauber. Jedenfalls konnte ich, als sich Sensenbrink nervös am Telefon meldete, mit diesem Vertrauensbeweis des Volkes entspannt seine Besorgnis zerstreuen und die Forderung nach einem anwaltlichen Gegenschlage erneut zurückweisen. Und auch der Folgetag schreckte mich nicht. Das Blatt hatte die fotografierte Zustimmung natürlich unterdrückt und stattdessen eine völlig irrelevante Zeile gedruckt: »Irrer Youtube-Hitler: Jetzt stimmt Deutschland ab.« Dazu wurden mehrere Fotos aus Konzentrationslagern gezeigt, die die unschöne, aber leider Gottes nun einmal notwendige Arbeit der SS zeigten. Da war ich dann schon auch ein wenig ungehalten.

Denn es ist bei großen Aufgaben immer ein unseriöses Vorgehen, die unbedeutenden Einzelfälle aufzuzeigen, in denen das Vorhaben vorübergehend kleinere Unerfreulichkeiten mit sich bringt. Da hat man eine große Autobahn, die volkswirtschaftliche Güter im Milliardenumfang transportiert, und da findet man immer am Wegesrand ein niedliches Kaninchen, das ängstlich zittert. Da baut man einen Kanal, der Hunderttausende von Arbeitsplätzen sichert, und da findet man natürlich den einen oder anderen Kleinbauern, der weichen muss und dann bittere Tränen vergießt. Aber deshalb kann ich doch die Zukunft des Volkes nicht ignorieren. Und wenn man die Notwendigkeit erkannt hat, Millionen Juden, und so viele sind es nun einmal damals gewesen, Millionen Juden auszurotten, da findet man natürlich immer wieder mal einen, bei dem sich der mitfühlende einfache Deutsche denkt, ach, nun ja, so sehr schlimm war jetzt dieser Jude nicht, den oder auch jenen Juden dort hätte man schon noch einige Jahre ertragen können. Da ist es für so ein Blatt ein Leichtes, an die rührselige Seite der Menschen zu appellieren. Es ist dies ein altes Lied: Jeder ist überzeugt von der Bekämpfung der Ratten, aber wenn es zur Sache geht, ist das Mitleid mit der einzelnen Ratte groß. Wohlgemerkt: lediglich das Mitleid, nicht der Wunsch, die Ratte zu behalten. Das darf man nicht verwechseln. Aber ebenjene absichtliche Verwechslung lag der Bebilderung der Umfrage selbstverständlich zugrunde. Die Abstimmung, deren redlicher Ablauf ohnehin zu bezweifeln war, bot wiederum drei Antworten zur Auswahl, die mir ein grimmiges Schmunzeln entlockten. Derlei hätte ich mir eigentlich auch selbst ausdenken können. Die Antwortoptionen lauteten:

1. Es reicht! Schaltet den Youtube-Hitler ab!
2. Nein, der ist eh nicht witzig, das merkt auch MyTV.
3. Nie gesehen. Der Nazi-Mist interessiert mich nicht.

Damit war natürlich zu rechnen gewesen. Derlei gehört zum verleumderischen Grundzug und Handwerkszeug der geistig offenbar noch immer verjudeten bürgerlichen Hetzpresse. Man musste damit leben, zumal für derlei

Lügengesindel auch die notwendigen Unterbringungsmöglichkeiten fehlten. Wie ich beispielsweise anlässlich einer kleineren Infrastrukturkontrolle vermittels des Internetzes hatte feststellen müssen, standen im Konzentrationslager Dachau nur mehr zwei Baracken. Unsägliche Zustände, da hätte man ja schon nach der ersten Verhaftungswelle wieder die Krematorien anwerfen müssen.

Sensenbrink rotierte natürlich bereits in Höchstgeschwindigkeit. Es sind immer die »großen Strategen«, die als Erste das Nervenflattern bekommen. »Die machen uns fertig«, jammerte er in einem fort, »die machen uns fertig. MyTV wird garantiert schon nervös. Wir müssen denen ein Interview geben!« Ich bedeutete dem Hotelreservierer Sawatzki, dass er auf den unsicheren Kantonisten ein Auge haben solle. Die Dame Bellini hingegen blühte förmlich auf. Seit Ernst Hanfstaengl hatte niemand mehr derart für mich die wichtigen und halbwichtigen Leute beschwatzt. Und sie sah auch noch deutlich besser aus, ein echtes Rasseweib.

Und doch knickte ich am vierten Tage ein.

Es ist dies der einzige Vorgang, den ich mir bis heute ankreide. Ich hätte unnachgiebige Härte zeigen sollen, aber ich war möglicherweise auch ein wenig aus der Übung. Und außerdem hätte ich mir das Vorgefallene niemals träumen lassen.

Man hatte ein großes Foto von mir veröffentlicht, es zeigte mich, wie ich das brave Fräulein Krömeier zur Firmentür geleitete. Das Foto, bei hellem Lichte des sehr frühen Abends erstellt, war – wie ich dank meiner langen Unterredungen seinerzeit mit Heinrich Hoffmann leicht sehen konnte – mutwillig und absichtlich verunstaltet worden. Das Bild war nunmehr unnötig unscharf, es war stark vergrößert, es war so präsentiert, als hätte es eines jahrzehntelang geschulten Spiones bedurft, um an die Aufnahme zu kommen. Was selbstverständlich Unsinn war. Ich hatte an jenem Tage einen kleinen Spaziergang erwogen, daher das Fräulein Krömeier gleich mit zum Ausgange gebracht, wo sie in den Bus gestiegen war. Auf diesem Bilde hielt ich ihr die Türe der Firma auf. Darüber stand in fetter Schrift:

Der irre Youtube-Hitler:

Wer ist die geheimnisvolle Frau an seiner Seite?

Verstohlen schleichen sie aus einer Seitentür, sehen sich um: Der Nazi-»Komiker« und seine geheimnisvolle Schöne. Der Mann, der ganz Deutschland bis heute seinen Namen verschweigt und gegen Ausländer hetzt, der selbst ernannte Kämpfer für Anstand betreibt seine unappetitlichen Affären im Zwielicht.

Wer ist die geheimnisvolle Frau, die sich von ihm den Hof machen lässt?
BILD erfuhr aus ihrem engsten Umfeld:

Die Unbekannte heißt Vera K. Sie ist 24 Jahre alt, kaufmännische Angestellte mit einer bizarren Vorliebe für schwarze Kleidung, gerne auch Leder. In einschlägigen Internetforen nennt sie sich »Vulcania17«, informiert sich dort über schwarze Messen und Horrormusik. Der Irre und die Horrorbraut – was haben wir von diesem Schreckenspaar noch zu befürchten?

BILD verspricht: Wir bleiben am Ball.

»Das ist Sippenhaft«, sagte ich kalt. »Und das Fräulein Krömeier ist ja noch nicht einmal mit mir verwandt!«

Wir saßen im Konferenzsaal, die Dame Bellini, Sensenbrink, der Hotelreservierer Sawatzki und ich. Und es war natürlich der große Stratege Sensenbrink, der sogleich fragte: »Da läuft aber nichts, oder? Mit Ihnen und der kleinen Krömeier?«

»Werden Sie nicht albern«, warf die Dame Bellini rasch ein. »Mir hat Herr Hitler auch schon mal die Tür aufgehalten. Wollen Sie mich auch fragen?«

»Wir müssen sichergehen«, sagte Sensenbrink achselzuckend.

»Sichergehen?«, gab die Dame Bellini zurück. »Wobei? Ich werde hier nicht einen Gedanken an diese widerwärtige Angelegenheit verschwenden. Fräulein Krömeier kann tun, was sie will, Herr Hitler kann tun, was er will. Wir leben nicht mehr in den Fünfzigern.«

»Verheiratet sollte er trotzdem nicht sein«, sagte Sensenbrink fest, »jedenfalls nicht, wenn da was mit der Krömeier läuft.«

»Sie haben's noch immer nicht begriffen«, sagte die Dame Bellini und wandte sich zu mir. »Und? Sind Sie verheiratet?«

»In der Tat«, sagte ich.

»Na, wundervoll«, jammerte Sensenbrink.

»Lassen Sie mich raten«, sagte die Bellini. »Seit 1945? Im April?«

»Natürlich«, sagte ich, »erstaunlich, dass die Pressemeldung doch noch rausgegangen ist. Zu der Zeit war ja ungünstigerweise die Stadt voller Bolschewiken.«

»Ohne Ihnen zu nahe treten zu wollen«, meldete sich der Hotelreservierer Sawatzki, »ich denke wohl, Herr Hitler kann mit vollem Recht als verwitwet gelten.« Man konnte sagen, was man wollte, aber dieser Sawatzki dachte auch unter Feuer schnell, klar, zuverlässig, pragmatisch.

»Ich kann es nicht hundertprozentig bestätigen«, sagte ich, »aber gelesen habe ich es auch so wie der Herr Sawatzki.«

»Na«, wandte sich die Dame Bellini an Sensenbrink, »zufrieden?«

»Es gehört zu meinem Job, auch die unangenehmen Fragen zu stellen«, sagte Sensenbrink pampig.

»Die Frage ist: Was tun wir?«, fasste die Dame Bellini zusammen.

»Müssen wir überhaupt was tun?«, fragte Sawatzki nüchtern.

»Ich gebe Ihnen recht, Herr Sawatzki«, sagte ich, »oder ich würde Ihnen recht geben, wenn es nur um mich ginge. Aber wenn ich nichts tue, wird mein Umfeld weiter in Mitleidenschaft gezogen. Dem Herrn Sensenbrink könnte das vielleicht nicht schaden«, sagte ich mit einem spöttischen Seitenblick, »aber ich kann das Ihnen und der Firma nicht zumuten.«

»Ich würde es uns und der Firma jederzeit zumuten, aber unseren Aktionären keine fünf Minuten«, erwiderte die Dame Bellini trocken. »Das heißt also: kein Interview zu unseren Bedingungen. Sondern zu deren Bedingungen.«

»Sie sind mir dafür verantwortlich, dass es nicht so wirkt«, sagte ich, und weil ich ahnte, dass die Dame Bellini Befehle nicht so freudig akzeptierte wie Sawatzki, fügte ich schnell noch hinzu: »Aber in der Sache haben Sie völlig recht. Wir geben ihnen ein Interview. Sagen wir im Adlon. Und sie zahlen.«

»Sie haben Ideen«, spottete Sensenbrink, »wir werden in dieser Lage wohl kaum ein Honorar durchsetzen können.«

»Es geht ums Prinzip«, sagte ich. »Ich sehe nicht ein, Volksvermögen für diesen Presseabschaum zu verschleudern. Wenn sie die Rechnung bezahlen, soll es mir genügen.«

»Und wann?«, fragte Sawatzki.

»Möglichst schnell«, meinte die Dame Bellini völlig

zu Recht. »Sagen wir morgen. Dann geben sie vielleicht einen Tag Ruhe.«

Ich stimmte zu. »Unterdessen sollten wir im Übrigen die eigene Öffentlichkeitsarbeit verstärken.«

»Soll heißen?«

»Wir dürfen die Berichterstattung nicht dem politischen Gegner überlassen. Das darf uns nicht noch einmal passieren. Es gilt, eine eigene Zeitung herauszugeben.«

»Womöglich den ›Völkischen Beobachter‹?«, höhnte Sensenbrink. »Wir sind eine Produktionsfirma und kein Zeitungsverlag!«

»Es muss ja keine Zeitung sein«, warf der Hotelreservierer Sawatzki rasch ein, »Herrn Hitlers Stärke ist ohnehin der Auftritt im bewegten Bild. Die Videos sind da, also warum stellen wir sie nicht auf eine eigene Homepage?«

»Alle bisherigen Auftritte in HD, damit man einen Mehrwert hat verglichen mit den Youtube-Mitschnitten«, überlegte die Dame Bellini weiter. »Und man hätte eine Plattform, falls man was Besonderes mitteilen will. Oder eine eigene Sicht der Dinge. Das klingt gut. Kümmern Sie sich drum, dass die Online-Abteilung ein paar Entwürfe abliefert.«

Wir beschlossen die Konferenz. Auf dem Weg hinaus sah ich noch Licht in meinem Büro. Ich ging hinein, um es zu löschen. So lange das Reich nicht vollständig auf regenerative Energien umgerüstet ist, kostet das alles teuren Brennstoff. Momentan denkt man sich da oft nichts dabei, aber dann ist dreißig Jahre später der Jammer groß, wenn dem Panzer kurz vor El Alamein genau jener Tropfen Treibstoff zum Endsieg fehlt. Ich öffnete die Türe und sah das Fräulein Krömeier reglos an seinem Schreibtische sitzen. Erst jetzt wurde mir bewusst, dass ich mich noch gar nicht nach ihrem Wohlbefinden erkundigt hatte. Geburtstage, Trauerfälle, persönliche Anrufe, an derlei hatte mich früher Traudl Junge immer erinnert oder eben inzwischen das Fräulein Krömeier – aber in diesem Fall war das natürlich untergegangen.

Sie blickte konsterniert auf die Schreibfläche. Dann sah sie zu mir hoch.

»Wissen Se, wat ick für E-Mails krieje?«, fragte sie blass.

Das arme Tschapperl rührte mich zutiefst. »Es tut mir sehr leid, Fräulein Krömeier«, sagte ich. »Für mich ist derlei leicht zu ertragen, ich bin es gewohnt, Anfeindungen standzuhalten, wenn ich für die deutsche Zukunft eintrete. Ich trage die volle Verantwortung – es ist unverzeihlich, wenn der politische Gegner stattdessen kleine Angestellte unmöglich macht!«

»Det hat doch mit Ihnen nüscht zu tun«, sagte sie kopfschüttelnd. »Det is die janz normale ›Bild‹-Scheiße. Da stehste einmal in dem beschissenen Tittenblatt, und denn biste zum Abschuss freijejeben. Ick krieg Fotos von irjendwelchen Schwänzen, ick krieje lauter üble Post, wat se allet mit mir machen wollen, ick hör ja schon nach drei Wörtern det Lesen uff. Seit sieben Jahren bin ick jetzt Vulcania17, det kann ick jetze verjessen. Der Name is verseucht und nu«, sie tippte betrübt auf eine Taste, »nu isser Jeschichte.«

Es ist unangenehm, wenn man keine Entscheidung treffen kann. Wenn Blondi noch gelebt hätte, hätte ich sie jetzt wenigstens streicheln können, ein Tier und besonders ein Hund kann solchen Momenten immer leidlich die Spannung nehmen.

»Und mit dem Internet hört det ja nicht uff«, sagte

sie. Sie blickte ins Nichts. »Im Internet kann man ja wenigstens noch lesen, wat de Leute denken. Aber uff der Straße, da kann man det nich. Da kann man det nur vermuten, und vermuten will ick det lieber nicht.« Sie schniefte, ohne sich zu bewegen.

»Ich hätte Sie vorher warnen sollen«, sagte ich nach einem Momente der Stille. »Aber ich habe den Gegner unterschätzt. Es tut mir ausgesprochen leid, dass Sie nun die Zeche für meinen Fehler zu bezahlen haben. Niemand weiß besser als ich, dass man für die Zukunft Deutschlands Opfer bringen muss.«

»Können Se nich mal zwei Minuten uffhören?«, meinte Fräulein Krömeier, sie schien regelrecht entnervt. »Et jeht hier nicht um die Zukunft Deutschlands! Det is echt! Det is keen Witz! Det ist ooch keen Auftritt! Det is mein Leben, det diese Arschlöcher da kaputtschreiben!«

Ich setzte mich auf den Stuhl, der ihrem Tische gegenüberstand.

»Ich kann nicht zwei Minuten aufhören«, sagte ich ernst. »Ich will auch nicht zwei Minuten aufhören. Ich werde das, was ich für richtig halte, bis zum Letzten verteidigen. Die Vorsehung hat mich an diesen Posten gestellt, hier stehe ich für Deutschland bis zur letzten Patrone. Und sicherlich können Sie nun einwenden: Kann denn der Herr Hitler nicht trotzdem einmal zwei Minuten nachgeben? Und in Friedenszeiten wäre ich sogar bereit dazu – Ihnen zuliebe, Fräulein Krömeier! Aber ich will es nicht. Ich werde Ihnen sagen, weshalb. Und ich bin sicher, dass auch Sie das dann nicht mehr wünschen!«

Sie sah mich fragend an.

»In dem Momente, in dem ich Zugeständnisse mache,

mache ich sie nicht wegen Ihnen – ich mache es letzten Endes, weil dieses Lügenblatt mich dazu bringt. Wollen Sie das? Wollen Sie, dass ich tue, was diese Zeitung verlangt?«

Sie schüttelte den Kopf, erst langsam, dann trotzig.

»Ich bin stolz auf Sie«, sagte ich, »und dennoch ist da ein Unterschied zwischen Ihnen und mir. Was ich von mir verlange, kann ich nicht von allen Menschen verlangen. Fräulein Krömeier, ich habe vollstes Verständnis dafür, wenn Sie die Tätigkeit für mich niederlegen wollen. Die Firma Flashlight wird Sie mit Sicherheit auch anderswo unterbringen, wo Sie keinen Unannehmlichkeiten mehr ausgesetzt sind.«

Fräulein Krömeier schniefte. Dann richtete sie sich im Sitzen auf und sagte fest:

»Den Teufel werd ick tun, meen Führa!«

xxi.

Das Erste, was ich sah, war ein großer Schriftzug in frakturgeschriebenen Buchstaben, man las das Wort »**Heimseite**«. Ich griff sofort zum Telefon und rief Sawatzki an.

»Und? Schon gesehen?«, fragte er. Und ohne eine Antwort abzuwarten, jubelte er: »Ist gut geworden, was?«

»Heimseite?«, fragte ich. »Was soll das denn sein? Um welches Heim handelt es sich?«

Sawatzki verstummte in der Leitung.

»Na, wir können doch Ihre Seite nicht ›Homepage‹ nennen …«

»So?«, fragte ich. »Wieso denn nicht?«

»Der Führer kann doch keine Fremdworte …«

Ich schüttelte energisch den Kopf: »Sawatzki, Sawatzki, was wissen Sie denn vom Führer? Dieses verkrampfte Deutschtum ist das Schlimmste, was man tun kann. Sie dürfen Blutreinheit nicht mit mentaler Abschottung verwechseln. Ein Homepage ist natürlich ein Homepage, machen Sie sich nicht lächerlich! Man nennt einen Tank doch auch nicht fahrbares Kettengeschütz, nur weil's die Engländer erfunden haben.«

»Eine Homepage«, verbesserte mich Sawatzki, »ist ja gut. Ich kümmere mich drum. Wie gefällt's Ihnen denn sonst?«

»Ich bin noch nicht so weit«, meinte ich und schubste

das Mausgerät neugierig weiter über den Tisch. Am anderen Ende der Leitung klapperte Sawatzki in seine Tastatur. Plötzlich stand auf meinem Bildschirm ein großes »**Homepage**«. »Hm«, sagte er, »so gibt das irgendwie keinen Sinn mehr. Warum sollte man ›Homepage‹ in dieser alten Schrift schreiben?«

»Warum müssen Sie auch alles so kompliziert machen«, tadelte ich, »machen Sie doch einfach ›Führerhauptquartier‹ daraus.«

»Sagen Sie nicht immer, Sie wären derzeit nicht der Oberbefehlshaber der Wehrmacht?«, fragte Sawatzki fast etwas spöttisch.

»Gut aufgepasst«, lobte ich. »Aber das ist hier doch symbolisch. Wie bei meiner E-Mail-Adresse. Ich bin ja auch nicht die neue Reichskanzlei.« Dann legte ich auf und machte mich an die weitere Erkundung meiner Seite.

Eine Leiste verlief quer darüber, auf der man mit dem Mausgerät bestimmte Abteilungen betrachten konnte. Eine hieß »Neueste Meldungen«, wo wir künftig Neuigkeiten zu verkünden gedachten und wo es bislang noch etwas leer war. Dann kam die »Wochenschau«, wo für den Besucher meine bisherigen Auftritte in einem kleinen Fensterlein als Film aufgeführt wurden. Dann eine ausführliche Biografie von mir, die den Zeitraum von 1945 bis zu meiner Wiederkehr als »Nicht-Unternehmen Barbarossa« bezeichnete. Sawatzki hatte das vorgeschlagen, ich hatte durchaus gelacht bei dem Gedanken, ich hätte zwischenzeitlich wie der große Kaiser in einer Art Kyffhäuser geschlafen. Andererseits konnte ich zur verstrichenen Zeit auch keine näheren oder besseren Angaben machen, insofern hatte ich der Verwendung zugestimmt. Eine weitere Abteilung lautete:

»Fragen Sie den Führer!«, sie sollte der Kommunikation zwischen mir und meinen Anhängern dienen. Neugierig sah ich nach, ob denn bereits eine Frage eingegangen war. In der Tat hatte mir ein Herr geschrieben:

> Sehr geehrter Herr Hitler,
> mit Interesse habe ich von Ihrem Konzept der unterschiedlichen Wertigkeit der Rassen gelesen. Nun züchte ich seit Längerem Hunde und sorge mich seither, ob ich nicht vielleicht eine minderwertige Rasse züchte. Daher die Frage: Welches ist die beste Hunderasse der Welt, welches die schlechteste? Und wer ist der Jude unter den Hunden?
> Helmut Bertzel, Offenburg

Das gefiel mir gut. Eine gute Frage und eine interessante dazu! Zumal ich gerade in letzter Zeit so sehr zu militärischen Dingen gefragt wurde, dass es mir selbst beinahe zu viel geworden war. Obendrein sind militärische Themen auch von begrenztem Unterhaltungswerte, wenn man immer nur schlechte Nachrichten bekommt. In den ersten Kriegsjahren hatte es ja häufig bei Tisch anregende Unterhaltungen zu den unterschiedlichsten Themengebieten gegeben, ich hatte das zuletzt richtig vermisst. Die Hundefrage erinnerte mich jetzt direkt ein wenig an diese doch immer wieder schöne Zeit! Ich holte sofort mein Wundertelefon hervor und suchte sogar eigens die etwas komplizierte Diktierfunktion, so große Lust hatte ich auf die Beantwortung der Frage.

»Mein lieber Herr Bertzel«, begann ich, »tatsächlich ist die Hundezucht bisher in ihren Ergebnissen weiter als die Fortpflanzung und Entwicklung des Menschen.« Ich überlegte kurz, ob ich Herrn Bertzel nur eine knappe Antwort zukommen lassen sollte, beschloss dann aber aus lauter Lust am Nachdenken über dieses Thema, es mit einer des Führers würdigen Gründlichkeit zu bearbeiten und ein wenig weiter auszuholen, um den gesamten Rahmen des Gebietes einmal umfassend und endgültig abzustecken. Aber wo sollte man anfangen?

»Es gibt Hunde, die so gescheit sind, dass es beängstigend ist«, sprach ich erst ein wenig nachdenklich, dann immer flüssiger in den Apparat. »Die Hundezucht ist somit ein interessantes Beispiel, wo der Mensch jetzt schon sein könnte. Allerdings sehen wir auch, wozu hemmungsloses Mischlingstum führt, denn auch und gerade der Hund paart sich ohne Aufsicht völlig wahllos. Die Folgen kann man vorwiegend in Südeuropa häufig sehen, der Mischlingshund verwahrlost, wildert, er kommt herunter. Wo hingegen eine ordnende Hand eingreift, da entwickeln sich reine Rassen, jede zu ihrem jeweils Besten hin. Es gibt, man muss das in dieser Deutlichkeit sagen, weltweit mehr Elitehunde als Elitemenschen – ein Defizit, das bei etwas größerem Durchhaltewillen gerade des deutschen Volkes Mitte der 40er Jahre des letzten Jahrhunderts heute schon als behoben gelten könnte.«

Ich hielt inne und erwog, ob man damit nicht zu viele Volksgenossen vor den Kopf stieß, aber andererseits traf die Bemerkung nun wirklich vor allem die inzwischen ganz Alten, und für die war sie ja wohl auch gedacht! Die Jüngeren hingegen sollten gleich einmal sehen, welche Anforderungen dereinst wieder an sie gerichtet würden!

»Natürlich ist die Fortpflanzung und die Entwicklung des Hundes nicht denselben Gesetzen unterworfen wie die des Menschen. Der Hund untersteht der Herrschaft des Menschen, der Mensch kontrolliert seine Ernährung und Vermehrung, insofern wird der Hund niemals ein Problem mit dem Lebensraum haben. Daher sind auch die Zuchtziele nicht immer angelegt auf den dereinstigen Endkampf um die Weltherrschaft. Insofern muss die Frage, wie die Hunde aussähen, wenn sie seit Jahrmillionen um die Weltherrschaft ringen müssten, vollkommen der Spekulation anheimgestellt bleiben. Fraglos ist, dass sie größere Zähne hätten. Und eine stärkere Bewaffnung. Ich halte es auch für mehr als nur denkbar, dass solche Hunde heute schon einfache Geräte bedienen könnten, etwa Keulen, Steinschleudern, womöglich sogar Pfeil und Bogen.«

Ich hielt inne. Hätten diese überlegenen Herrenhunde vielleicht inzwischen schon primitive Schusswaffen? Nein, das musste man als unwahrscheinlich betrachten.

»Dessen ungeachtet sind die Rasseunterschiede jedoch denen des Menschen nicht unähnlich. Insofern ist auch die Frage gerechtfertigt, ob die Welt des Hundes den Juden kennt, sozusagen den Judenhund. Die Antwort lautet hier: Selbstverständlich gibt es einen Judenhund.«

Hier konnte ich mir bereits denken, was die Hunderttausende von Lesern vermuteten, und deshalb galt es sofort vorzubeugen: »Allerdings ist dieser nicht, wie oftmals vermutet, der Fuchs. Ein Fuchs kann niemals ein Hund sein und ein Hund niemals ein Fuchs, insofern ist auch der Fuchs niemals ein Judenhund. Wenn schon, dann ist unter den Füchsen ein eigener Judenfuchs auszumachen, den ich noch am ehesten im Löffelhund erkennen kann, der bezeichnender, typisch jüdischer Weise schon im Namen sein Fuchssein verleugnet.«

Ich hatte mich ein wenig in Rage diktiert. »Löffelhund«, murmelte ich grimmig, »Frechheit!« Dann sagte ich rasch: »Fräulein Krömeier, bitte Löffelhund und Frechheit streichen.« Das war das Unschöne an diesem Zaubertelefon, es gab wohl eine Radierfunktion, aber ich konnte und konnte mir deren Bedienung nicht merken.

»Wir halten also fest«, sagte ich weiter, »der Judenhund ist unter den Hunden zu suchen. Das weitere Vorgehen ist naheliegend: Wir müssen nach einem kriecherischen Hund Ausschau halten, einschmeichelnd, einspeichelnd, aber jederzeit zum feigen Angriff aus dem Hinterhalt in der Lage – es ist selbstverständlich der Dackel. Hier höre ich freilich schon viele, gerade Münchner Hundebesitzer fragen: Wie kann das sein? Ist denn nicht der Dackel der deutscheste aller Hunde?

Die Antwort lautet: nein.

Der deutscheste aller Hunde ist der Schäferhund, dann kommen in absteigender Reihenfolge die Dogge, der Dobermann, der Schweizer Sennenhund (aber nur aus der deutschsprachigen Schweiz), der Rottweiler, sämtliche Schnauzer, Münsterländer und meinetwegen auch noch der schon bei Wilhelm Busch erwähnte Spitz. Undeutsche Hunde hingegen sind – abgesehen von den ohnehin fremdländisch eingeführten Hunden wie Terrier, Bassett und ähnlichem Hundegesindel der Weimaraner (nomen es omen!), der eitle Spaniel, der unsportliche Mops wie überhaupt sämtliche degenerierten Zierhunde.«

Dann schaltete ich ab, sofort aber wieder ein: »Und diese dürren Windhunde!«

Ich überlegte, ob ich etwas Wesentliches vergessen hatte, mir fiel aber nichts ein. Sehr gut. Ich hatte direkt

Lust auf die nächste Frage. Leider war noch keine eingegangen. Ich schob das Mausgerät weiter zur letzten Abteilung »Obersalzberg – zu Gast beim Führer«, einem Bereich, der vergleichbar einem Gästebuch im Hotel funktionieren sollte. Hier waren bereits etliche Botschaften eingegangen. Nicht alle waren verständlich.

Die seriösen Mitteilungen waren problemlos: »Hut ab vor Ihrer klaren Sprache«, stand da, oder: »Sehe jede Sendung. Endlich bricht mal jemand die verkrusteten Strukturen auf.« Letzteres schien im Volk ein dringendes Anliegen zu sein, gleich mehrfach wurde das Aufbrechen beziehungsweise Vorhandensein derart verkrusteter Strukturen angemahnt, ein vermutlicher Amateurarchitekt sprach von »Stuckturen«, ein Metallexperte auch von »verrosteten« Strukturen, aber letztlich war klar, was gemeint war. Und für einen Deutschen gibt es natürlich wichtigere Eigenschaften als die Rechtschreibung, die ohnehin einen lästigen Hang zur bürokratischen Haarspalterei besitzt.

Ebenfalls erfreulich war die Mitteilung »Führer rulez«. Man konnte wohl davon ausgehen, dass ich inzwischen auch Anhänger in Frankreich besaß, sofern es sich nicht um einen Tippfehler handelte, denn ich bekam auch die Eintragung »Fuehrer RULZ!« – möglicherweise versuchte sich hier ein Herr Rulz auf meine Kosten etwas Prominenz zu verschaffen. Gleich mehrfach wurde schlicht nur die Aufforderung »Weiter so!« ausgesprochen sowie »Führer for President«. Ich wollte schon meinen Besuch abbrechen, als ich weiter unten in der Liste etwa ein halbes Dutzend absolut identischer Einträge feststellte, abgesandt von jemandem, der sich »blut & ehre« nannte.

Überraschenderweise war die Mitteilung eher kritisch: »Schlus mit den Lügen, Türkenjude!«

Kopfschüttelnd rief ich Sawatzki an, dass jemand den Unfug beseitigen sollte. Was sollte das sein – ein Türkenjude? Er versprach, sich darum zu kümmern, und sagte, ich solle nochmals die erste Seite aufrufen. »**Führerhauptquartier**« stand da.

Es sah richtig gut aus.

xxii.

Die Pressearbeit ist schon etwas Mühseliges, so ganz ohne Gleichschaltung. Nicht nur für Politiker wie mich, die ein Volk zu erretten haben, nein, es ist mir auch absolut unbegreiflich, warum man derlei den deutschen Menschen antut. Nehmen wir etwa diese Wirtschaftsberichte. Jeden Tag sagt ein anderer »Fachmann«, was nun zu tun wäre, und am folgenden Tag sagt dann wieder ein anderer, noch größerer »Fachmann«, warum das gerade das Allerfalscheste wäre und folglich die gegenteilige Lösung die beste sei. Es ist ebendas jenes jüdische, wenn auch inzwischen offenbar hier weitgehend ohne Juden arbeitende Prinzip, dessen einziger Inhalt es ist, das größtmögliche Chaos zu verbreiten, weshalb die Menschen auf der Suche nach der Wahrheit noch mehr Zeitungen kaufen müssen und noch mehr Fernsehsendungen ansehen. Man sieht das ja an den Wirtschaftsteilen, die haben früher keinen Menschen interessiert, inzwischen muss sie jeder verfolgen, nur um sich von diesem Wirtschaftsterrorismus noch mehr ängstigen zu lassen. Hinein in die Aktien, heraus aus den Aktien, nun Gold, jetzt Anleihen, dann wieder Immobilien. Der einfache Mann wird da hineingedrängt in eine Nebenerwerbstätigkeit als Finanzfachmann, was letzten Endes nur bedeutet, dass man ihn zum Glücksspiele schickt mit seinem eigenen mühsam Ersparten als

Einsatz. Ein Unding, der einfache Mann soll rechtschaffen arbeiten und seine Steuern bezahlen, und dann sollte ihm ein verantwortungsbewusster Staat im Gegenzuge aber auch dafür seine Geldsorgen abnehmen! Das ist ja wohl das Mindeste, auch und gerade von einer Regierung, die sich aufgrund lächerlicher Bedenken (keine eigenen Atomwaffen und dergleichen Ausreden) hartnäckig weigert, den Menschen kostenloses Ackerland in den russischen Ebenen zukommen zu lassen.

Dass die Politik die derzeitige Pressepanikmache zulässt, ist natürlich der Gipfel der Blödheit: In diesem Chaos sieht ja die eigene Ratlosigkeit noch dümmer aus als sowieso schon, und je größer die Sorge und die Panik sind, desto ratloser steht man als Politkasperl wieder da. Ich meine, mir kann es recht sein, da sieht das Volk Tag um Tag deutlicher, welche Laiendarsteller hier an verantwortlichster Position vor sich hin dilettieren dürfen. Was mich wirklich nur verblüfft, ist, dass nicht schon längst Millionen mit Fackeln und Heugabeln vor diese parlamentarischen Schwatzbuden ziehen, den Aufschrei im Munde: »Was macht ihr mit unserem Geld???«

Aber der Deutsche ist nun einmal kein Revolutionär. Man muss es sich auch einmal wieder vor Augen halten, dass ihm selbst die sinnvollste, berechtigtste Revolution der deutschen Geschichte 1933 mit einer Wahl ermöglicht werden musste. Eine Revolution nach Vorschrift, sozusagen. Nun, ich kann versichern, ich werde auch diesmal mein Möglichstes dazu tun.

Ich hatte Sawatzki zum Adlon mitnehmen wollen. Nicht dass ich mir von ihm gewaltige Eingebungen versprach, aber es schien mir angemessen, mit einem Gefolge aufzutreten und für den Fall streitiger Äußerungen einen Zeugen dabeizuhaben – *einen* Zeugen, wohlgemerkt, aber Sensenbrink musste unbedingt auch noch mitkommen. Ich bin nicht sicher, ob Sensenbrink glaubte, hier hilfreich eingreifen zu können oder aber eher überwachen wollte, was ich so zu sagen hätte. Letzten Endes gehört Sensenbrink, wie ich inzwischen wohl mit Sicherheit zu sagen weiß, zu jener Gruppe von subalternen Unternehmensführern, die meinen, es ginge überhaupt alles nur, wenn sie sich in irgendeiner Form daran beteiligen. Ich kann an dieser Stelle vor derlei nicht genug warnen, es passiert höchstens einmal in hundert oder zweihundert Jahren, dass jemand wirklich ein Universalgenie ist und dann neben manch anderen Tätigkeiten auch noch den kompletten Oberbefehl über die Ostfront an sich ziehen muss, weil sonst alles verloren ist – aber im Normalfalle entpuppen sich diese Universalunentbehrlichen dann eben doch als sehr entbehrlich und nutzlos, Letzteres im glücklichsten Falle. Sehr häufig richten sie nämlich sogar auch noch den allergrößten Schaden an.

Ich hatte einen schlichten Anzug gewählt. Nicht dass ich mich der Uniform geschämt hätte oder dergleichen, aber ich bin der Ansicht, dass man – gerade als Vertreter kompromissloser Ansichten – gelegentlich gut daran tut, ein betont bürgerliches Bild abzugeben. Die ganzen Olympischen Spiele haben wir 1936 nach diesem Motto bestritten, und wie ich gelesen habe, hat man diesen überwältigenden Propagandaerfolg erst kürzlich in Peking mit guten bis sogar sehr guten Ergebnissen zu kopieren versucht.

Wir ließen uns im vorweihnachtlich geschmückten Hotel zu dem verabredeten Konferenzraume geleiten. Und obwohl ich mich bemüht hatte, mit leichter Verspätung einzutreffen, waren wir als Erste im Raum. Das war ein wenig ärgerlich, konnte eine strategische Maßnahme jener Presseschmierer sein, aber natürlich auch ein Zufall. Es dauerte nicht lange, bis die Türe sich erneut öffnete. Eine blonde Dame im Kostüm trat ein und kam auf mich zu. Neben ihr ging ein feister Fotograf, der in der dem Berufsstand eigenen abgerissenen Kleidung sofort begann, ungefragt Bilder zu verfertigen. Bevor Sawatzki oder Sensenbrink auf die ungeschickte Idee kommen konnten, uns wie ein Oberlehrer einander vorzustellen, trat ich vor, nahm die Schirmmütze ab, klemmte sie unter meinen Arm und gab der Dame mit einem »Guten Tag« die Hand.

»Angenehm«, sagte sie kühl, aber nicht unfreundlich, »ich bin Ute Kassler von ›Bild‹.«

»Die Freude ist ganz auf meiner Seite«, sagte ich, »ich habe schon viel von Ihnen gelesen.«

»Eigentlich hatte ich von Ihnen den Deutschen Gruß erwartet«, merkte sie an.

»Dann kenne ich Sie besser als Sie mich«, plauderte ich zurück und geleitete sie zu dem Tisch mit den bereitgestellten Sesseln. »Ich hatte von Ihnen keinen Deutschen Gruß erwartet – und wer hatte nun recht?«

Sie setzte sich und verstaute sorgsam ihre Handtasche auf einem leeren Stuhle. Dieses ganze Handtaschenwesen, diese Unterbringung direkt nach dem Hinsetzen, als nähme man mit Reisegepäck versehen Platz in einem Zugabteil, das wird sich wohl auch in weiteren fünfundsechzig Jahren nicht ändern.

»Wie schön, dass Sie sich endlich Zeit für uns nehmen«, sagte sie.

»Sie können nicht behaupten, dass ich andere Zeitungen Ihnen vorgezogen hätte«, erwiderte ich, »und letzten Endes haben Sie sich ja auch am meisten um mich … sagen wir … bemüht.«

»Sie sind aber auch berichtenswert«, lachte sie. »Wer sind die Herren an Ihrer Seite?«

»Das hier ist der Herr Sensenbrink von der Flashlight«, sagte ich, »und dies«, dabei wies ich auf Herrn Sawatzki, »dies ist der Herr Sawatzki, ebenfalls von der Flashlight. Ein ausgezeichneter Mann!« Aus den Augenwinkeln konnte ich ein Strahlen über Sawatzkis Gesicht gleiten sehen, teils verursacht durch mein Lob, teils mochte dies aber auch der Aufmerksamkeit der durchaus ansehnlichen Reporterin geschuldet sein. Sensenbrink setzte ein Gesicht auf, das man wahlweise als kompetent oder auch ratlos deuten konnte.

»Sie haben uns zwei Aufpasser mitgebracht?«, lächelte sie. »Sehe ich so gefährlich aus?«

»Nein«, sagte ich, »aber ich wirke ohne die beiden Herren so harmlos.«

Sie lachte. Ich auch. Was für ein grotesker Unfug. Der Satz ergab von hinten bis vorne natürlich überhaupt keinen Sinn. Aber ich gebe zu, dass ich die junge blonde Dame ein wenig unterschätzte und zu diesem Zeitpunkte davon ausging, sie mit einigen munteren Plaudereien abfertigen zu können.

Sie zog ihr Telefon aus der Tasche, zeigte es mir und meinte: »Sie haben nichts dagegen, wenn wir das Gespräch aufzeichnen?«

»So wenig wie Sie«, sagte ich, holte mein Telefon heraus und drückte es Sawatzki in die Hand. Ich hatte keine rechte Ahnung, wie man ganze Gespräche damit aufzeichnete. Sawatzki benahm sich geistesgegenwärtig, als hätte er Ahnung. Ich beschloss, ihn bei Gelegenheit noch einmal zu loben. Ein Kellner trat an den Tisch und fragte nach Getränkewünschen. Wir bestellten. Der Kellner verschwand.

»Und?«, fragte ich. »Was möchten Sie von mir wissen?«

»Wie wäre es mit Ihrem Namen?«

»Hitler, Adolf«, sagte ich, und allein diese Antwort genügte, um Sensenbrink erste Schweißtropfen auf die Stirne zu jagen. Man hätte meinen können, ich hätte mich hier und jetzt zum allerersten Male vorgestellt.

»Ich meinte natürlich Ihren wirklichen Namen«, sagte sie wissend.

»Mein liebes Fräulein«, sagte ich und lehnte mich lachend nach vorne, »wie Sie vielleicht gelesen haben, habe ich vor geraumer Zeit beschlossen, Politiker zu werden. Wie dumm müsste ein Politiker sein, der seinem Volk einen falschen Namen nennt? Wie will man ihn denn dann wählen?«

Auf ihrem Gesicht traten ärgerliche Stirnfalten auf. »Ja, eben. Warum verraten Sie dem deutschen Volk dann nicht Ihren richtigen Namen?«

»Das tue ich doch«, seufzte ich. Das ließ sich sehr ermüdend an. Zumal ich am Vorabend bei N 24 bis tief in die Nacht eine interessant zusammengefaselte Dokumentation über meine eigenen Wunderwaffen gesehen hatte. Ein hochgradig vergnüglicher Schwachsinn, dessen Bilanz ungefähr so aussah, dass jede dieser Waffen den Krieg hätte für uns entscheiden können, wenn es nicht letzten Endes immer wieder ich selber verdorben hätte. Es ist schon erstaunlich, was sich diese Geschichtsphantasten da von keiner Ahnung getrübt sturheil zusammendichten. Man wagt kaum daran zu denken, dass auch die eigenen Kenntnisse über bedeutende Männer wie Karl den Großen, Otto I. oder auch Arminius genau genommen lediglich von irgendeinem sich berufen fühlenden Historiker überliefert wurden.

»Würden Sie uns dann auch Ihren Pass zeigen?«, fragte die junge Dame nun. »Oder Ihren Personalausweis?«

Aus den Augenwinkeln sah ich, wie Sensenbrink ansetzte, um etwas zu sagen. Realistisch betrachtet konnte das nur Unsinn werden. Man weiß nie, wann und warum solche Leute zu reden beginnen, häufig genug sagen sie sogar nur irgendetwas, weil sie bemerken, dass sie bisher noch nichts gesagt haben, oder aber weil sie befürchten, bei weiterem Schweigen für unwichtig erachtet zu werden. Derlei gilt es mit allen Mitteln zu unterbinden.

»Verlangen Sie von allen Ihren Gesprächspartnern, den Pass zu sehen?«, fragte ich zurück.

»Nur von denen, die behaupten, sie hießen Adolf Hitler.«

»Und wie viele sind das?«

»Beruhigenderweise«, sagte sie, »sind Sie der Erste.«

»Sie sind jung und vielleicht schlecht informiert«, sagte ich, »aber ich habe mir zeitlebens eine Sonderbehandlung für mich verbeten. Daran gedenke ich auch jetzt nichts zu ändern. Ich esse aus der Gulaschkanone wie jeder andere Soldat.«

Sie schwieg kurz und überlegte sich einen neuen Ansatzpunkt.

»Sie sprechen im Fernsehen sehr kontroverse Themen an.«

»Ich spreche die Wahrheit an«, sagte ich. »Und ich sage das, was der einfache Mann empfindet. Was er sagen würde, wenn er an meiner Stelle wäre.«

»Sind Sie Nazi?«

Das war nicht wenig irritierend. »Was ist denn das für eine Frage? Natürlich!«

Sie lehnte sich zurück. Vermutlich war sie es nicht gewohnt, mit jemandem zu sprechen, der das deutliche Wort nicht scheute. Es war bemerkenswert, wie ruhig Sawatzki hier blieb, vor allem verglichen mit dem nun beinahe peinlich schwitzenden Sensenbrink.

»Stimmt es, dass Sie Adolf Hitler bewundern?«

»Nur morgens im Spiegel«, scherzte ich, aber sie überhörte es ungeduldig.

»Gut, dann präziser: Bewundern Sie die Leistungen von Adolf Hitler?«

»Bewundern Sie die Leistungen von Ute Kassler?«

»So kommen wir nicht weiter«, sagte sie ungehalten, »ich bin ja schließlich nicht tot!«

»Sie mögen es bedauern«, sagte ich, »aber ich bin es auch nicht.«

Sie kniff die Lippen zusammen. Der Kellner kam zurück und verteilte die Getränke. Frau Kassler nahm einen Schluck Kaffee. Dann versuchte sie eine neue Finte.

»Leugnen Sie die Taten der Nazis?«

»Nichts liegt mir ferner. Ich bin sogar der Erste, der nicht müde wird, auf sie hinzuweisen!«

Sie rollte mit den Augen: »Aber verurteilen Sie sie auch?«

»Da wäre ich ja schön dumm! Ich bin doch nicht so schizophren wie unsere Parlamentarier«, schmunzelte ich. »Das ist ja das Schöne am Führerstaat. Sie haben nicht nur vorher einen Verantwortlichen oder währenddessen, sondern hinterher auch.«

»Auch für sechs Millionen tote Juden?«

»Gerade für die! Ich habe da natürlich nicht mitgezählt.«

In ihren Augen blitzte für einen Moment Freude auf, bis ich sagte: »Aber das ist doch nicht unbekannt! Wenn ich es recht sehe, macht mir nicht einmal die Siegerpresse das Verdienst streitig, diese Parasiten vom Erdboden getilgt zu haben.«

Sie funkelte mich an.

»Und heute machen Sie im Fernsehen Witze darüber«, zischte sie.

»Das wäre mir neu«, sagte ich ernst. »Das Thema ›Juden‹ ist nicht witzig.«

Sie atmete tief und lehnte sich zurück. Sie nahm einen großen Schluck Kaffee und einen neuen Anlauf.

»Was tun Sie, wenn Sie gerade keine Sendung haben? Was machen Sie privat?«

»Ich lese viel«, sagte ich, »dieses Internetz ist in mancherlei Hinsicht eine große Freude. Und ich zeichne gerne.«

»Lassen Sie mich raten«, sagte sie. »Gebäude, Brücken und dergleichen.«

»Sicher. Ich habe eine Leidenschaft für die Architektur …«

»Davon hab ich auch schon gehört«, seufzte sie. »Es steht ja noch einiges von Ihnen in Nürnberg herum.«

»Immer noch? Das ist schön«, sagte ich. »Ich habe natürlich meinen Teil dazu beigetragen, aber im Wesentlichen gebührt der Ruhm selbstverständlich Albert Speer.«

»Brechen wir's hier ab«, sagte sie frostig, »das führt ja zu nichts. Ich habe auch nicht den Eindruck, dass Sie mit einer besonders kooperativen Einstellung gekommen sind.«

»Ich kann mich auch nicht erinnern, dass unsere Vereinbarung diesbezüglich ein geheimes Zusatzprotokoll enthalten hätte.«

Sie winkte dem Kellner wegen der Rechnung. Dann

wandte sie sich an ihren Bildreporter. »Brauchst du noch Fotos?« Er schüttelte den Kopf. Sie stand auf und meinte: »Sie lesen von uns.«

Ich erhob mich ebenfalls, und der Hotelreservierer Sawatzki samt Herrn Sensenbrink taten es mir gleich. Umgangsform ist Umgangsform. Das junge Ding konnte ja nichts dafür, dass sie in einer verkehrten Welt aufgewachsen war.

»Ich freue mich schon darauf«, sagte ich.

»Na, dann freuen Sie sich mal schön«, meinte sie im Gehen.

Sensenbrink, Sawatzki und ich setzten uns wieder. »Das war jetzt aber ein kurzes Interview«, sagte Sawatzki aufgekratzt und füllte seine Tasse. »Kein Grund, den Kaffee verkommen zu lassen. Die machen wirklich prima Kaffee hier.«

»Aber ich bin nicht sicher, ob die beiden haben, was sie wollen«, sorgte sich Sensenbrink.

»Die werden ohnehin schreiben, was sie möchten«, sagte ich. »Jetzt sollen sie mir erst mal das Fräulein Krömeier in Ruhe lassen.«

»Wie geht's ihr?«, fragte Sawatzki besorgt.

»Wie der deutschen Zivilbevölkerung. Je widerwärtiger der Gegner seine Bomben abwirft, desto fanatischer wird der Widerstand. Ein fantastisches Mädel.«

Sawatzki nickte, und für einen Moment schien es mir, als leuchteten dabei seine Augen eine Spur zu hell. Aber ich kann mich natürlich auch irren.

xxiii.

Das Problem mit diesen Parlamentariern ist, dass sie schlichtweg nichts begriffen haben. Ich meine: Warum habe ich denn diesen Krieg geführt? Doch nicht, weil ich so gerne Krieg führe! Ich hasse es, Kriege zu führen. Wenn Bormann noch wäre, den könnte jeder fragen, der würde das sofort bestätigen. Furchtbar ist das, ich hätte diese Aufgabe auch liebend gerne abgetreten, wenn es jemand Besseren gegeben hätte. Und jetzt, nun, also kurzfristig muss ich mich damit zunächst nicht befassen, aber mittel- und langfristig wird das wohl wieder auf mich zukommen. Wer soll das denn sonst machen? Wer würde derlei denn überhaupt sonst machen? Fragt man heute einen Parlamentarier, dann behauptet der doch glattweg, Kriege seien heute nicht mehr notwendig. Das wurde auch schon damals behauptet, und schon damals war es genauso Unsinn wie heute. Der Gedanke ist ja nicht von der Hand zu weisen, dass diese Erde nicht wächst. Die Zahl der Menschen auf ihr aber schon. Und wenn den Menschen die natürlichen Ressourcen zu knapp werden, welche Rasse wird dann diese Ressourcen bekommen?

Die netteste?

Nein, die stärkste. Und darum habe ich alles daran gesetzt, die deutsche Rasse zu kräftigen. Und dem Russen in die Parade zu fahren, bevor er uns überrollt. Im allerletzten Moment, wie ich dachte. Damals lebten schließlich 2,3 Milliarden Menschen auf der Welt. Zwei Komma drei *Milliarden*!

Es konnte ja keiner wissen, dass da noch dreimal mehr drauf passen.

Aber – und hier kommt das Entscheidende: Man muss aus dieser Tatsache die richtigen Schlüsse ziehen. Und der richtige Schluss lautet natürlich nicht: Weil wir jetzt sieben Milliarden sind, war damals alles unnötig. Sondern der richtige Schluss lautet: Wenn ich schon damals recht hatte, dann habe ich heute sogar noch dreimal mehr recht. Das ist simple Arithmetik, das rechnet Ihnen jeder Drittklässler vor.

Insofern ist mir die Sache mit meiner Rückkehr auch einmal mehr vollkommen einleuchtend. Denn warum leben jetzt diese sieben Milliarden Menschen auf dieser Welt?

Weil ich einen Krieg geführt habe, der durch und durch – um einmal dieses neumodische Wort zu verwenden – nachhaltig war. Wenn all diese Menschen sich seither vermehrt hätten, wären wir inzwischen bei acht Milliarden. Und davon wären zweifellos die meisten Russen, die längst das Land hier überrannt hätten, unsere Früchte ernten, unser Vieh wegtreiben, die arbeitsfähigen Männer versklaven, die anderen abschlachten würden, um dann mit ihren schmutzigen Fingern unsere unschuldigen jungen Frauen zu missbrauchen. Erst sah also die Vorsehung meine Aufgabe darin, den bolschewistischen Bevölkerungsüberschuss abzuschöpfen. Und nunmehr liegt meine Berufung natürlich darin, den Rest der Mission zu erfüllen. Die Pause dazwischen war nötig, um meine Kräfte nicht in diesen Jahrzehnten zu vergeuden, die nun einmal nötig sind, damit die Spätfolgen des Krieges eintreten können. Als da wären: Streit unter den Alliierten, Zerfall der Sowjetunion, russische Gebietsverluste und natürlich die Aussöhnung mit unserem nächstliegenden Verbündeten, mit England, um später einmal vereint vorgehen zu können. Es ist mir heute noch schleierhaft, weshalb das nicht schon damals geklappt hat. Wie viele Bomben hätten wir ihnen denn noch auf ihre Städte werfen sollen, bis sie begriffen, dass sie unsere Freunde sind?

Wobei man, wenn man sich die neueren Zahlen einmal ansieht, nicht ganz nachvollziehen kann, wozu England noch nötig ist, eine Weltmacht ist diese marode Insel ja nun wahrlich nicht mehr. Gut, man muss auch nicht alle Fragen gleich beantworten. Allerdings naht nun für durchgreifende Maßnahmen allmählich der letztmögliche Zeitpunkt. Und deswegen war ich auch so entsetzt vom Zustand der sogenannten nationalen Kräfte dieses Landes.

Ich hatte zunächst angenommen, ich sei mehr oder weniger auf mich allein gestellt. Doch hatte das Schicksal bereits den einen oder anderen Verbündeten installiert. Aber genau das war schon ein Armutszeugnis: Dass es Monate brauchte, bis ich überhaupt mitbekam, dass es jemanden gab, der sich berufen fühlte, die Arbeit der NSDAP fortzuführen. Ich war derart empört über diese erbarmungswürdige Propagandaarbeit, dass ich mir den Hilfsregisseur Bronner samt einem Kameramann organisierte und nach Berlin-Köpenick hinfuhr, wo unter dem Namen NPD die größte derartige Vereinigung residierte. Ich muss schon sagen: Ich hätte mich vor Ort am liebsten gleich übergeben.

Ich gebe zu, das Braune Haus in München war nicht weltbewegend gewesen, aber doch auf jeden Fall seriös, repräsentativ. Oder wenn ich an Paul Troosts Verwaltungsbau denke, nur einen Steinwurf entfernt, also das war ein Haus, für das wäre ich sofort in jede Partei eingetreten. Aber diese schneebedeckte Bruchbude in Berlin-Köpenick – erbärmlich.

Das armselige Häuslein stand frierend in einer Baulücke zwischen zwei Mietsgebäuden wie ein Kinderfuß in den zu großen Pantoffeln des Vaters. Schon allein das Gebäude sah hoffnungslos überfordert aus, was auch daher rühren mochte, dass irgendein Holzkopf auf die Idee gekommen war, der furchtbaren Klitsche einen Namen zu geben und ihn in großen, obendrein zeitlos hässlichen Buchstaben auf die Fassade zu schrauben: »Carl-Arthur Bühring-Haus« stand darauf, es wirkte insgesamt, als hätte man einen Kinderschwimmring auf den Namen »Herzog von Friedland« getauft. »NPD-Parteizentrale« stand auf dem Klingelschild, so klein, dass man es Feigheit vor dem Feinde nennen musste. Es war unglaublich, es war wie in der Systemzeit: Der völkische Gedanke, die nationale Sache wurde erneut durch irgendwelche Hohlköpfe entehrt, entwertet, lächerlich gemacht. Ich drückte wutentbrannt auf die Klingel, und als sich nicht rasch genug etwas tat, drosch ich mehrfach mit der Faust dagegen. Die Tür öffnete sich.

»Sie wünschen?«, fragte ein pickeliges Jüngelchen mit einem irritierten Gesichtsausdruck.

»Was glauben Sie wohl?«, fragte ich kalt.

»Haben Sie eine Drehgenehmigung?«

»Was ist denn das für ein grauenhaftes Gewinsel?«, herrschte ich ihn an. »Seit wann versteckt sich eine nationale Bewegung hinter derlei welschen Winkelzügen!« Ich drückte die Tür energisch auf. »Gehen Sie mir aus dem Weg! Sie sind eine einzige Schande für das deutsche Volk! Wo ist Ihr Vorgesetzter?«

»Ich – Moment – warten Sie – ich hole jemanden …«

Das Jüngelchen verschwand und ließ uns in einer Art Empfangsraum zurück. Ich sah mich um. Das Haus hätte einen Anstrich brauchen können, es roch nach kaltem Rauch. Einige Parteiprogramme lagen herum, mit idiotischen Slogans. »›Gas geben‹« stand auf einem, in Anführungszeichen, als solle man in Wirklichkeit gar kein Gas geben. »Millionen Fremde kosten uns Milliarden« stand auf einem Aufkleber – wer dann die Patronen und Granaten für die Truppe fertigen sollte, wer dann für die Landser die Bunker ausheben würde, stand da natürlich auch nicht. Das Jüngelchen jedenfalls, das ich gesehen hatte, wäre an der Schaufel genauso wenig zu gebrauchen gewesen wie im Felde.

Ich habe mich in meinem Leben noch nie derart für eine nationale Partei geschämt. Bei dem Gedanken, dass all dieses die Kamera filmte, musste ich mich zusammenreißen, damit mir keine Tränen der Wut aus den Augen rannen. Für dieses Gesindel hatte sich Ulrich Graf nicht mit elf Kugeln zusammenschießen lassen, von Scheubner-Richter war damals nicht unter den Schüssen der Münchner Polizei gefallen, damit solche Lumpen in ihren verwahrlosten Buden mit dem Blut verdienter Männer Schindluder trieben. Ich hörte das Bübchen vom Nebenzimmer ratlos in einen Telefonapparat hineinstammeln. Die Kamera zeichnete alles auf, die ganze Unbeholfenheit, es war so bitter – aber es ging wohl nicht anders, als dass man einmal diese Jauchegrube ausmistete. Schließlich hielt ich es nicht mehr aus, ich ging zornbebend in den Nebenraum.

»… hätte ihn ja auch abgewiesen, aber irgendwie … Er sieht aus wie Adolf Hitler, er hat die Uniform …«

Ich riss dem Bengel den Hörer aus der Hand und schrie hinein: »Welcher Versager führt diesen Laden?«

Es war erstaunlich, mit welcher Behendigkeit der sonst so träge Hilfsregisseur Bronner sich um den Tisch wand und mit unverhohlener Freude einen Knopf auf dem Telefon drückte. Tatsächlich konnte man nun die Antworten aus einem kleinen Lautsprecher am Apparate gut im Raum hören.

»Erlauben Sie mal«, sagte der Lautsprecher.

»Wenn ich etwas erlaube, werden Sie es schon mitbekommen!«, schrie ich. »Wieso ist hier kein Vorgesetzter in der Dienststelle? Wieso hält hier nur dieses Brillenwürstchen die Stellung? Sie kommen sofort hierher und geben mir Rechenschaft! Sofort.«

»Wer ist denn da überhaupt?«, sagte der Lautsprecher. »Sind Sie dieser Irre von Youtube?«

Ich gebe zu, dass bestimmte Vorgänge der jüngeren Vergangenheit für den normalen kleinen Mann auf der Straße unter Umständen nicht ganz einfach nachzuvollziehen sind. Allerdings muss hier mit zweierlei Maß gemessen werden: Wer eine nationale Bewegung anführen möchte, muss auch auf die unvorhersehbarsten Wendungen des Schicksals reagieren können. Und wenn dann das Schicksal bei ihm an die Türe klopft, hat er nicht zu fragen: »Sind Sie der Irre von Youtube?«

»Nun«, sagte ich, »ich nehme nicht an, dass Sie mein Buch gelesen haben.«

»Dazu äußere ich mich nicht«, sagte der Lautsprecher, »und jetzt verlassen Sie sofort die Geschäftsstelle, oder ich lasse Sie rausschmeißen.«

Ich lachte.

»Ich bin in Frankreich einmarschiert«, sagte ich, »ich

bin in Polen einmarschiert. Ich bin in Holland einmarschiert und in Belgien. Ich habe die Russen zu Hunderttausenden eingekesselt, bevor die auch nur Piep sagen konnten. Und jetzt bin ich in Ihrer sogenannten Geschäftsstelle. Und wenn Sie auch nur den Hauch einer wahrhaft nationalen Gesinnung besitzen, dann kommen Sie hierher und stehen mir Rede und Antwort über die Art und Weise, in der Sie das völkische Erbe verschleudern!«

»Ich lasse Sie …«

»Sie wollen den Führer des Großdeutschen Reiches gewaltsam entfernen lassen?«, fragte ich ruhig.

»Sie sind ja nicht der Führer.«

Aus nicht ganz verständlichen Gründen ballte der Hilfsregisseur Bronner in diesem Augenblick seine Faust und grinste extrem breit.

»Das heißt natürlich: Hitler«, sagte stockend der Lautsprecher. »Sie sind nicht Hitler.«

»Soso«, sagte ich ruhig, extrem ruhig, so ruhig, dass Bormann schon Schutzhelme ausgegeben hätte. »Wenn aber«, fuhr ich sehr höflich fort, »wenn ich es aber wäre, so hätte ich dann wohl die Ehre, mit Ihrer bedingungslosen Gefolgstreue zur nationalsozialistischen Bewegung rechnen zu dürfen?«

»Ich …«

»Ich erwarte sofort den zuständigen Reichsleiter. Sofort!«

»Der kann gerade nicht …«

»Ich habe Zeit«, sagte ich ihm, »jedes Mal, wenn ich einen Blick in den Kalender werfe, stelle ich es von Neuem fest: Ich habe erstaunlich viel Zeit.« Dann legte ich auf.

Das Jüngelchen sah mich verwirrt an.

»Det meinen Se aber nich ernst, oder?«, fragte der Kameramann besorgt.

»Wie bitte?«

»Ick hab jarnicht erstaunlich viel Zeit. Ick mach um vier Feierabend.«

»Schon gut, schon gut«, beschwichtigte Bronner, »wir holen notfalls eine Ablösung. Das wird richtig gut hier!« Er holte seinen tragbaren Telefonapparat aus der Tasche und machte sich ans Organisieren.

Ich setzte mich auf einen der freien Stühle. »Haben Sie vielleicht etwas zu lesen da?«, fragte ich das Jüngelchen.

»Ich … ich seh mal nach, Herr …«

»Hitler ist der Name«, sagte ich sachlich. »Ich muss schon sagen: Das letzte Mal, als ich mich derart mühsam vorstellen musste, befand ich mich in einer türkisch geführten Reinigung. Sind diese Anatolier irgendwie mit Ihnen verwandt?«

»Nein, es ist nur – wir …«, faselte das Jüngelchen.

»Nun ja. Ich sehe in dieser Partei keine große Zukunft für Sie!«

Das Telefon läutete und unterbrach die Lektüresuche des Jüngelchens. Er hob den Hörer ab und nahm beinahe so etwas wie Haltung an.

»Ja«, sagte er in den Hörer, »jawohl, der ist noch hier.« Dann wandte er sich an mich: »Der Bundesvorsitzende für Sie.«

»Ich bin nicht zu sprechen. Die Zeit der Telefonate ist abgelaufen. Ich will den Mann sehen.«

Das dürre Jüngelchen sah schwitzend nicht besser aus. Eine unserer Napolas schien das Büblein genauso wenig besucht zu haben wie eine Wehrsportübung oder generell jemals einen Sportverein. Dass die Partei derartige rassische Ausschussware nicht gleich beim Aufnahmeverfahren unnachgiebig aussiebte, war einem auch nur halbwegs geistig gesunden Menschen nicht nachvollziehbar. Das Jüngelchen wisperte etwas in den Telefonhörer. Dann legte es auf.

»Der Herr Bundesvorsitzende bittet um etwas Geduld«, sagte das Büblein, »aber er wird so schnell wie möglich kommen. Das hier ist doch für MyTV, oder?«

»Das hier ist für Deutschland«, korrigierte ich.

»Kann ich Ihnen in der Zwischenzeit vielleicht ein Getränk anbieten?«

»Sie können sich in der Zwischenzeit setzen«, sagte ich und musterte ihn besorgt. »Treiben Sie eigentlich Sport?«

»Ich möchte lieber nicht …«, sagte der, »und der Herr Bundesvorsitzende wird ja auch jeden Moment …«

»Hören Sie auf mit dem Gewimmer«, sagte ich. »Flink wie Windhunde, zäh wie Leder, hart wie Kruppstahl. Kennen Sie das?«

Er nickte zögernd.

»Dann ist immerhin noch nicht alles verloren«, sagte ich mit einer gewissen Nachsicht. »Ich weiß, Sie haben Angst zu reden. Aber es reicht ja, wenn Sie einfach Ihren Kopf benutzen. Flink wie Windhunde, zäh wie Leder, hart wie Kruppstahl – würden Sie sagen, dass das Eigenschaften sind, über die zu verfügen vorteilhaft ist, wenn man ein großes Ziel verfolgt?«

»Ich würde sagen, es kann nicht schaden«, sagte er vorsichtig.

»Und«, fragte ich, »sind Sie flink wie ein Windhund? Sind Sie hart wie Kruppstahl?«

»Ich …«

»Sie sind es nicht. Sie sind langsam wie eine Schnecke, brüchig wie die Knochen eines Greises und weich wie Butter. Hinter der Front, die Sie verteidigen, muss man Frauen und Kinder sofort evakuieren. Wenn wir uns das nächste Mal sehen, sind Sie in einer anderen Verfassung! Wegtreten.«

Mit einem schafsartigen Gesichtsausdruck entfernte er sich.

»Und gewöhnen Sie sich das Rauchen ab«, schmetterte ich ihm hinterher. »Sie riechen wie ein billiger Schinken!«

Ich nahm mir eine dieser dilettantischen Broschüren, kam aber nicht dazu, sie zu lesen.

»Wir sind nicht mehr allein«, meinte Bronner mit einem Blick aus dem Fenster.

»Hm?«, fragte der Kameramann.

»Ich hab keine Ahnung, wer denen Bescheid gegeben hat, aber da draußen sind jede Menge Fernsehteams.«

»Wird wohl einer von den Polizisten gewesen sein«, vermutete der Kameramann. »Deswegen schmeißen die uns auch nicht raus. Das kommt nicht gut als Nazi, wenn man vor laufenden Kameras den Führer rausschmeißt.«

»Aber er ist es doch nicht«, grübelte Bronner.

»*Derzeit* nicht, Bronner«, korrigierte ich ihn streng. »Es gilt zunächst, die nationale Bewegung zu einigen und die schädlichen Idioten zu entfernen. Und hier«, sagte ich mit einem Seitenblick auf das Bübchen, »hier sind wir geradezu in einem Nest der schädlichen Idioten.«

»Jetzt kommt wer!«, sagte Bronner. »Ich glaub, das ist der Obermotz.«

Tatsächlich öffnete sich die Tür, und eine weichliche Figur trat ein. »Wie schön«, sagte er kurzatmig und schob mir seine feiste Hand hin, »der Herr Hitler. Mein

Name ist Apfel, Holger Apfel. Bundesvorsitzender der Nationaldemokratischen Partei Deutschlands. Ich verfolge Ihre Sendungen mit großem Interesse.«

Ich betrachtete kurz die bizarre Gestalt. Das zerbombte Berlin hatte nicht trauriger ausgesehen. Er klang, als hätte er ständig ein Wurstbrot im Mund, und letztlich sah er auch so aus. Ich ließ seine Hand unbeachtet und fragte: »Können Sie nicht grüßen wie ein anständiger Deutscher?«

Er sah mich irritiert an, wie ein Hund, dem man zugleich zwei Befehle gibt.

»Setzen Sie sich«, beschied ich ihn. »Wir haben zu reden.«

Er sank schnaufend in den Sitz mir gegenüber.

»Sie«, sagte ich, »vertreten hier also die nationale Sache.«

»Notgedrungen«, erwiderte er mit einem halben Lächeln, »Sie haben sich ja schon seit Längerem nicht mehr darum gekümmert.«

»Ich muss mir meine Zeit eben einteilen«, sagte ich knapp. »Die Frage ist: Was haben Sie in der Zwischenzeit getan?«

»Ich denke nicht, dass wir uns mit unseren Leistungen verstecken müssen«, sagte er, »wir vertreten die Deutschen inzwischen in Mecklenburg-Vorpommern und Sachsen und unsere Kameraden in …«

»Wer?«

»Unsere Kameraden.«

»Es heißt Volksgenossen«, sagte ich. »Ein Kamerad ist jemand, mit dem man im Schützengraben war. Ich sehe hier mit Ausnahme meiner Wenigkeit niemanden, auf den das zutrifft. Sehen Sie das anders?«

»Für uns Nationaldemokraten …«

»Nationaldemokratie«, spottete ich, »was soll das sein? Nationalsozialistische Politik erfordert einen Demokratiebegriff, der sich nicht für die Namensgebung eignet. Wenn mit der Wahl des Führers die Demokratie beendet ist, rennen Sie immer noch mit der Demokratie im Namen herum! Wie dumm kann man eigentlich sein?«

»Wir stehen als Nationaldemokraten natürlich fest auf dem Boden des Grundgesetzes und ...«

»Sie scheinen mir nicht in der SS gewesen zu sein«, sagte ich, »aber Sie haben doch wenigstens mein Buch gelesen?«

Er blickte ein wenig verunsichert und meinte dann: »Nun, man muss sich ja umfassend informieren, und obwohl das Buch in Deutschland nicht ganz leicht erhältlich ist ...«

»Was soll das werden? Eine Art Entschuldigung dafür, dass Sie mein Buch gelesen haben? Oder dass Sie es nicht gelesen haben? Oder dass Sie es nicht verstanden haben?«

»Also, das führt jetzt zu weit, könnten wir für einen Moment mal die Kamera ausschalten?«

»Nein«, sagte ich kalt. »Sie haben genug Zeit vertrödelt. Sie sind ein Blender, Sie versuchen auf den vernachlässigten Flammen der heißen Heimatliebe völkisch gesinnter Deutscher Ihr Süppchen zu kochen, doch jedes Wort aus Ihrem unfähigen Mund wirft die Bewegung um Jahrzehnte zurück. Es sollte mich nicht wundern, wenn Sie hier letztlich nur eine bolschewistisch unterwanderte Herberge für Landesverräter unterhalten.«

Er versuchte sich zurückzulehnen, um ein überlegenes Lächeln zu platzieren, aber ich gedachte nicht, ihn so leicht davonkommen zu lassen.

»Wo«, sagte ich eisig, »ist in Ihren ›Broschüren‹ der

Rassegedanke? Der Gedanke des deutschen Blutes und der Blutreinheit?«

»Nun, ich habe erst kürzlich betont, dass man Deutschland den Deutschen …«

»Deutschland! Dieses ›Deutschland‹ ist ein Zwergstaat im Vergleich zu dem Lande, das ich geschaffen habe«, hielt ich fest, »und selbst das Großdeutsche Reich war für die Bevölkerung zu klein. Wir brauchen mehr als Deutschland. Und wie bekommen wir das?«

»Wir, äh … wir bestreiten die, äh, die Rechtmäßigkeit der von den Siegermächten erzwungenen Grenzanerkennungsverträge …«

Ich musste unwillkürlich lachen, zugegebenermaßen handelte es sich dabei um ein Lachen der Verzweiflung. Dieser Mann war eine unvorstellbare Witzfigur. Und dieser hoffnungslose Idiot führte den größten nationalen Verband auf deutschem Boden. Ich beugte mich nach vorne und schnippte mit den Fingern.

»Wissen Sie, was das ist?«

Er sah mich fragend an.

»Das ist die Zeitspanne, die man braucht, um aus dem Völkerbund auszutreten. ›Wir bestreiten die Rechtmäßigkeit blablabla‹ – was für ein wehleidiges Geschwätz! Man tritt aus dem Völkerbund aus, dann rüstet man auf und nimmt sich, was man braucht. Und wenn man ein blutreines deutsches Volk hat, das mit fanatischem Willen kämpft, dann bekommt man auch alles, was man auf dieser Welt haben muss. Also, noch einmal! Wo ist bei Ihnen der Rassegedanke?«

»Na ja, Deutscher wird man nicht durch den Pass, sondern durch die Geburt, das steht bei uns im …«

»Ein Deutscher windet sich nicht in juristischen Formulierungen, sondern er spricht Fraktur! Die Grundlage der Erhaltung des deutschen Volkes ist der Rassegedanke. Wenn die Unverzichtbarkeit dieses Gedankens nicht wieder und wieder dem Volke eingeprägt wird, dann haben wir in fünfzig Jahren kein Heer, sondern einen Sauhaufen wie das Habsburgerreich.« Ich wandte mich kopfschüttelnd zu dem Jüngelchen.

»Sagen Sie, haben Sie diesen sogenannten demokratischen Kloß gewählt?«

Das Jüngelchen machte eine ungewisse Kopfbewegung.

»War denn *das* der beste verfügbare Mann?«

Er zuckte mit den Schultern. Ich stand auf, resigniert. »Gehen wir«, sagte ich bitter. »Es wundert mich nicht, dass diese Partei keinerlei Terror verbreitet.«

»Und was ist mit Zwickau?« Das war Bronner.

»Was soll mit Zwickau sein«, fragte ich. »Was hat das mit Terror zu tun? Wir haben den Terror damals auf die Straße gebracht! Wir haben damit 1933 einen gewaltigen Erfolg eingefahren. Das hatte aber auch seinen Grund: Die SA ist auf Lastkraftwagen durch die Gegend gefahren, hat Knochen gebrochen und Fahnen geschwenkt. Fahnen, hören Sie das?«, brüllte ich nun schon unbeherrscht den Apfelklops an, dass er zurückschreckte.

»Fahnen! Vor allem das ist wichtig! Wenn so ein bolschewistisch verblendeter Dummkopf im Rollstuhl sitzt, dann soll er ja auch wissen, wer ihn da hineingeprügelt hat und warum! Und was macht dieses Idiotentrio in Zwickau? Die bringen reihenweise Ausländer um – ohne Fahne. Prompt glauben alle, das wäre wohl Zufall oder die Mafia. Wovor soll man denn da Angst haben? Dass diese mentalen Rohrkrepierer überhaupt existierten, hat man ja erst daran gemerkt, dass sich zwei von diesen Dümmlingen selbst umgebracht haben.« Ich warf hilflos die Hände zum Himmel. »Wenn ich diese Herrschaften rechtzeitig in die Finger bekommen hätte, für die hätte ich eigens ein Euthanasieprogramm aufgelegt!«

Ich wandte mich wütend an den Apfelklops. »Oder ich hätte sie so lange geschult, bis sie sinnvoll arbeiten. Haben Sie den drei Schwachköpfen wenigstens Ihre Hilfe angeboten?«

»Ich hatte mit der Sache nichts zu tun«, sagte er zögernd.

»Da sind Sie wohl auch noch stolz darauf!«, schrie ich. Wenn er Schulterklappen gehabt hätte, ich hätte sie ihm vor laufender Kamera von seinem Anzug gerissen. Ich ging entsetzt zur Tür und trat hinaus.

Ich stand vor einem Wald von Mikrofonen.

»Was haben Sie besprochen?«

»Werden Sie für die NPD kandidieren?«

»Sind Sie Mitglied?«

»Ein Haufen Waschlappen«, sagte ich enttäuscht. »Nur so viel: Ein anständiger Deutscher hat hier nichts verloren.«

XXIV.

»Das ist pures Gold!«, hatte die Dame Bellini gesagt, als ich ihr schweren Herzens neben mancherlei anderen Beiträgen auch den Bericht von jenen »Nationaldemokraten« gezeigt hatte. »Das ist ein Special«, sprudelte sie los, »da kürzen wir ganz wenig. Das wird der nächste Schritt zur Marke Hitler! Das senden wir Neujahr! Oder an Dreikönig, genau dann, wenn alle zu Hause sitzen und endlich mal was anderes suchen außer allen Teilen von ›Stirb langsam‹ und der hundertsten Wiederholung von ›Star Wars‹.« Das war die letzte Konferenz vor der sogenannten Weihnachtspause gewesen. Es gab fürs Erste nichts mehr zu tun, außer die Sendetermine abzuwarten, das Erscheinen des Interviews, das Vorübergehen der allgemeinen Besinnlichkeit.

Ich bin nie ein großer Verfechter von Weihnachten gewesen. Das war schon damals in Bayern für viele schwer begreiflich, da wird das ja schon im Vorfeld mit diesem Begriff der »staden Zeit« eingeläutet. Wenn es nach mir gegangen wäre, man hätte das komplett weglassen können, inklusive Advent, Nikolaus. Ich bin auch kein Verfechter dieses Gänsebratens, weder am Martinstage noch zu Weihnachten noch an Lichtmess. Damals, zu meiner bislang ersten Regierungszeit, hatte ich auch ohnehin keine Zeit zu verlieren gehabt in der Vorbereitung für den Endkampf. Ich war drauf und dran,

Weihnachten vollkommen zu übergehen, aber Goebbels hat mich da immer zurückgehalten und gesagt, man müsse auf die Bedürfnisse des Volkes Rücksicht nehmen. Jedenfalls zunächst noch.

Gut, Goebbels war nun einmal ein Familienmensch. Und es ist auch in Ordnung, wenn wenigstens einer in der Partei die Fühler tief in die Volksseele eindringen lassen kann, man soll derlei Strömungen nicht ignorieren. Im Nachhinein bin ich allerdings nicht mehr sicher, ob die Idee mit den goldenen Hakenkreuzen als Baumschmuck nicht übertrieben war. Eine alte Idee neu umzudeuten, das ist eines der schwierigsten Unterfangen – wenn überhaupt, sollte man da gleich etwas ganz Neues, Eigenes dagegensetzen. Ich habe das nie kontrolliert, aber diese Hakenkreuzkugeln hat vermutlich nicht mal Goebbels selbst verwendet oder höchstens eine, aus Anstand oder Höflichkeit. Bei Himmler ist das vielleicht anders gewesen.

Die Folgen von Weihnachten habe ich jedoch stets durchaus geschätzt. Was habe ich in diesen Tagen an Büchern weggelesen. Und Entwürfe gezeichnet! Halb Germania ist da entstanden! Insofern machte es mir nichts aus, die Zeit um den Jahreswechsel mehr oder weniger alleine im Hotelzimmer zu verbringen. Die Hoteldirektion hatte auch als kleines Präsent eine Flasche Wein und ein paar Pralinés gesandt, nun ja, sie konnten nicht wissen, dass ich nicht allzu viel auf Alkohol gab.

Das einzige Unangenehme an dieser Weihnachtszeit ist für mich immer gewesen, dass mir in jenen Tagen auffiel, dass mir eine eigene Familie niemals vergönnt war. Ein Reich zu reorganisieren, ein Volk mit der nationalen Bewegung zu durchdringen, die eiserne, die fanatische Erfüllung des Haltebefehls im Osten durchzusetzen, so etwas geht eben nicht mit Kindern, derlei geht nicht einmal mit einer Frau. Schon mit Eva war das schwierig, eine gewisse Rücksichtnahme auf ihre Bedürfnisse war vonnöten, doch letzten Endes war bei einer erhöhten bis extremen Inanspruchnahme meiner Person durch Partei, Politik und Reich nie vollkommen auszuschließen, dass sie in ihrem Kummer wieder einmal versuchte, sich selbst…

Allerdings gebe ich zu, dass in diesen Tagen, in denen ich im Prinzip einmal relativ wenig zu tun hatte, Evas Gegenwart schon angenehm gewesen wäre. Diese fröhliche Ausstrahlung. Aber nun gut: Der Starke ist am mächtigsten allein. Das gilt auch und gerade an Weihnachten.

Ich blickte auf die Präsentflasche des Hotels. Eine Beerenauslese hätte mir schon mehr Freude bereitet.

In letzter Zeit hatte ich mir angewöhnt, gelegentlich kleine Spaziergänge zum Spielplatz des Kindergartens zu machen, das Toben, das aufgeregte Kreischen der Buben und Mädeln erfreute mich doch häufig und brachte einen auf andere Gedanken. Aber wie ich kürzlich hatte feststellen müssen, war der Kindergarten während der Weihnachtstage geschlossen. Wenig sieht trübsinniger aus als ein verwaister Spielplatz.

Ich habe dann etwas gezeichnet, man konnte ja nicht wissen, wann man wieder dazu käme, ich entwarf ein Autobahnnetz und ein Eisenbahnsystem, diesmal für jenseits des Ural, einige Zentralbahnhöfe sowie eine Brücke nach England. Sie haben da einen Tunnel gegraben, aber letztlich schätze ich oberirdische Lösungen mehr, vielleicht habe ich ein wenig zu viel Zeit in Bunkern verbracht. Ich war unzufrieden mit meiner Lösung, ich habe dann auch noch zwei neue Opernhäuser für Berlin entworfen, mit jeweils 150 000 Sitzplätzen, aber doch ohne die rechte Lust, mehr aus Pflichtgefühl, wer macht so etwas, wenn ich es nicht selbst in die Hand nehme? Und letzten Endes begrüßte ich es dann schon, als ich Anfang Januar die Produktionsarbeit wieder fortführen konnte.

XXV.

Es war nicht so, dass ich etwas anderes erwartet hätte. Eigentlich war ich fast zufrieden, denn immerhin hatten sie das Fräulein Krömeier diesmal herausgelassen. Aber es war nun auch nicht das, was man gemeinhin unter einer guten Presse verstehen konnte. Andererseits halte ich den Begriff der »guten Presse« ohnehin für einen Widerspruch in sich. Dennoch hatte ich vorausgesetzt, dass mein Entgegenkommen in irgendeiner Art und Weise etwas mehr honoriert würde als mit der Zeile:

Der irre Youtube-Hitler im BILD-Verhör:

»Ich bin ein Nazi«

Er trägt einen harmlosen Straßenanzug, gibt sich als braver Bürger: der Nazi-»Witzbold«, der sich »Adolf Hitler« nennt und seinen wahren Namen verschweigt. Ganz Deutschland diskutiert über den »Comedian« in der Maske des Monsters. Wir trafen den Ausländerhetzer zum exklusiven BILD-Verhör im Berliner Nobelhotel Adlon.

BILD: Wie heißen Sie wirklich?
Adolf Hitler.
BILD: Warum verschweigen Sie den Deutschen Ihren richtigen Namen?
Ich heiße so. (Er grinst selbstgefällig).
BILD: Zeigen Sie uns Ihren Pass?
Nein.
BILD: Sind Sie ein Nazi?
Natürlich! (Er trinkt zynisch sein stilles Wasser. Wir lassen nicht locker. *Und entlocken ihm seine größte Unverschämtheit.*)
BILD: Verurteilen Sie die Taten der Nazis?
Nein, warum? Ich bin für sie verantwortlich.

BILD: Auch für die Ermordung von sechs Millionen Juden?
Gerade für die.

BILD meint: Das ist keine Satire mehr, das ist Volksverhetzung. Reißt diesem Unbelehrbaren endlich die Maske vom Gesicht! **Wann ermittelt endlich der Staatsanwalt?**

»Sind Sie wahnsinnig?« Sensenbrink feuerte die Zeitung auf den Konferenztisch. »Auf die Art und Weise stehen wir ruckzuck vor dem Staatsanwalt! Frau Bellini hat Ihnen hier in unser aller Beisein gesagt, dass das Thema ›Juden‹ nicht witzig ist!«

»Das hat er denen auch gesagt«, warf Sawatzki ein, »wörtlich. Aber die haben es nicht geschrieben.«

»Ruhe bewahren«, sagte die Dame Bellini. »Ich hab mir den Mitschnitt noch mal angehört. Herr Hitler hat alles, was er gesagt hat, als Adolf Hitler gesagt.«

»Wie ich es immer zu tun pflege«, fügte ich verwundert hinzu, um die Lächerlichkeit des Gesagten zu betonen. Die Dame Bellini sah mich kurz mit einem Stirnrunzeln an und fuhr dann fort:

»Ja, äh, genau. Rechtlich kann uns da gar keiner. Ich möchte hier zwar nochmals betonen, dass Sie beim Judenthema vorsichtig sein sollten. Aber ich kann nicht erkennen, was an der Aussage falsch sein soll, Hitler sei für den Tod von sechs Millionen Juden verantwortlich. Wer sollte es denn sonst sein?«

»Lassen Sie das nicht den Himmler hören«, schmunzelte ich. Man konnte förmlich sehen, wie dem Bedenkenträger Sensenbrink die Haare zu Berge standen, auch wenn ich nicht ganz nachvollziehen konnte, weshalb. Für einen Moment überlegte ich, ob am Ende auch Himmler auf irgendeinem Grundstücke erwacht wäre und Sensenbrink mit ihm eine weitere Sendung plante. Aber das war natürlich Unsinn. Himmler hatte nun wirklich kein Gesicht für das Fernsehen. Das sieht man schon daran, dass Himmler auch keinen einzigen Verehrerinnen-Brief bekommen hat, meines Wissen jedenfalls. Ein Verwaltungsmann, wenn man ihn brauchte, aber dem leuchtete immer auch eine gewisse Verschlagenheit aus dem Gesicht, ein Brillen tragendes Verrätertum, wie sich letztendlich ja dann noch bewahrheitet hat. So etwas will doch niemand im Fernsehapparat sehen. Auch die Dame Bellini wirkte für einen ganz kurzen Augenblick etwas ungehalten, doch dann entspannten sich ihre Gesichtszüge wieder. »Ich sage es nicht gerne, aber Sie machen das schon sehr geschickt«, schloss sie. »Andere brauchen da ein halbes Jahr Medienschulung.«

»Ja, toll«, wetterte Sensenbrink. »Das ist aber nicht nur eine Rechtsangelegenheit. Wenn die weiter aus allen Rohren feuern, können die uns die Quote versauen. Die können doch gar nicht anders!«

»Sie könnten schon«, sagte ich, »sie wollen halt nicht.«

»Nein«, schrie Sensenbrink, »die können nicht. Das ist der Axel-Springer-Verlag! Haben Sie sich mal deren Grundsätze angesehen? Punkt zwei: ›Das Herbeiführen einer Aussöhnung zwischen Juden und Deutschen, hierzu gehört auch die Unterstützung der Lebensrechte des israelischen Volkes.‹ Das ist nicht nur irgendein Geschwätz, das stammt noch vom alten Springer, das ist denen ihre Bibel, das kriegt jeder von den Redakteuren zum Dienstantritt, und die Einhaltung überwacht notfalls die Springerwitwe persönlich!«

»Und das sagen Sie mir erst jetzt?«, fragte ich scharf.

»Das muss doch nicht schlecht sein, wenn die nicht locker lassen können«, hakte Sawatzki ein, »wir können die Aufmerksamkeit doch in jedem Fall brauchen.«

»Richtig«, meinte die Bellini. »Aber es darf nicht ins Negative kippen. Wir müssen sicherstellen, dass allen Zuschauern klar ist, wer der Böse ist.«

»Und wer soll der Böse sein?«, stöhnte Sensenbrink. »Himmler?«

»›Bild‹«, sagten die Dame Bellini und der Hotelreservierer Sawatzki wie aus einem Mund.

»Ich werde die Verhältnisse in meiner nächsten Führeransprache klarstellen«, versprach ich. »Es wird Zeit, dass die Volksschädlinge beim Namen genannt werden.«

»Muss man sie unbedingt ›Volksschädlinge‹ nennen?«, ächzte der Reichsbedenkenträger Sensenbrink.

»Wir können ihnen zusätzlich eine gewisse Doppelzüngigkeit unterstellen«, sagte Sawatzki, »wenn wir noch ein bisschen Geld im Etat hätten. Haben Sie schon mal in Hitlers Handy gesehen?«

»Sicher, da ist der Gesprächsmitschnitt drauf«, sagte die Dame Bellini.

»Nicht nur«, sagte Sawatzki. Er beugte sich vor, nahm mein Telefon an sich und wischte ein wenig darauf herum. Dann legte er den Apparat so vor uns, dass wir den Bildschirm gut sehen konnten. Ein Foto war darauf.

Es war der erste Moment, in dem ich den genialen Goebbels nicht mehr vermisste.

XXVI.

Ein gewisses Alter hat immer auch seine Vorteile. Ich bin etwa sehr froh, dass ich erst mit dreißig Jahren zur Politik gekommen bin, in einem Alter, in dem der Mann auch körperlich und sexuell zu einer ersten Ruhe kommt und sich daher mit ganzer Kraft auf seine eigentlichen Ziele konzentrieren kann, ohne dass ihm dauernd die körperliche Liebe Zeit und Nerven raubt. Im Übrigen ist es auch so, dass das Alter die Anforderungen bestimmt, die die Umgebung an einen richtet: Wenn das Volk sich einen Führer von, sagen wir, zwanzig Jahren wählt, und der interessiert sich für keine Frau, dann gibt es selbstverständlich sofort Gerede. Was ist das für ein seltsamer Führer, heißt es bald, warum nimmt sich der keine Frau? Will er nicht? Kann er nicht? Aber mit vierundvierzig Jahren, wie in meinem Falle, wenn der Führer sich da nicht sofort eine Gefährtin wählt, da denkt das Volk dann: Na ja, er muss ja nicht, wahrscheinlich hat er schon. Und: Schön, dass er sich nur um uns kümmert. Und so geht das fort. Je älter man wird, desto mehr erreicht man die Rolle des Weisen, nebenbei bemerkt auch ganz ohne eigenes Zutun. Es gibt da diesen Schmidt, dieser uralte frühere »Bundeskanzler«, dieser Mann etwa hat absolute Narrenfreiheit und kann Blödsinn reden noch und noch. Man setzt ihn in einen Rollstuhl, wo er in ununterbrochener Reihenfolge

Zigaretten abbrennt und in einem unerträglich langweiligen Duktus die dümmsten Allgemeinplätze verkündet. Dieser Mann hat überhaupt nichts begriffen, und wenn man es einmal nachliest, dann stellt sich heraus, dass sich sein Ruhm lediglich auf zwei läppische Taten gründet, nämlich dass er im Fall einer Hamburger Sturmflut die Armee zu Hilfe rief, wozu man kein Genie sein muss, und dass er den entführten Industriellen Schleyer kommunistischen Verbrechern überlassen hat, was für ihn keine große Sache gewesen sein kann und ihm sogar gesinnungsmäßig entgegen gekommen sein dürfte, denn Schleyer war immerhin lange Jahre in meiner SS und von daher dem Sozialdemokraten Schmidt mit Sicherheit ein Dorn im Auge. Aber nun, kaum vierzig Jahre später, wird dieser rollende Schwelbrand als allwissendes Orakel durch das Land gereicht, dass man meinen könnte, der Herrgott persönlich sei herabgestiegen.

Um beim Thema zu bleiben: Von diesem Herrn werden natürlich auch keine Frauengeschichten mehr erwartet.

Der Vorteil eines Alters von etwas über einhundertzwanzig Jahren ist freilich vor allem ein taktischer: Der politische Gegner rechnet nicht damit und ist vollkommen überrumpelt. Er setzt ein anderes Aussehen voraus oder eine andere körperliche Verfassung, im Allgemeinen wird die Realität komplett geleugnet, weil nicht sein kann, was nicht sein darf. Das führt zu sehr »unangenehmen« Folgen: So hat man beispielsweise kurz nach dem Kriege alle Taten der nationalsozialistischen Regierung zu Verbrechen erklärt, völlig abstrus, letztlich war das ja eine gewählte Regierung. Und man hat festgelegt, dass diese »Verbrechen« niemals verjähren würden, was immer gut klingt in den Ohren jener gefühlsduseligen Parlamentswanzen, wenngleich ich in dreihundert Jahren denjenigen einmal sehen möchte, der sich überhaupt noch an diese heutigen Regierungslumpen erinnert. Tatsächlich bekam die Firma Flashlight auch prompt eine offizielle Mitteilung von der Staatsanwaltschaft, dass diese von irgendwelchen Dummköpfen angerufen worden sei und auch diverse Anzeigen wegen solcher Verbrechen eingegangen wären. Doch die Ermittlungen seien natürlich sofort eingestellt worden, weil ich ja nicht sein könne, wer ich bin, und als Künstler sei da natürlich eine ganz andere Freiheit gegeben und so weiter und so fort.

Da sieht man einmal wieder, dass sogar die einfachen Menschen in der Staatsanwaltschaft viel mehr von Kunst verstehen als diese Professoren an der Wiener Akademie. Staatsanwälte sind zwar heute wie damals juristische Fachidioten, aber sie erkennen wenigstens einen Künstler, wenn sie ihn sehen.

Als ich des späteren Vormittags in mein Büro kam, unterrichtete mich Fräulein Krömeier davon, und ich nahm es als guten Beginn eines Tages, an dem ich die Auseinandersetzung mit jener »Bild«-Zeitung ein für allemal zu beenden gedachte.

Ärgerlicherweise hatte ich die Rede vorher mit der Dame Bellini absprechen müssen, eine Sache, die mir außerordentlich zuwider war, zumal die Dame Bellini auch noch mit dem Hausjuristen anrückte, und man weiß ja, was von Juristen zu halten ist. Zu meiner großen Überraschung hatte der Paragraphenreiter keine oder doch nur kleinere Bedenken, die die Dame Bellini mit einem energischen »Das machen wir trotzdem!« vom Tisch wischte.

Ich hatte noch etwas Zeit, also ging ich hernach in mein Büro, aus dem mir Sawatzki entgegenkam und sagte, er hätte mich gesucht und mir einige erste Muster aus der Produktionslinie hinterlassen, und er freue sich schon auf den Tag der Abrechnung und derlei mehr, was mir irritierend belanglos schien. Zumal ich die Muster schon am Vortage gesehen hatte, Kaffeetassen, Aufkleber, Sportleibchen, die nach amerikanischem Brauch inzwischen T-Shirt genannt wurden. Dennoch war Sawatzkis Begeisterung nach wie vor hundertprozentig vertrauenswürdig.

»Ab 22.57 Uhr wird zurückgeschossen«, sagte er aufgekratzt.

Ich sagte nichts, neugierig.

Und tatsächlich fügte er hinzu: »Von jetzt ab wird Silbe mit Silbe vergolten!«

Ich schmunzelte zufrieden und ging in mein Büro, wo Fräulein Krömeier eifrig neue Schrifttypen für die Rede ausprobierte. Ich überlegte kurz, ob ich eine eigene Schriftart entwickeln sollte. Ich habe schließlich bereits Orden entworfen oder auch das Hakenkreuzsymbol im weißen Feld auf rotem Grund für die NSDAP, letztlich war und ist doch abzusehen, dass ich die ideale Schrift für eine völkische Bewegung am besten selbst entwickeln müsste. Dann fiel mir ein, dass binnen Kürze dann irgendwelche Grafiker in den Druckereien darüber diskutieren würden, ob sie den Text in »Hitler doppelfett« setzen sollten, und ich verwarf den Gedanken.

»Ist an den Mustern irgendetwas neu?«, fragte ich beiläufig.

»Welche Muster, meen Führa?«

»Na die, die der Herr Sawatzki eben vorbeigebracht hat.«

»Ach so«, sagte sie, »natürlich. Nee, det sind nur zwee Tassen.« Und dann griff sie rasch zu einem Taschentuch und schnäuzte sich sehr, sehr umfassend. Und als sie aufhörte, hatte sie ein erstaunlich rötliches Gesicht. Nicht verweint, eher belebt. Nun bin ich ja auch nicht auf der dünnen Heeressuppe dahergeschwommen.

»Sagen Sie, Fräulein Krömeier«, vermutete ich, »kann es sein, dass Sie den Herrn Sawatzki in jüngster Zeit etwas besser kennen …?«

Sie lächelte unsicher. »Wär det schlimm?«

»Das geht mich ja nun nichts an …«

»Nee, jetzt ham Se jefragt, jetze frag ich zurück: Wie finden Se denn den Herrn Sawatzki, meen Führa?«

»Einsatzfreudig, begeisterungsfähig …«

»Nee, Sie wissen schon. Der is in letzter Zeit wirklich ziemlich freundlich und kommt öfter mal vorbei, und ick meine, wie finden Se den denn so – als Mann? Meinen Se, det wär einer für mich?«

»Nun«, sagte ich, und für einen Moment schoss mir die Frau Junge durch den Kopf, »es wäre nicht das erste Mal, dass zwei Herzen in meinem Vorzimmer zueinander finden. Sie und der Herr Sawatzki? Ich glaube, Sie beide haben miteinander sicher viel zu lachen …«

»Det stimmt«, strahlte das Fräulein Krömeier, »der is richtig süß! Aber sagen Sie ihm det nich, det ick det jesacht hab!«

Ich versicherte ihr, dass sie auf meine Verschwiegenheit zählen könne.

»Und Sie«, fragte sie dann fast ein wenig besorgt, »sind Se nervös?«

»Warum sollte ich?«

»Det is so unglaublich«, sagte sie. »Ick hab ja schon

einije von diesen Fernsehtypen jesehn, aber Sie sind wirklich der Coolste.«

»In diesem Beruf muss man Eiswasser in den Adern haben«, sagte ich.

»Geben Sie's ihnen«, sagte sie fest.

»Werden Sie es sich ansehen?«

»Ick bin gleich hinter der Kulisse«, sagte sie stolz. »Ick hab ooch schon eins von den T-Shirts, meen Führa.« Und noch bevor ich etwas sagen konnte, öffnete sie schwungvoll den Reißverschluss ihres schwarzen Jäckchens und zeigte mir stolz das Hemd.

»Ich muss doch sehr bitten!«, sagte ich scharf, und als sie rasch wieder die Jacke schloss, fügte ich noch etwas milder hinzu: »Dass Sie mal was tragen, das nicht schwarz ist ...«

»Allet nur für Sie, meen Führa!«

Ich machte mich auf den Weg, ließ mich mit dem Fahrdienst zum Studio bringen, wo schon Jenny wartete und mich mit einem lauten »Hallo, Onkel Ralf!« begrüßte. Ich hatte es inzwischen aufgegeben, sie zu korrigieren, auch weil ich wohl mit ziemlicher Sicherheit annehmen konnte, dass sie sich einen kleinen Dauerscherz daraus machte. Ich war in den letzten Wochen schon Onkel Ulf gewesen, dazu noch Onkel Golf, Onkel Schilf und Onkel Torf. Ich war nicht sicher, ob ich auf ihre Zuverlässigkeit zählen konnte, wenn es hart auf hart kam, langfristig allerdings würde ihre Leichtfertigkeit mit Sicherheit die Moral untergraben – insofern hatte ich sie intern schon einmal vorgemerkt. Wenn derlei nach der ersten Verhaftungswelle nicht aufhören würde, sah ich sie bislang direkt für die zweite Welle vor. Einstweilen ließ ich mir natürlich nichts anmerken, als sie mich zu meiner Garderobe geleitete, wo bereits Frau Elke wartete.

»Räumt den Puder weg, Herr Hitler kommt«, lachte sie. »Heute ist der große Tag, wie ich höre?«

»Es kommt darauf an, für wen«, sagte ich und setzte mich.

»Wir vertrauen auf Sie.«

»›Unsere letzte Hoffnung – Hitler‹«, sagte ich versonnen. »Wie früher auf den Plakaten …«

»Das ist jetzt aber ein bisschen sehr dick aufgetragen«, meinte sie.

»Dann nehmen Sie wieder was weg«, mahnte ich besorgt, »ich will doch nicht aussehen wie ein Kasperl.«

»Ich meinte – ach, vergessen Sie's. Bei Ihnen braucht's ja nicht viel. Der Mann mit der Traumhaut. Gehen Sie raus und zeigen Sie denen, wo der Hammer hängt.«

Ich begab mich hinter die Kulissen, um abzuwarten, bis Wizgür mich ankündigte. Er tat es mit immer größerem Widerwillen, aber man musste anerkennen, dass man diesen Widerwillen als Außenstehender nicht erkennen konnte.

»Meine Damen und Herren: Zum multikulturellen Ausgleich sehen Sie jetzt Deutschland aus Sicht eines Deutschen – Adolf Hitler.«

Begeisternder Applaus begrüßte mich. Die Auftritte waren mit jeder Sendung einfacher geworden. Es hatte sich eine Art Ritual entwickelt, wie früher im Sportpalast. Grenzenloser Jubel, den ich mit tödlichem Ernst in minutenlangem Schweigen zu absoluter Stille niederrang. Erst dann, in diesem Spannungsfeld zwischen Erwartung der Menge und eisernem Willen des Einzelnen, erhob ich das Wort.

»Ich habe in letzter Zeit …

mehrfach …

Dinge über mich…

in der Zeitung ...
lesen.
Müssen.
Ich bin das ja gewohnt.
Von der liberalen Lügenpresse.
Aber neuerdings auch in einem Blatte
das jüngst über die Griechen
einige sehr zutreffende Äußerungen getan hat.
Oder über bestimmte Türken.
Und Faulenzer.
Nun wurde ich in jenem Blatte kritisiert
für einige Äußerungen, die ...
in dieselbe Richtung gingen.
Da wurden dann ›Fragen‹ aufgeworfen,
etwa die Frage, wer ich überhaupt sei.
Um nur mal die dümmste zu nennen.
Es war dies Grund genug, dass ich begann, mich zu fragen:
Was ist das für eine Zeitung?
Was ist das für ein Blatt?
Ich habe meine Mitarbeiter gefragt.
Meine Mitarbeiter kennen es,
aber sie lesen es nicht.
Ich habe Menschen auf der Straße gefragt.
Kennen Sie dieses Blatt?
Sie kennen es,
aber sie lesen es nicht.
Niemand liest dieses Blatt.
Aber Millionen Menschen kaufen es.
Nun weiß niemand besser als ich:
Für eine Zeitung gibt es kein höheres Lob als dieses.
Man kennt das Prinzip ja.
Vom ›Völkischen Beobachter‹.«

Hier gab es das erste Mal stürmische Zustimmung. Ich ließ das Publikum verständnisvoll gewähren, bevor ich ernst abwinkte und zur Ruhe mahnte.

»Allerdings hatte der ›Völkische Beobachter‹ einen Chef,
der ein echter Kerl war.
Ein Leutnant.
Fliegerpilot, der für
sein Vaterland
sein Bein verloren hat.
Wer nun leitet dieses Blatt ›Bild‹?
Ebenfalls ein Leutnant.
Ein Oberleutnant sogar.
So was!
Was also stimmt nicht mit dem Mann?
Vielleicht fehlt ihm die ideologische Führung.
Beim ›Völkischen Beobachter‹, da fragte der Leutnant im Zweifelsfall nach,
was *ich* von der Sache hielt.
Von diesem ›Bild‹-Blatt hat noch niemand bei mir nachgefragt.
Erst dachte ich, der Mann sei womöglich einer dieser Hundertprozentigen, die sich von jeglicher Politik fernhalten.
Dann stellte ich fest: Er ruft sehr wohl an, wenn er geistige Unterstützung braucht.
Nur: woanders.
Bei einem Herrn Kohl.
Einem anderen Politiker.
Wenn man ihn denn so nennen kann.
Bei jenem Herrn Kohl, dessen Trauzeuge er ist.
Ich habe im Verlage des Oberleutnants nachgefragt. Dort hieß es:

Das sei völlig in Ordnung und mit dem ›Völkischen Beobachter‹ gar nicht zu vergleichen.
Der Politiker sei immerhin der frühere Kanzler des vereinten Deutschland.
Aber eben *das*
macht mich so ratlos.
Denn früherer Kanzler des vereinten Deutschland
bin ich schließlich selber.
Ich bezweifle nur, dass das vereinte Deutschland jenes Herrn Kohl
so vereint ist, wie es das meine war.
Da fehlt ja schon noch so einiges.
Elsass.
Lothringen.
Österreich.
Das Sudetenland.
Posen.
Westpreußen.
Danzig.
Ostoberschlesien.
Das Memelgebiet.
Ich will hier nicht zu sehr ins Detail gehen.
Ich dachte nur als Erstes:
Wenn der Herr Schriftleiter kompetente Meinungen braucht,
dann sollte er sie ja wohl beim Schmidt holen.
Und nicht beim Schmidtchen.«

Erneut brandete Zustimmung auf, die ich mit einem ernsten Nicken begrüßte, bevor ich fortfuhr.
»Aber womöglich
ist dieser Schriftleiter nicht auf der Suche nach kompetenten Meinungen.

Ich habe daraufhin diesen Herrn mal
– wie sagt man so schön heute –
gegoogelt.
Ich habe ein Bild von ihm gefunden.
Da war mir alles klar.
Das ist ja der Vorteil, wenn man über fundierte Kenntnisse in der Rassenlehre verfügt.
Da genügt ein Blick.
Dieser ›Schriftleiter‹,
er nennt sich Diekmann,
das ist natürlich kein richtiger Schriftleiter.
Das ist lediglich
ein wandelnder Anzug unter einem Pfund Streichfett.«

Weiterer Jubel sagte mir, dass in dem Schriftleiter Diekmann durchaus die richtige Person getroffen worden war. Ich ließ das Publikum diesmal weniger lang gewähren, um die Spannung zu nutzen.

»Aber letztlich entscheidet die Tat
über die Wahrheit
und über die Lüge.
Die Lüge ist: Jene Zeitung versucht, ihre Leser zu überzeugen, sie sei mein erbitterter Gegner.
Die Wahrheit sehen Sie hier.«

Es hatte allerhand grafische Fertigkeiten gebraucht, um Details auf dem Bild aus meinem Telefon entsprechend zu bearbeiten, aber die Fakten waren unverändert und nur durch Helligkeit und etwas Vergrößerung verbessert. Man sah deutlich, wie Frau Kassler die Rechnung im Adlon bezahlte. Und dann wurde groß Sawatzkis Slogan eingeblendet:

»›Bild‹ finanzierte den Führer.«

Ich muss sagen: Einen derartigen Applaus hatte ich

zuletzt 1938 bekommen, beim Anschluss Österreichs. Aber die wirkliche Unterstützung brachten die Besucherzahlen auf meiner Sender-Sonderadresse im Internetz. Mehrfach war die Rede nicht abrufbar, eine unsägliche Stümperei. Früher hätte ich Sensenbrink dafür an die Front versetzt. Versöhnlich war, dass der Slogan für einen ausgezeichneten Absatz sorgte an »›Bild‹ finanzierte den Führer«-Sporthemden, Kaffeetassen, Schlüsselanhängern und dergleichen mehr. Und die Bevorratung der Verkaufsstellen war ausgezeichnet.

Was mich in puncto Sensenbrink wieder versöhnlicher stimmte.

xxvii.

Es dauerte drei Tage, bis sie kapitulierten.

Einen Tag, bis sie mit ihrer einstweiligen Verfügung scheiterten. Das Gericht lehnte sie ab mit der einleuchtenden Begründung, es habe die »Bild«-Zeitung überhaupt noch nicht gegeben, als es den Führer gab, insofern sei doch nur ein Bezug auf den TV-Führer möglich. Und dass die Zeitung den finanziert hätte, sei nun einmal nicht von der Hand zu weisen. Die Zuspitzung der Aussage sei im Übrigen ein von der Zeitung selbst durchaus häufig gehandhabtes Stilmittel, insofern habe sie es auch in einem etwas gesonderten Maße selbst hinzunehmen, wenn derart über sie berichtet werde.

Einen weiteren Tag brauchten sie, um die Aussichtslosigkeit irgendwelcher Revisionen zu erkennen und um die Verkaufszahlen jener Sportleibchen, Aufkleber und Tassen mit dem Slogan zur Kenntnis zu nehmen. Irgendwelche jungen aufrechten Deutschen hielten sogar eine Mahnwache vor dem Verlagsgebäude, wenn auch in einer deutlich heitereren Stimmung, als ich sie unter diesem Begriffe für angemessen gehalten hätte.

Zwischenzeitlich konnte ich mich auch über mangelnde Resonanz in anderen Publikationen nicht mehr beschweren. Die Auseinandersetzung hatte mich anfangs noch vereinzelt in die Klatschseiten gebracht, nun begann ich, in die deutschen Kulturteile vorzudringen. Noch vor sechzig Jahren hätte ich nicht den geringsten Wert darauf gelegt, unter all jenen unattraktiven und unverständlichen Kopfgeburten einer vorgeblichen »Kultur« beschwätzt zu werden. Doch zwischenzeitlich war eine Bewegung entstanden, nach der neuerdings so gut wie alles als Kultur gelten kann oder auch zu einer solchen erhoben wird. Von daher ließ sich das Erscheinen auf diesen Seiten als Teil eines Transformationsprozesses begrüßen, der mir über das Normalmaß politischer Rundfunkunterhaltung hinaus das Gütesiegel politischer Seriosität verlieh. Das völlig vergeistigte Kauderwelsch der Texte freilich war in den letzten sechzig Jahren das Gleiche geblieben, man konnte offenbar davon ausgehen, dass auch heute noch die Leserschaft nur das für anspruchsvoll erachtete, was ihr möglichst unverständlich blieb, und sich das Wesentliche aus dem erkennbar positiven Grundton mittels Vermutung erschloss.

Am positiven Grundton war nicht zu zweifeln. Die »Süddeutsche Zeitung« lobte die »geradezu potemkinhafte Retrospektive«, die hinter einer »Scheinspiegelung neofaschistischer Monostrukturen die Vehemenz eines leidenschaftlichen Plädoyers für pluralistische beziehungsweise basisdemokratische Prozessvarianten« vermuten ließ. Die »Frankfurter Allgemeine Zeitung« begrüßte die »stupende Aufbereitung systemimmanenter Paradoxa im Schafspelz des nationalistischen Wolfs«. Und der Wortspielbetrieb von »Spiegel Online« nannte mich den »fremden Führer«, was zweifellos wohlwollend gemeint war.

Am dritten Tage, so erfuhr ich später, kam der Anruf der »Bild«-Verlegerswitwe beim Schriftleiter an. Der Inhalt ging etwa in die Richtung, wie lange der Schriftleiter die Schändung des Andenkens des seligen Verlegers noch hinzunehmen gedenke und dass ihr diese Zeitspanne zu lange sei und der Spuk ab dem folgenden Tag zu enden habe.

Wie er das hinbekomme, sei seine Sache.

Als ich des früheren Nachmittags in mein Büro kam, sah ich schon aus der Ferne Sawatzki über die Flure springen. Er ballte in einer etwas pubertären Geste unablässig die Faust und schrie »Yes! Yes! Yes!«. Ich fand die Form nicht ganz angemessen, konnte seine Begeisterung jedoch nachvollziehen. Die Kapitulation war praktisch bedingungslos. Die Verhandlungen, die die Dame Bellini persönlich in ständiger Rücksprache mit mir führte, ergaben zunächst eine mehrtägige Pause in der Berichterstattung, innerhalb derer ich jedoch zweimal auf der Titelseite unter irgendeiner Begründung als »Aufsteiger« oder »Gewinner« des Tages gelobt werden sollte. Nach jedem Schritt würden wir im Gegenzug einen Artikel als »nicht mehr lieferbar« vom Markte nehmen.

Pünktlich zur nächsten Sendung schickte die Zeitung dann ihren besten Schmierfinken, einen immens saugfähigen Speichellecker namens Robert oder Herbert Körzdörfer, der seine Aufgabe jedoch zugegebenermaßen tadellos erfüllte, indem er mich zum gewitztesten Deutschen seit einem Herrn Loriot ernannte. Ich las, dass ich hinter der Maske des Naziführers kluge Gedanken äußern würde und ein wahrer Volksvertreter sei. Aus den erneuten und unermüdlichen Sprüngen des Herrn Sawatzki ersah ich, dass das ein durchaus gutes Ergebnis war.

Das Beste jedoch war, dass ich der Zeitung auftrug, mir einen kleinen Gefallen zu tun und einige Kontakte spielen zu lassen. Diese Idee stammte ausnahmsweise von Sensenbrink, der kurz zuvor am Ende seiner Weisheit gewesen war. Vierzehn Tage später erschien eine zu Tränen rührende Geschichte über das bittere Schicksal meiner amtlichen Unterlagen, die in irgendeinem Feuersturme untergegangen waren, und weitere vierzehn Tage darauf hielt ich einen Pass in der Hand. Ich weiß nicht, über welche rechtlichen oder widerrechtlichen Kanäle derlei gelaufen ist, aber ich bin nun rechtmäßig in Berlin gemeldet. Ändern musste ich lediglich mein Geburtsdatum. Mein amtliches Geburtsdatum ist nunmehr der 30. April 1954, hier griff übrigens mit einem Zahlendreher erneut das Schicksal ein: Ich hatte natürlich 1945 angegeben, aber 1954 passt selbstverständlich altersmäßig wesentlich besser.

Das einzige Zugeständnis war, dass ich auf den Redaktionsbesuch verzichten musste. Ich hatte eigentlich verlangt, dass mich die gesamte Mannschaft inklusive Herrn Streichfett mit dem Deutschen Gruß empfangen würde und dabei das Horst-Wessel-Lied im Kanon absänge.

Nun gut. Man kann nicht alles haben.

Es lief ja auch sonst alles ausgesprochen erfreulich. Die Besuchszahlen auf der Internetzeite »**Führerhauptquartier**« erforderten unablässig mehr technische Ressourcen, die Anfragen für Interviews häuften sich, und auf Empfehlung von Sensenbrink und der Dame Bellini war der Besuch bei den »nationaldemokratischen« Rohrkrepierern zu einer Sondersendung verarbeitet worden, die direkt in die enorme Nachfrage hinein ausgestrahlt werden sollte.

Am Ende dieses Tages war ich tatsächlich bereit, mit Herrn Sawatzki erneut anzustoßen, vielleicht konnte er dazu sogar noch etwas von dem sehr angenehmen Bellini-Getränk herbeizaubern. Doch leider war Herr Sawatzki – obwohl er das Büro noch nicht verlassen haben konnte – nicht aufzufinden. Und wie ich in meinem Arbeitszimmer feststellen konnte: auch das Fräulein Krömeier nicht.

Ich beschloss, die beiden nicht zu suchen. Diese Stunde war die Stunde der Sieger, zu denen auch Herr Sawatzki gehörte, der ja wahrlich einen nicht unbeträchtlichen Teil zum Triumphe beigetragen hatte. Und niemand weiß besser, welche Ausstrahlung der siegestrunkene Krieger auf eine junge Frau hat. In Norwegen, in Frankreich, in Österreich sind unseren Soldaten die Herzen nur so zugeflogen. Ich bin sicher, allein in den Folgewochen nach unserem Einmarsche in jene Länder sind vier bis sechs Divisionen gezeugt worden, aus den Lenden erstklassiger Blutsträger. Was hätten wir neue Soldaten bekommen, wenn die ältere, nicht ganz so blutreine Generation dem Gegner noch lächerliche zehn, fünfzehn Jahre lang standgehalten hätte!

Die Jugend ist unsere Zukunft. Weshalb ich mit der Dame Bellini und einem wieder einmal sehr sauren Glase Schaumwein vorlieb nahm.

xxviii.

Ich hatte Sensenbrink noch niemals so blass gesehen. Gewiss, ein Held war der Mann nie gewesen, aber sein Gesicht hatte eine Hautfarbe, die ich zuletzt 1917 im Schützengraben gesehen hatte, in diesem verregneten Herbst, als die Beinstümpfe aus dem schlammigen Erdreich ragten. Vielleicht kam es von der ungewohnten Betätigung, denn statt mich anzurufen, kam er persönlich ins Büro, um mich schnellstmöglich in den Konferenzraum zu bitten. Andererseits: Er wirkte sonst ja ausgesprochen sportlich.

»Es ist unglaublich«, sagte er immer wieder, »es ist unglaublich. Das hat es in der gesamten Firmengeschichte noch nicht gegeben.« Dann griff er mit seiner schweißnassen Hand nach der Klinke, um das Büro wieder zu verlassen, drehte sich im Gehen zu mir um, sagte: »Wenn ich das damals am Kiosk schon gewusst hätte«, und rannte schwungvoll mit dem Kopf gegen den Türrahmen.

Das hilfsbereite Fräulein Krömeier sprang sofort auf, aber Sensenbrink griff sich nur wie in Trance an den Kopf und taumelte weiter nach draußen, wobei er zwischen mehrere »Unglaublich« auch ein oder zwei »Schon in Ordnung, ich komme klar« einstreute. Fräulein Krömeier sah mich so verstört an, als stünde der Russe schon wieder an den Seelower Höhen, aber ich nickte ihr beruhigend zu. Nicht dass mich die letzten Wochen und Monate gelehrt hätten, die Befürchtungen des Herrn Sensenbrink besonders ernst zu nehmen. Vermutlich hatte wohl wieder irgendein besorgter Bürokrat oder Demokrat irgendeinen Protestbrief an irgendeinen Staatsanwalt geschrieben, derlei gab es ja nach wie vor ständig, und unermüdlich wurde da die Untersuchung als ergebnislos und widersinnig abgebrochen. Vielleicht war es diesmal auch ein wenig anders, und es würde immerhin ein Beamter ins Haus kommen – aber etwas Besorgniserregenderes war wohl kaum zu befürchten. Im Übrigen war ich selbstverständlich bereit, für meine Überzeugungen jederzeit erneute Festungshaft auf mich zu nehmen.

Dennoch musste ich zugeben, dass auch mich eine gewisse Neugier beschlich, als ich mich auf den Weg zum Konferenzsaale machte. Es mochte daran liegen, dass nicht nur ein Herr Sawatzki oder die Dame Bellini dorthin strebten, sondern sich generell auf den Gängen eine unbestimmte Nervosität oder Spannung spüren ließ. Mitarbeiter standen in kleinen Gruppen in den Türrahmen, plauderten im Flüstertone und blickten mich heimlich, fragend oder verunsichert an. Ich beschloss, einen kleinen Umweg zu machen, und ging zur hauseigenen Cafeteria, um dort etwas Traubenzucker zu besorgen. Was immer in jenem Konferenzsaal vorging, ich beschloss, meine Position ein wenig herauszuarbeiten, indem ich die Herrschaften warten ließ.

»Na, Sie ham Nerven«, sagte Frau Schmackes, die die Cafeteria betreute.

»Ich weiß«, sagte ich freundlich, »deshalb war es auch nur mir möglich, ins Rheinland zu gehen.«

»Übertreim Se mal nich, ick bin da ooch schon jewesen«, sagte Frau Schmackes, »aber ick kann diese Kölner ooch nich leiden. Wat darf et sein?«

»Ein Päckchen von Ihrem Traubenzucker, bitte.«

»Denn krieg ick 80 Cent von Ihnen«, sagte sie, bevor sie sich fast verschwörerisch vorbeugte: »Sie wissen, dat der Kärrner vorhin extra jekommen is? Der is schon da, der is schon im Konferenzsaal, hab ick jehört.«

»Soso«, sagte ich und bezahlte, »und wer ist das?«

»Na, ick sach mal so«, sagte Frau Schmackes, »det is der Chef vons Ganze. Det merkt man sonst nich so, weil die Bellini ja normalerweise den Laden schmeißt, und wenn Se mich fragen, die hat die Sache sowieso besser im Griff. Aber bei großen Katastrophen kommt der Kärrner selbst.« Sie schob mir 20 Cent Rückgeld über den Tisch. »Bei großen Erfolgsmeldungen natürlich ooch. Aber die müssen denn schon ziemlich jroß sein. Der Flashlight jeht's ja nicht schlecht ...«

Ich wickelte sorgsam ein Stück Traubenzucker aus und schob es mir in den Mund.

»Sollten Sie sich nicht langsam mal auf den Weg machen?«

»Das haben im Winter 1941 auch alle gesagt«, winkte ich ab, schlenderte aber dann doch gemessenen Schrittes in die richtige Richtung. Es galt ja, auch den Eindruck zu vermeiden, dass diese Veranstaltung mir Angst bereitete und ich ihr deshalb fernblieb.

Inzwischen hatten sich auf den Fluren die Gruppen noch vermehrt. Es war fast wie ein Spalier aus Mitarbeitern, an dem ich entlangschritt wie beim Abnehmen einer Parade. Ich lächelte freundlich einigen jungen Damen zu, klappte den rechten Arm hin und wieder grüßend zurück, hörte gelegentlich ein Kichern, aber auch ein »Sie machen das schon!«.

Selbstverständlich. Es fragte sich nur, was.

Die Tür zum Konferenzraume war noch geöffnet, Sawatzki stand im Türrahmen. Er sah mich schon von Weitem nahen und machte mit der Hand eine unmissverständliche Geste, ich möge mich beeilen. Es war ganz klar, dass er mich damit nicht tadelte – sein zuversichtliches Gesicht signalisierte mir vielmehr sofort, dass er dringend, furchtbar dringend wissen wollte, worum es ging. Ich reduzierte das Lauftempo nochmals ein wenig, wie nebenbei einer jungen Dame ein Kompliment für ein wirklich sehr hübsches Sommerkleid machend. Meine Geschwindigkeit erinnerte mich fast etwas an das Paradoxon von Achilles und der Schildkröte, die dieser nie einholen kann.

»Guten Morgen, Herr Sawatzki«, sagte ich fest, »haben wir uns heute überhaupt schon gesehen?«

»Rein mit Ihnen«, drängelte Sawatzki leise, »rein, rein, rein. Sonst sterb ich vor Neugier.«

»Da ist er ja«, sagte drinnen Sensenbrink, »Endlich!«

Im Raum saßen noch einige mehr Herren rund um den Konferenztisch. Mehr als beim ersten Mal, und direkt neben der Dame Bellini hatte jemand Platz genommen, bei dem es sich offenbar um jenen Kärrner handeln musste, eine leicht beleibte, aber ehemals sportliche Figur, die um die vierzig Jahre zählte.

»Herrn Hitler kennen Sie natürlich alle«, sagte der noch immer kreidebleiche, aber wenigstens nicht mehr so verschwitzte Sensenbrink in die Runde, »umgekehrt ist das vermutlich trotz seiner nun schon etwas längeren Zusammenarbeit mit uns nicht immer so. Und da hier nun wirklich die – wenn ich das so sagen darf – Topentscheider unseres Hauses am Tisch sitzen, möchte ich sie kurz vorstellen.«

Daraufhin rapportierte Sensenbrink eine Reihe von Namen und Ämtern, eine bunte Abfolge von Seniors und Vice Account Managing Executives und was es dergleichen heute so gibt. Die Titel und Gesichter waren samt und sonders derart austauschbar, dass man sofort wusste, dass der einzige merkenswerte Name der des Kärrner war, den ich entsprechend auch als Einzigen mit einem dezenten Kopfnicken bedachte.

»Schön«, sagte Kärrner, »nachdem wir jetzt alle wissen, wer wir sind, könnten wir vielleicht langsam die Überraschung aufklären? Ich habe gleich nachher noch ein Meeting.«

»Gewiss«, sagte Sensenbrink. Mir fiel auf, dass mir noch immer kein Sitzplatz angeboten worden war. Andererseits war mir auch keine Art Probebühne bereitet worden wie bei meinem ersten Besuch in der Firma. Man konnte wohl davon ausgehen, dass es um keine Vorführung ging, die hier von mir erwartet wurde, sondern dass meine Position unangefochten war. Ich sah zu Sawatzki. Sawatzki hatte die rechte Hand zur Faust geballt, er hielt sie vor den Mund und machte mit den Knöcheln unablässig wellenartig knetende Bewegungen.

»Es ist noch nicht offiziell«, sagte Sensenbrink, »aber ich habe es aus absolut sicherer Quelle. Genauer: Ich habe es aus zwei absolut sicheren Quellen. Es ist wegen des NPD-Specials. Die Sondersendung, die wir direkt nach dem ›Bild‹-Coup gebracht haben.«

»Und was ist damit?«, fragte Kärrner ungeduldig.

»Herr Hitler erhält den Grimme-Preis.«

Im Raume herrschte Totenstille.

Dann ergriff Kärrner das Wort.

»Und das ist sicher?«

»Bombensicher«, sagte Sensenbrink und wandte sich an mich. »Ich dachte, die Meldefrist wäre schon abgelaufen, aber irgendjemand hat Sie nachnominiert. Ich habe mir sagen lassen, dass Sie das Feld von hinten überrollt haben. Einmal fiel das Wort ›tsunamimäßig‹.«

»Ein Blitzsieg!«, rief Sawatzki aufgeregt.

»Sind wir jetzt Kultur?«, hörte ich mit halbem Ohr von einem der zahllosen Executives, alles Weitere ging in stürmischem Applaus unter. Kärrner stand auf, nahezu zeitgleich war die Dame Bellini auf den Beinen, dann erhob sich die ganze Runde. Die Glastür öffnete sich, zwei Damen unter Leitung von Sensenbrinks Vorzimmerdame Hella Lauterbach schritten herein, mehrere Flaschen mit saurem Schaumweine hereintragend. Ich musste gar nicht erst nachsehen, um zu wissen, dass Sawatzki wohl in diesen Sekunden einen Auftrag für dieses fruchtige Bellini-Getränk erteilte. Von außen drängten verschiedene Menschen herein, Schreibkräfte, Assistenten, Praktikanten und Helferinnen. Die Worte »Grimme-Preis« wechselten unablässig mit »echt?« und »Wahnsinn!«. Ich sah Kärrner, der sich mühsam durch die Menge auf mich zu drückte, mit ausgestreckter Hand und einem merkwürdigen Gesichtsausdruck.

»Ich hab's gewusst«, schrie er aufgewühlt und blickte dabei abwechselnd mich an und Sensenbrink, »ich hab's gewusst. Wir können mehr als nur Comedy-Trash! Wir können viel mehr!«

»Premium!«, schrie Sensenbrink mit sich überschlagender Stimme zurück und erneut und noch lauter: »Premium!« Das half mir insofern weiter, als man daraus schließen konnte, dass es sich bei diesem Preise offenbar um ein anerkanntes Qualitätssiegel für Rundfunk zu handeln schien.

»Sie sind einfach gut«, sagte eine sanfte weibliche Stimme dicht neben mir. Ich drehte mich um. Neben mir stand, in einem anderen Gesprächszirkel, der Rücken der Dame Bellini.

»Das Kompliment kann ich nur erwidern«, sagte ich, ohne mich ihr auffälliger als nötig zuzuwenden.

»Schon mal an einen Film gedacht?«, raunte sie.

»Schon länger nicht mehr«, antwortete ich über meine Schulter hinweg, »wer einmal mit Riefenstahl gearbeitet hat ...«

»Rede! Rede!«, dröhnte es aus der Menge.

»Sie müssen etwas sagen!«, drängte Sensenbrink. Und obwohl ich normalerweise nicht zu derlei geselligen Anlässen zu sprechen pflege, ließ es sich in diesem Augenblicke doch wohl nicht vermeiden. Die Menge wich ein wenig zurück und verstummte, nur Sawatzki quetschte sich noch kurz dazwischen, um mir ein Glas von diesem Bellini-Getränk zu reichen. Ich nahm es dankend und musterte die Runde. Vorbereitet hatte ich leider nichts, insofern galt es, auf bewährte Muster zurückzugreifen.

»Volksgenossinnen und Volksgenossen!
Ich wende mich an Sie
Um
in dieser Stunde des Triumphes
zweierlei zu verdeutlichen:
Dieser Triumph ist fraglos erfreulich,
er ist verdient,
lange verdient. Wir haben größere Produktionen
aus dem Felde geschlagen,
teurere,
auch internationale!
Aber dieser Sieg,
er kann dennoch lediglich eine Etappe sein

auf dem Wege
zum Endsieg.
Wir verdanken den Sieg vor allem Ihrer überzeugten Arbeit!
Ihrer bedingungslosen, fanatischen Unterstützung.
Doch wir wollen
in dieser Stunde auch der Opfer gedenken,
die ihr Blut für unsere Sache gaben …«

»Pardon«, sagte Kärrner plötzlich, »aber davon weiß ich ja gar nichts.«

Mir fiel erst hier auf, dass ich offenbar geistesabwesend ein wenig zu sehr in den Standardablauf der ersten Reden nach den Blitzkriegserfolgen gerutscht war. Möglicherweise wirkte das nun etwas unangemessen. Ich überlegte, ob ich unter Umständen eine Entschuldigung oder etwas dergleichen vorbringen sollte, wurde jedoch durch eine Stimme daran gehindert.

»Dass Sie in solch einem Moment auch daran noch denken«, meinte eine mir unbekannte Mitarbeiterin mit einem unendlich bewegten Gesichtsausdruck, »die Frau Klement aus der Lohnbuchhaltung ist ja erst letzte Woche …! Das ist so –« und dann schniefte sie gerührt in ein Taschentuch.

»Die Frau Klement – natürlich! Wie konnte ich das vergessen«, sagte sofort Kärrner mit leicht verfärbtem Kopfe. »Verzeihung, fahren Sie bitte fort. Das ist mir sehr unangenehm.«

Ich dankte Kärrner mit einem Nicken und suchte den Faden wieder aufzunehmen.

»Ich selbst bin ergriffen von dem Bewusstsein
der mir von der Vorsehung erteilten Bestimmung,
der Firma Flashlight Freiheit und Ehre
wiedergegeben zu haben.

Die Schande, die vor 22 Jahren im Wald von Compiègne ihren Ausgang nahm,
wurde an gleicher Stelle –
Verzeihung, wurde in Berlin wieder gelöscht.
Ich will nun schließen mit der Erwähnung
jener Namenslosen, die nicht weniger ihre Pflicht erfüllten,
die millionenfach Leib und Leben einsetzten,
und zu jeder Stunde bereit waren,
als brave deutsche Offiziere und Soldaten«

– hier musste ich aufgrund einiger irritierter Blicke leichte Korrekturen einfügen –

»und auch als brave deutsche Regisseure und Kameraleute und Kameraassistenten,
als Beleuchter und Mitarbeiter der Maske
für ihre Firma das letzte Opfer zu bringen, das ein …
ein Regisseur und Beleuchter zu geben hat.
Viele von ihnen liegen nun gebettet an den Seiten der Gräber,
in denen schon ihre Väter aus dem großen –
aus viel größeren Fernsehproduktionen ruhen.
Sie sind Zeugen stillen Heldentums all jener«

– und hier wurde es nun etwas schwierig –

»die wie Frau Klement aus der Buchhaltung
eingetreten sind für die Freiheit und Zukunft
und ewige Größe des großdeutschen –
der großen deutschen Firma Flashlight! Sieg –«

Und tatsächlich scholl es mir entgegen wie weiland im Reichstage: »– Heil!«

»Sieg –«

»Heil!!«

»Sieg –«

»Heil!!!«

xxix.

Ich hatte mich früh auf den Weg gemacht. Ich hatte mir vorgenommen, diesen Tag zu genießen. Denn es ist etwas Großes, etwas Besonderes, wenn man nach einem überwältigenden Triumphe einen stillen Ort betritt. Ein Büro, noch bevor die Betriebsamkeit des Alltags ihren Anfang nimmt, ein vom berauschten Publikum geleertes Stadion, durch das noch der Wind des Siegers weht, oder auch, sagen wir, das eroberte Paris um fünf Uhr morgens.

Ich ging zu Fuß, ich wollte die Stadt für mich. Die Sonne erhellte bereits den klaren Frühlingsmorgen, die Luft war von angenehmer Kühle und auch noch sauberer als etwa zur Mittagszeit. In den Grünanlagen führten vernachlässigt gekleidete Berliner ihre Hunde das erste Mal an diesem Tage vor die Türe, die mir allmählich vertrauten verwirrten Frauen sammelten den üblichen Kot in ihre Tüten. Eine geistesabwesende, wohl durchaus unausgeschlafene Raucherin führte gar zu meiner stillen Erheiterung die Tüte an den Mund, um hernach die Hand mit der Zigarette zu den Hinterlassenschaften ihres wahrlich winzigen Hundes zu beugen. Sie schüttelte den Kopf, rieb sich die Augen und korrigierte den Irrtum.

Die Vögel stimmten ihren Morgengesang an, mir fiel wieder einmal auf, um wie vieles stiller eine Stadt doch ist ohne das Feuer der Flugabwehrkanonen. Überhaupt herrschte eine außerordentlich friedliche Stimmung, die Temperatur war jetzt schon sehr angenehm. Ich machte eigens einen kleinen Umweg, um am Kiosk des Zeitungskrämers vorbeizusehen, doch selbst dort herrschte noch die tiefste Stille. Ich atmete tief ein und schritt tüchtig aus, bis ich am Firmengebäude eintraf. Ich öffnete die Eingangstüre, ich stellte zufrieden fest, dass noch nicht einmal ein Portier in seiner Loge saß. Er hatte am Vorabend ein Schutzfutteral über den Telefonapparat gezogen, wie schon mehrfach konnte ich nicht umhin, darin ein weiteres Indiz seiner außerordentlich gewissenhaften Arbeitsweise erfreut zur Kenntnis zu nehmen. Vor seinem Abteile standen große Zeitungspakete, die er später zu verteilen hätte. Bormann hätte es wohl nicht gerne gesehen, aber ich gehöre nun einmal nicht zu jenen, die in Kleinigkeiten unbedingt auf Hierarchien achten, insofern hatte ich keine Bedenken, mir einfach selbst die morgendliche Lektüre zu entnehmen. Ich nahm den Schreibstift, der an einer langen Kette an der Theke befestigt war, und notierte auf einen der Lieferzettel: »Habe meine Zeitungen schon entnommen. Danke.«, und signierte mit »A. Hitler«. Die »Bild«-Zeitung, so nahm ich zufrieden zur Kenntnis, hatte mich wieder einmal zum Tagessieger von irgendetwas erklärt. Die Dringlichkeit einer neuerlichen Gleichschaltung der deutschen Presse sank.

Dann schritt ich, die Zeitschriften unter dem Arm, versonnen voran durch die Flure. Sonnenlicht schien durch die oberen Fenster herein, hinter den verschlossenen Glastüren sah man einige Telefonapparate blinken, doch kein Ton war zu vernehmen. Die Stühle standen in den Arbeitsräumen an den Schreibplätzen, es war, als nähme man eine Möbelparade ab. Ich bog in den Flur, der mich zu meinem Büro führte, als ich dort durch die Türe einen Lichtschein wahrnahm. Ich ging zögernd näher.

Die Türe stand offen. Dahinter, an ihrem Schreibtisch, saß Fräulein Krömeier und tippte etwas in ihren Apparat.

»Guten Morgen«, sagte ich.

»Ick muss Ihnen jleich wat – meen F…«, sagte sie etwas steif, »ick kann nich mehr jrüßen, und ick kann hier ooch nich mehr arbeeten. Ick kann det allet nich mehr machen.« Dann schniefte sie etwas und bückte sich zu ihrem Rucksack. Sie nahm ihn auf den Schoß, öffnete den Reißverschluss, dann schloss sie ihn wieder und setzte den Rucksack ab, ohne dass sie etwas daraus entnommen hatte. Sie stand auf, sie öffnete eine Schublade des Schreibtischs, sie sah hinein, dann schloss sie die Schublade wieder, setzte sich hin und schrieb weiter.

»Fräulein Krömeier, ich …«

»Det tut mir ooch leid, aber et jeht nich mehr«, sagte sie tippend. »Det is so 'ne Scheiße!« Dann sah sie zu mir und schrie: »Warum können Se denn nicht so Sachen machen wie die anderen ooch? Wie der Klamaukheiner, der immer den Postmann macht? Oder der Bayer, der Mittermeier? Warum können Se nich irgendwie rumzappeln, und dann von mir aus machen Se noch irjendnen Dialekt dazu? Det war schön hier! Det hat mir richtich Spaß jemacht!«

Ich blickte Fräulein Krömeier an und fragte etwas täppisch: »Ich soll herumzappeln?«

»Ja! Oder Sie beschimpfen einfach Leute! Det muss dann nich mal witzig sein! Warum müssen Sie denn immer der Hitler sein?«

»Man kann sich das nicht aussuchen«, sagte ich. »Die Vorsehung stellt uns an unseren Platz, und da erfüllen wir dann unsere Pflicht!«

Sie schüttelte den Kopf. »Ick tippe jetze noch die Annonce für die interne Ausschreibung«, schniefte sie, »und dann kriejen Se janz schnell Ersatz. Det jeht janz schnelle, det werden Se sehen, da jibt et jarantiert jede Menge, die auf'n Zuch aufspringen möchten.«

Ich senkte meine Stimme und sagte leise, aber fest: »Sie hören jetzt das Tippen auf und sagen mir, was los ist. Sofort!«

»Na, ick kann hier nich mehr arbeeten!«, sagte sie trotzig.

»Soso, können Sie nicht. Und warum nicht?«

»Weil ick jestern bei meiner Oma war!«

»Muss ich das jetzt verstehen?«

Fräulein Krömeier holte tief Luft.

»Ick mag meine Oma. Ick hab bei der fast ein Jahr lang jelebt, als meine Mama mal länger krank war. Und jestern war ich wieder bei ihr. Und se fragt mich, wat ick so mache, und denn hab ick ihr erzählt, det ick bei eenem richtijen Star arbeete. Ick war so stolz. Und dann fragt sie, wer det is, und ick lass sie ooch noch raten, und se kommt jar nicht drauf, und denn sag ick et ihr: bei Ihnen. Und denn ist die so stinksauer, die Oma hat 'nen richtigen Wutausbruch jekricht. Und se fängt ooch noch zu weinen an, und se sagt, det det nicht witzig ist, wat Sie machen. Det es da nichts zu lachen jibt. Det man so wie Sie eenfach nicht rumloofen kann. Und ick hab ihr jesagt, det det allet Satire ist. Det Sie det machen, damit det nich mehr vorkommt. Aber sie sacht, det is keene Satire. Sie sagt, det Sie eenfach detselbe sagen wie der Hitler früher ooch. Und det die Leute früher auch jelacht haben. Und ick sitz da und denk mir, Mensch, det is doch eenfach ’ne alte Frau, die übertreibt. Die hat ja noch nie viel vom Krieg erzählt, die is bloß sauer, weil se bestimmt viel mitjemacht hat. Und dann jeht se zu ihrem Schreibtischchen und zieht ’nen Umschlag vor und holt ’n Foto raus.«

Sie machte eine kurze Pause und sah mich eindringlich an: »Det hätten Se sehen müssen, wie sie det Foto rausjezogen hat. Als wär det ’ne Million Euro wert. Als wär det det letzte Foto der Welt. Ick hab mir ’ne Kopie jemacht. Ick hab eine halbe Stunde auf se einreden müssen, bevor sie det Bild zum Kopieren aus der Hand jejeben hat.«

Sie bückte sich wieder und holte aus ihrem Rucksack eine Fotokopie hervor, die sie mir hinschob. Ich besah mir das Bild. Auf dem Foto waren ein Mann, eine Frau und zwei Buben im Grünen abgebildet, sie mochten sich an einem See befinden, jedenfalls lagen sie auf einer Decke oder einem großen Strandtuche. Man konnte davon ausgehen, dass es sich wohl um eine Familie handelte. Der Mann in der Badehose war vielleicht etwas über dreißig Jahre alt, dunkle kurze Haare, er schien sportlich, die blonde Frau sah durchaus attraktiv aus. Die Buben hatten Papierhüte auf, wohl aus einer Tageszeitung gefertigt, und sie hatten Holzschwerter in der Hand, mit denen sie lachend posierten. Und das mit dem See war richtig vermutet, jemand hatte mit einem dunklen Stift unten auf das Bild »Wannsee, Sommer 1943« geschrieben. Insgesamt schien es sich um eine tadellose Familie zu handeln.

»Was ist damit?«, fragte ich.

»Det is die Familie meiner Oma. Ihr Papa, ihre Mama, ihre beiden Brüder.«

Ich habe nicht sechs Jahre lang Krieg geführt, ohne die Tragödien zu ahnen, die derlei auslöst. Die Wunden, die der Tod zur Unzeit in den Seelen reißt. »Wer ist gestorben?«, fragte ich.

»Alle. Sechs Wochen später.«

Ich blickte auf den Mann, die Frau, auf die beiden Buben, besonders auf die beiden Buben, und ich musste mich räuspern. Man kann vom Führer des Deutschen Reiches unerbittliche Härte gegenüber sich selbst verlangen und auch gegenüber seinem Volk, und ich bin noch immer der Erste, der diese Ansprüche an sich richtet. Auch hätte ich mich hier sicherlich unbeugsam und eisern gezeigt, wenn es sich um eine Aufnahme jüngeren Datums gehandelt hätte, sagen wir, um einen Soldaten jener neuen Wehrmacht, selbst wenn er im Zuge dieser unsäglichen afghanischen Maßnahme der Unfähigkeit der Politik geopfert worden war. Doch diese Aufnahme, die so sichtbar aus jener Zeit stammt, die mir noch immer nahe war, dieses Bild, es rührte an mein Herz.

Man kann mir sicher nicht vorwerfen, dass ich an den Fronten im Westen und Osten nicht jederzeit und ohne zu zögern bereit gewesen wäre, Hunderttausende zu opfern, um Millionen zu retten. Männer in den Tod zu schicken, die zur Waffe gegriffen hatten, im Vertrauen darauf, dass ich ihr Leben zum Wohle des Deutschen Volkes einsetzen und im Falle des Falles auch hingeben würde. Und vielleicht hatte sogar dieser Mann dazugehört, es war gut möglich, dass er sich gerade im Fronturlaub befunden hatte. Aber die Frau. Die Buben. Ja, überhaupt die Zivilbevölkerung … Mich würgte noch immer diese Ohnmacht, dass ich das Volk zu Hause nicht hatte besser schützen können. Dass dieser Säufer

Churchill sich nicht geschämt hatte, die Unschuldigsten der Unschuldigen im Feuersturme elendiglich verglühen zu lassen als lebende Fackeln seines alles verzehrenden Hasses.

All der Zorn und die Wut jener Jahre kochten wieder hoch, und ich sagte mit feuchten Augen dem Fräulein Krömeier:

»Es tut mir aufrichtig leid. Ich werde – ich verspreche Ihnen: Ich werde alles, alles daransetzen, dass es nie wieder ein englischer Bomber auch nur wagt, in die Nähe unserer Grenzen und unserer Städte zu kommen. Nichts soll vergessen sein, und eines Tages werden wir jede Bombe tausendfach vergelten …«

»Bitte«, sagte Fräulein Krömeier stockend, »bitte hören Se mal einen Moment auf. Nur *einen* Moment. Se wissen doch überhaupt nicht, wovon Se reden.«

Das war freilich gewöhnungsbedürftig, noch immer. Es ist lange her, dass der Führer einmal getadelt worden ist, auch noch zu Unrecht getadelt worden ist, der Führer ist ja normalerweise zu weit oben in der völkischen Hierarchie, als dass man ihn tadeln dürfte. Man soll den Führer auch überhaupt nicht tadeln, sondern ihm vertrauen, insofern ist eben jeder Tadel dem Vorgesetzten gegenüber ungerechtfertigt und mir gegenüber ganz besonders, aber dennoch – das Fräulein Krömeier schien mir ehrlich betrübt, und daher schluckte ich eben diesen wohl im Zorne abgegebenen Kommentar einmal hinunter, denn selbstverständlich war der Einwand völliger Blödsinn. Gerade in dieser Beziehung weiß wohl kaum jemand besser, wovon er redet, als ich.

Also schwieg ich für einen Moment.

»Wenn Sie den Tag frei haben möchten –«, setzte ich dann an, »ich denke, die Situation ist schwierig für Sie.

Ich wollte nur, dass Sie wissen, dass ich Ihre Mitarbeit außerordentlich schätze. Und wenn Ihre Frau Großmutter damit nicht zufrieden ist, vielleicht hilft es, wenn Sie ihr mitteilen, dass ihr Zorn hier wohl den Falschen trifft. Der Bombenkrieg war Churchills Idee …«

»Es trifft überhaupt nicht den Falschen, det is ja det Schlimme«, schrie das Fräulein Krömeier. »Wer redet denn hier von irjend eenem Bombenkrieg? Diese Menschen sind in keenem Bombenkrieg gestorben. Man hat sie vergast!«

Ich hielt inne und blickte nochmals auf das Foto. Der Mann, die Frau, die Buben sahen nicht kriminell aus, nicht wie Zigeuner, kein bisschen wie Juden. Obwohl, in ihren Gesichtszügen, wenn man wirklich ganz genau hinsah – nein, das konnte auch Einbildung sein.

»Wo ist denn Ihre Großmutter auf dem Bild?«, fragte ich, aber die Antwort konnte ich mir sofort denken.

»Sie hat det Foto jemacht«, sagte Fräulein Krömeier mit einer Stimme wie ganz rohes, unbehandeltes Holz. Sie sah reglos auf die Bürowand gegenüber. »Et is det eenzije Bild ihrer Familie, det se noch hat. Und da isse noch nich mal selber mit drauf.« Dann lief eine wimperntuscheschwarze Träne über ihr Gesicht.

Ich hielt ihr ein Taschentuch hin. Sie reagierte erst nicht, dann nahm sie es und schmierte sich damit viel Tusche durchs Gesicht.

»Vielleicht war es ein Irrtum?«, sagte ich. »Ich meine, diese Leute sehen überhaupt nicht aus wie …«

»Wat is'n *det* für'n Arjument?«, fragte Fräulein Krömeier kalt. »Und wenn se versehentlich umjebracht worden sind, is wohl allet im jrünen Bereich oder wat? Nee, der Irrtum is, det eener überhaupt auf die Idee jekommen is, man müsste die Juden umbringen! Und die Zigeuner! Und die Schwulen! Und alle, die ihm nicht in den Kram passen. Ick will Ihnen mal wat verraten: Der Trick geht so – wenn man die Leute nicht alle umbringt, dann bringt man die Falschen ooch nich um! So einfach ist det!«

Ich stand etwas ratlos im Raume, ich war von diesem Ausbruch reichlich überrascht, selbst wenn man auf die erheblich weichere Gefühlswelt einer Frau gefasst ist.

»Es war also ein Irrtum ...«, hielt ich fest, aber ich kam gar nicht zum Schluss, weil sie sofort aufsprang und brüllte: »Nein! Es war keen Irrtum. Es waren Juden! Sie ham se völlig legal vergast! Schon weil se keenen Stern jetragen haben. Sie sind unterjetaucht und ham den Stern abjelegt, weil se jehofft haben, det man se nich als Juden erkennt. Aber leider hat eener der Polizei eenen Tipp jejeben! Det waren also nich nur Juden, det waren sogar illegale Juden! Sind Sie jetzt beruhigt?«

Ich war es in der Tat. Das war ja nun wahrhaft erstaunlich, ich hätte diese Leute womöglich selbst nicht einmal verhaftet, so deutsch sahen die aus, ich war so verblüfft, ich dachte zuerst sogar, ich sollte Himmler bei Gelegenheit nochmals meine Anerkennung für seine gründliche, unbestechliche Arbeit ausdrücken. Allerdings schien es mir gerade in diesem Momente einmal nicht ratsam, direkt und wahrheitsgetreu zu antworten.

»Entschuldijung«, sagte sie dann plötzlich in die Stille. »Sie können ja nüscht dafür. Et is ooch ejal. Ick kann meener Oma det nich antun, det ich weiter für Sie arbeete. Die jeht daran kaputt. Et is nur – können Se nich eenfach mal sagen: ›Et tut mir leid mit der Familie von Ihrer Oma, det war ein grauenhafter Irrsinn damals‹? So wie det jeder normale Mensch ooch tun würde? Oder det Se dran arbeeten, det den Leuten endlich aufjeht, wat det damals für Schweine jewesen sind. Det Se mit mir, det wir alle hier mit dran arbeeten, det sowat nie wieder passiert.« Und dann fügte sie beinahe flehend hinzu: »Det isset doch, wat wa hier machen, oder? Sagen Se doch eenfach det! Für mich.«

Olympia 1936 kam mir in den Sinn. Vielleicht nicht ganz zufällig, denn die blonde Frau auf dem Foto erinnerte mich ausgesprochen an die Fechtjüdin Helene Mayer. Man hat Olympische Spiele im Lande, man hat eine großartige Gelegenheit, beste, ja erstklassige Propaganda zu machen. Man kann das Ausland positiv beeindrucken, man kann Zeit gewinnen für die Aufrüstung, wenn man noch schwach ist. Und man muss sich entscheiden, ob man währenddessen gleichzeitig weiterhin Juden verfolgt und all jene Vorteile damit zunichte macht. Da muss man dann glasklare Prioritäten setzen. Man lässt also eine Helene Mayer mittun, auch wenn sie dann nur die Silbermedaille holt. Man muss sich auch sagen: Jawohl, dann verfolge ich eben vierzehn Tage lang keine Juden. Oder meinetwegen auch drei Wochen. Und wie dereinst galt es auch jetzt wieder, Zeit zu gewinnen. Gewiss, ich hatte erste Zustimmung im Volke, ich hatte einen gewissen Erfolg. Aber hatte ich bereits eine Bewegung hinter mir? Ich brauchte und mochte Fräulein Krömeier. Und wenn Fräulein Krömeier offenbar einen unerkannten Teil jüdischen Blutes in ihren Adern hatte, dann galt es damit umzugehen.

Nicht, dass mich das gestört hätte. Wenn der Rest des genetischen Materials gut genug ist, kann der Körper einen bestimmten jüdischen Anteil verkraften, ohne dass jener sich auf Charakter und Rassemerkmale auswirkt. Wann immer Himmler das bestritten hat, habe ich ihn auf meinen braven Emil Maurice hingewiesen. Ein jüdischer Urgroßvater hat ihn nicht daran gehindert, mein bester Mann in Dutzenden von Saalschlachten zu werden, treu an meiner Seite, in vorderster Front gegen die Bolschewikenbrut. Ich habe mich selbst dafür eingesetzt, dass er in meiner SS bleiben konnte – denn fanatische, granitene Überzeugung kann alles, sie kann sogar das Erbgut beeinflussen. Ich habe es übrigens selbst gesehen, wie Maurice mit der Zeit und mit eisernem Willen immer mehr jüdische Bestandteile in sich abtötete. Eine mentale Eigen-Aufnordung gewissermaßen – phänomenal! Doch das treue, eben noch sehr junge Fräulein Krömeier war noch nicht so weit. Das Bewusstsein um diesen kleinen jüdischen Bestandteil ließ sie in ihrer Entschlossenheit wanken, und dies galt es zu verhindern. Nicht zuletzt auch wegen des guten Einflusses auf Herrn Sawatzki und umgekehrt. Olympia 1936. Die Verschleierung eigener Ziele bot sich geradezu an.

Andererseits schmerzte mich die Kritik des Fräulein Krömeier an meinem Lebenswerk. Jedenfalls dem meines bisherigen Lebens. Ich beschloss, den geraden Weg zu gehen. Den Weg der ewigen, der unverfälschten Wahrheit. Den aufrechten Weg des Deutschen. Wir Deutsche können ohnehin nicht lügen. Oder doch wenigstens nicht sehr gut.

»Von welchen Schweinen reden Sie?«, fragte ich ruhig.

»Na, von den Nazis!«

»Fräulein Krömeier«, hob ich an, »Sie werden es wohl nicht gerne hören, doch Sie irren sich, in vielen Dingen. Das ist nicht Ihr Fehler, aber es ist dennoch falsch. Es wird heute gerne so hingestellt, als hätten damals einige überzeugte, zum letzten entschlossene Nationalsozialisten ein ganzes Volk übertölpelt. Und das ist nicht ganz falsch, es hat diesen Versuch in der Tat gegeben. 1923, in München. Doch er ist unter blutigen Opfern gescheitert. Die Folge war ein anderer Weg. 1933 wurde kein Volk mit einer Propagandaaktion überwältigt. Es wurde ein Führer gewählt, auf eine Weise, die sogar im heutigen Sinne als demokratisch gelten muss. Es wurde ein Führer gewählt, der in unwiderlegbarer Klarheit seine Pläne offengelegt hatte. Die Deutschen haben ihn gewählt. Ja, sogar Juden. Und vielleicht sogar die Eltern Ihrer Frau Großmutter. Die Partei hatte damals schon vier Millionen Mitglieder. Und auch das nur, weil ab 1933 keine weiteren Mitglieder mehr aufgenommen wurden. Es hätten 1934 auch acht Millionen, zwölf Millionen sein können. Ich glaube nicht, dass eine der heutigen Parteien nur annähernd diese Zustimmung genießt.«

»Und wat wollen Se mir damit sagen?«

»Es gab entweder ein ganzes Volk von Schweinen. Oder das, was geschehen ist, war keine Schweinetat, sondern der Wille eines Volkes.«

Fräulein Krömeier sah mich mit großen, fassungslosen Augen an: »Det – det können Se doch nicht so sagen! Det war doch nicht der Wille der Leute, det die Familie meener Oma stirbt! Det war doch die Idee von den Leuten, die da angeklagt worden sind. In Dings, in … Nürnberg!«

»Fräulein Krömeier, ich bitte Sie! Diese Nürnberger Veranstaltung ist doch nichts gewesen als die reine Volkstäuschung. Wenn Sie Verantwortliche suchen, haben Sie letztlich nur zwei Möglichkeiten. Entweder Sie folgen der Linie der NSDAP, und das heißt, die Verantwortung trägt, wer im Führerstaat nun einmal die Verantwortung trägt – das ist der Führer und niemand sonst. Oder Sie müssen diejenigen verurteilen, die diesen Führer gewählt oder aber nicht abgesetzt haben. Und das waren ganz gewöhnliche Menschen, die entschieden haben, einen außergewöhnlichen Mann zu wählen und ihm das Schicksal ihres Landes anzuvertrauen. Wollen Sie Wahlen verbieten, Fräulein Krömeier?«

Sie blickte mich verunsichert an. »Ick versteh davon vielleicht nicht so viel wie Sie, Sie haben det sicher allet studiert und jelesen. Aber – aber Sie finden det doch ooch schlimm, oder? Det, wat da passiert ist! Sie wollen det doch ooch verhindern, det noch mal …«

»Sie sind eine Frau«, sagte ich nachsichtig, »und Frauen sind in Gefühlsdingen immer sehr impulsiv. Das ist der Wunsch der Natur. Männer sind sachlicher, wir denken nicht in Kategorien von schlimm, nicht schlimm und dergleichen. Es geht uns darum, Aufgaben zu bewältigen, Ziele zu erkennen, zu setzen und zu verfolgen. Diese Fragen erlauben jedoch keine Sentimentalität! Es sind die wichtigsten Fragen unserer Zukunft. Es mag hart klingen, doch wir dürfen nicht jammernd in die Vergangenheit blicken, sondern müssen es lernend tun. Was geschehen ist, ist geschehen. Fehler sind nicht dazu da, um bedauert zu werden, sondern um nicht erneut gemacht zu werden. Nach einem Brande werde ich niemals derjenige sein, der Wochen, Monate um das alte Haus weint! Ich bin derjenige, der das neue Haus errichtet. Ein besseres, ein festeres, ein schöneres Haus. Doch ich kann dabei nur die kleine Rolle spielen, die mir die Vorsehung zuschreibt. Ich kann für dieses Haus nur ein kleiner bescheidener Architekt sein. Der Bauherr, Fräulein Krömeier, der Bauherr ist das deutsche Volk und muss immer das deutsche Volk bleiben.«

»Und et darf nie verjessen …«, sagte Fräulein Krömeier mit einem mahnenden Gesichtsausdruck.

»Ganz genau! Es darf niemals vergessen, welche Kraft in ihm schlummert. Welche Möglichkeiten es hat! Das deutsche Volk kann die Welt verändern!«

»Ja«, warf sie ein, »aber doch nur zum Juten! Et darf nie wieder sein, det det deutsche Volk wat Schlimmet macht!«

Es war dieser Moment, in dem mir klar wurde, wie sehr ich Fräulein Krömeier doch schätzte. Denn es ist schon erstaunlich, wie manche Frauen auf ihren verschlungenen Wegen dann aber dennoch bei den richtigen Zielorten eintreffen. Fräulein Krömeier hatte es erkannt: Geschichte wird von Siegern geschrieben. Und eine positive Beurteilung deutscher Taten setzt selbstverständlich deutsche Siege voraus.

»Das, genau das muss unser Ziel sein«, lobte ich, »und wir werden es erreichen: Wenn sich das deutsche Volk erfolgreich durchsetzt, werden Sie und ich in hundert, in zweihundert, in dreihundert Jahren in unseren Geschichtsbüchern nur Lobeshymnen finden!«

Ein leises Lächeln huschte über ihr Gesicht: »In zweehundert Jahren muss det wer anderet nachlesen. Da sind Sie und icke tot.«

»Nun«, sagte ich nachdenklich, »das sollte man wenigstens annehmen.«

»Es tut mir leid«, sagte sie dann und drückte einen Knopf auf der Tastatur. Ich kannte den Klang inzwischen, es war das Geräusch, mit dem Fräulein Krömeier auf dem Gemeinschaftsapparat im Flur Dokumente ausdrucken ließ. »Ick hätt hier wirklich jerne weiterjemacht.«

»Und wenn Sie es Ihrer Frau Großmutter verschweigen?«

Die Antwort freute mich so sehr, wie sie schmerzte: »Nee. Ick kann meene Oma nicht belüjen!«

Aber ich könnte sie zügig einer Sonderbehandlung zuführen lassen, dachte ich spontan, wenn auch nur kurz. Realistisch gesehen kann man niemandem eine Sonderbehandlung zukommen lassen, wenn man keine Gestapo hat. Und keinen Heinrich Müller.

»Bitte, übereilen Sie nichts«, sagte ich. »Ich verstehe Ihre Lage, aber bitte verstehen Sie auch, dass ich gute Mitarbeiterinnen nicht im Dutzend billiger bekomme. Ich würde mich, wenn Sie nichts einzuwenden haben, persönlich bei Ihrer Frau Großmutter für Ihren weiteren Verbleib in meinem Büro verwenden.«

Sie sah mich an. »Ick weeß ja nich …«

»Sie werden sehen, dass ich alle Bedenken der alten Dame ausräumen kann«, versicherte ich. Man konnte dem Fräulein Krömeier die Erleichterung förmlich ansehen.

Es gibt viele Menschen, die nicht zu diesem Unterfangen geraten hätten. Persönlich hatte ich noch nie Grund, an meiner Überzeugungskraft zu zweifeln. Und das nicht nur deshalb, weil ich weiß, dass man hinter meinem Rücken gemunkelt hat, man höre jedes Mal, wenn ich mich in der Nähe von Frau Goebbels aufhalte, deren Eierstöcke rattern oder auch klappern oder welches Geräusch auch immer der harte Soldatenscherz da für angemessen hält. Nein, derlei Spöttereien greifen zu kurz. Es handelt sich hier um die selbstbewusste Ausstrahlung des Siegers, dessen, der eben *nicht* zweifelt. Richtig eingesetzt wirkt das bei den jüngsten Frauen genauso wie bei den ältesten. Die Jüdinnen machen da keine Ausnahme, im Gegenteil, in ihrem Drange nach Assimilation, nach Normalität sind sie meiner Erfahrung nach sogar besonders anfällig. Helene Mayer, unsere Fechtjüdin von Olympia, hat ihre Silbermedaille sogar mit dem Deutschen Gruß in Empfang genommen. Oder wenn ich an die Zehntausende denke, die glaubten, sie könnten sich fühlen wie Deutsche, nur weil sie ihr Drückebergertum im vorigen Weltkriege an der Front verrichtet hatten und sich mitunter zum Erwerb eines Eisernen Kreuzes durchgelogen hatten.

Wer derlei macht, während die eigenen Rassegenossen bereits verprügelt werden, während ihre Geschäfte boykottiert und zertrümmert werden, der ist sechzig Jahre später erst recht zu übertölpeln, zumal – und das sage ich ohne falsche Eitelkeit, sondern weil es nun einmal der tiefsten Wahrheit entspricht – von einem ausgewiesenen Kenner der Stärken und Schwächen dieser Rasse.

Und all jene Romantiker und Klischeegläubigen, die nun eine außergewöhnliche Gewandtheit erhoffen, die der vorgeblich überlegenen Intelligenz dieser verschlagenen Parasiten gewachsen ist, die muss ich »leider« enttäuschen. Eine Gaskammer als Duschraum auszugeben, war schließlich auch schon damals nicht unbedingt der Gipfel der Raffinesse. Und in diesem speziellen Falle genügte das übliche Maß an höflicher Aufmerksamkeit in Kombination mit dem ehrlichen wie überschwänglichen Lob für die vortreffliche Arbeit ihrer begabten Enkelin. Ich sagte im Wesentlichen, wie unentbehrlich Fräulein

Krömeier für meine Arbeit sei, und der Glanz in den Augen der alten Fregatte teilte mir mit, dass ich keine neue rechte Hand brauchen würde. Was irgendwelche Bedenken in weltanschaulichen Dingen betraf, hörte die Dame ab diesem Zeitpunkt ohnehin längst nur noch das, was sie hören wollte.

Aber es half natürlich, dass ich diesen Besuch nicht in Uniform machte.

XXX.

Ich war nervös, aber nur leicht. Ich finde diese milde Nervosität beruhigend, sie zeigt, dass ich konzentriert bin. Viereinhalb Monate hatten wir darauf hingearbeitet: Wie weiland dem Hofbräukeller war ich der Sendung jenes Wizgür entwachsen, wie weiland in den Zirkus Krone war ich in ein neues Studio gezogen, das meiner eigenen Sendung diente. Wie man hörte, erreichten die Einnahmen aus Werbung der deutschen Industrie bereits wieder ein Niveau, das den Unterstützungsmitteln kurz vor der Machtergreifung 1933 vergleichbar war. Eine Vorfreude auf kommende Ereignisse durchfuhr mich, dennoch bewahrte ich eiserne Konzentration. Ich kontrollierte noch einmal kurz mein Bild im Spiegel. Tadellos.

Sie ließen den Vorspann über den Studiobildschirm laufen. Er war gut geworden, meine Wertschätzung für den einstigen Hotelreservierer Sawatzki war immer weiter gewachsen. Eine simple Basstonfolge der Titelmelodie läutete ihn ein, man sah mich in alten Aufnahmen, wie ich den Vorbeimarsch der SA in Nürnberg abnahm. Dann einige kurze Aufnahmen von Riefenstahl, aus »Triumph des Willens«. Und darüber sang eine ganz liebenswürdige Schlagerstimme:

»Er ist wieder da, wieder hier.«

Jetzt wurden einige gute Aufnahmen vom Polenfeldzug gezeigt. Stukas über Warschau. Abgefeuerte Geschütze. Guderians rasende Panzer. Dann ein paar sehr schöne Aufnahmen von mir beim Truppenbesuch an der Front.

»Er ist wieder da«, sang die liebliche Frauenstimme, »so sagt man mir.«

Dann kamen einige Aufnahmen neueren Datums. Sie zeigten mich beim Bummel über den neuen Potsdamer Platz. Wie ich bei einer Bäckerin einige Brötchen kaufte und, diese Bilder gefielen mir besonders, wie ich an einem Spielplatz zwei kleinen Kindern den Kopf tätschelte, einem Buben, einem kleinen Mädel. Die Jugend ist einfach unsere Zukunft.

»Dass er noch nicht bei mir war«, klagte die Stimme verständlicherweise, »kann ich nicht verstehn – und ich frage mich, was ist nur geschehn.«

Das hatte ich schon sehr bewegend gefunden, als ich den Schlager in der Diskussion über die Titelmelodie das erste Mal gehört hatte, weil ich ja tatsächlich nicht genau sagen konnte, was geschehen war. Die Bilder präsentierten mich nun im Fond eines schwarzen Maybach auf der Fahrt zum Aufzeichnungsort, einem ausgedienten Kino. Und während ich dort angekommen ausstieg, ins Kino schritt und die Kamera hinter mir nach oben auf den Kinoschriftzug schwenkt, der den Namen der Sendung zeigte – »Der Führer spricht« –, sang die Dame den geschickt zurechtgeschnittenen Schluss ihres Liedes:

»Er ist wieder da – wiiiiiie-deeeeeer hiiiier.«

Ich hätte den Vorspann immer und immer wieder ansehen können, aber spätestens bei der Brötchenszene musste ich mich hinter den Kulissen auf den Weg machen, damit ich direkt nach dem Ende des Liedes am

Schreibtisch saß und mit ernster Miene den Begrüßungsapplaus entgegennehmen konnte. Es war insgesamt etwas entspannter als, sagen wir, im Sportpalast, aber durch die Einleitung dennoch recht feierlich.

Sie hatten mir ein schönes Studio gebaut, kein Vergleich mit der einfachen Rednerbühne bei Wizgür. Man hatte es der Wolfsschanze nachempfunden, ein Kompromiss. Ich hatte zuerst den Obersalzberg vorgeschlagen, die Dame Bellini sagte, das sehe zu heiter und lieblich aus, und schlug den Führerbunker vor – wir einigten uns dann auf die Wolfsschanze. Ich bin mit einer Produktionstruppe sogar hingefahren, eigentlich mehr aus Neugier, denn natürlich hätte ich ihnen den ganzen Aufbau des Komplexes aus dem Gedächtnis detailgetreu aufmalen können, innen und außen, samt Wachpersonal. Aber die Dame Bellini bestand nicht ganz zu Unrecht darauf, das Produktionsteam müsse vor Ort einen eigenen Eindruck gewinnen.

Ich hatte selbstverständlich angenommen, die Russen hätten in ihrem Machtbereich alles geschleift, was Zeugnis von unserer Vergangenheit ablegte, aber gegen den Stahlbeton der Organisation Todt hatten sie natürlich keine Chance. Man hat sogar die Flaktürme in Wien stehen lassen müssen, weil man sie einfach nicht sprengen konnte. Natürlich hätte man sie bis unter das Dach mit TNT vollstopfen können, aber Tamms, dieser Teufelskerl, hatte sie genialerweise mitten in die Wohngebiete gesetzt. Jetzt stehen sie immer noch da, Denkmäler deutscher Festungsbaukunst, beeindruckend düster.

Die Polen hingegen haben eine Art Freizeitpark aus der Wolfsschanze gemacht, da tut einem das Herz fast weh angesichts dieser uninteressierten Naivität, mit der dort jetzt der letzte ahnungslose Lümmel über das Gelände schlurft. Da fehlt einfach der nötige Ernst, da sind mir letzten Endes diese Dokumentationszentren noch lieber, die sie jetzt überall hinbauen. Natürlich wird das Volk da ideologisch berieselt, aber insgesamt sind der Ernst der Bewegung und auch das Ziel weitgehend korrekt wiedergegeben, sogar inklusive der Judenproblematik. Selbstverständlich ein wenig eingefärbt von diesen Weltverbesserern, aber doch nicht so, dass sie nicht sicherheitshalber immer noch überall hinschreiben, wie »menschenverachtend« unsere Politik gewesen sei. Der Goebbels hätte ihnen das sofort rausgestrichen: »Wenn Sie's extra reinschreiben müssen, dann ist der Text jämmerlich. Ein guter Text muss so sein, dass der Leser sofort gar nichts anderes denken kann als: ›Das war ja menschenverachtend.‹ Dann – und nur dann – glaubt er nämlich, er sei selber draufgekommen!«

Der gute Goebbels. Ich hab seine Kinder so gemocht, die waren mir immer das Liebste im Führerbunker!

Die Wolfsschanze, nun ja: Ein Hotel haben sie jetzt dort, in der Kantine gibt's jeden Tag masurisch, und in der Nähe ist ein Schießstand, bei dem man mit Luftgewehren schießen kann, insgesamt eine klägliche Veranstaltung. Wenn man mich den Laden leiten ließe, ich hätte unsere Originalwaffen eingesetzt, das Gewehr 43, die Pistole 35, die Luger, die Walther Armeepistole oder auch die PPK, obwohl, die PPK vielleicht nicht, weil ich bei dem Gedanken an die gute alte PPK stets wieder diese lästigen Kopfschmerzen bekomme. Ich sollte vielleicht mal einen Arzt dazu fragen, aber in letzter Zeit fällt mir das schwer. Es war schon praktisch, damals, mit dem Theo Morell immer in der Nähe. Göring hat ihn nicht gemocht, aber Göring war auch nicht in jeder Beziehung eine Leuchte.

Ich wartete, bis der Applaus vollkommen erloschen war, was gewöhnlich eine regelrechte Nervenprobe zwischen Sender, Publikum und mir war, denn ich wollte absolute Stille. Und ich habe noch jedes Publikum zur Ruhe bekommen.

»Volksgenossinnen und
Volks-
genossen!
Wir
wissen:
Eine Nation
lebt
von
ihrem Boden.
Ihr Boden
ist
ihr
Lebensraum. Doch –
in welchem
Zustand
ist
denn dieser Boden
heute?
Die
›Kanzlerin‹
sagt:
Hervorragend.
Nun ja.
Früher galt es in diesem Lande
als

das Höchste,
wenn man sagte: Hier
kann man vom Boden essen.
Wo, frage ich diese
›Kanzlerin‹,
möchten Sie am liebsten vom Boden essen?
Auf die Antwort warte ich heute noch, denn
auch die ›Kanzlerin‹ weiß:
Der deutsche Boden ist verseucht
vom Gift des Großkapitals,
der internationalen Hochfinanz!
Der deutsche Boden ist voll Müll,
das deutsche Kind braucht Hochstühle,
um gesund zu sitzen,
der deutsche Mann, die deutsche Frau,
die deutsche Familie fliehen möglichst weit,
in Hochhäuser,
der kleine deutsche Hund,
er heißt Struppi
oder vielleicht auch Spitzl,
er tritt
mit seiner
empfindlichen Pfote
in einen Kronenkorken,
oder er leckt an einem
Dioxin und stirbt
qualvoll
und unter Krämpfen!
Der arme, arme
Struppi.
Und *das*
ist der Boden,
von dem unsere

›Kanzlerin‹
essen möchte.
Na, Mahlzeit!
Unser heutiger Gast ist eine Expertin für den deutschen Boden.
Die grüne Politikerin
Renate Künast.«

Eine groß gewachsene SS-Ordonnanz führte sie herein, Werner hieß er, er war blond, er hatte ausgezeichnete Manieren, und auch wenn man der Dame die Abneigung gegen seine Uniform deutlich ablesen konnte, so konnte man doch genauso aus ihrer Mimik eine gewisse Anerkennung seiner körperlichen Vorzüge wahrnehmen. Frau bleibt Frau.

Auch die Idee zu Werner stammte von Sawatzki. Man war in den Reihen von Flashlight der Ansicht, ich bräuchte einen Assistenten.

»Das ist wichtig«, hatte Sensenbrink damals gesagt. »Es gibt Ihnen die Möglichkeit einer dritten Ansprache. Wenn der Gast mau ist, wenn eine Bemerkung nicht zündet, dann sitzen Sie nicht allein mit dem Publikum da.«

»Ich kann also jemand anderem die Schuld zuschieben?«

»Sozusagen.«

»Das mache ich nicht. Der Führer delegiert die Tätigkeiten, aber nicht die Verantwortung.«

»Der Führer macht aber auch nicht selbst die Tür auf, wenn's läutet«, hatte die Dame Bellini eingewandt. »Und Gäste kriegen Sie ja wohl mehr als genug.«

Das war allerdings richtig.

»Sie haben doch damals auch irgendeinen Assistenten gehabt? Wer hat Ihnen denn die Tür aufgemacht?«

Sie hielt kurz inne, dann fügte sie hinzu: »Also – nicht Sie. Sondern der Hitler.«

»Schon gut«, meinte ich, »die Tür? Das wird wohl der Junge gewesen sein. Oder zuletzt einer von Schädles Leuten ...«

»Oh Mann«, hatte Sensenbrink geseufzt, »die Typen kennt ja keine Sau.«

»Ja, was haben denn Sie gedacht? Dass mir Himmler persönlich morgens die Uniform aufbügelt?«

»Den würde man wenigstens kennen!«

»Machen wir's doch nicht so kompliziert«, hatte die Dame Bellini gebremst. »Sie haben doch jetzt auch nicht irgendeinen kleinen SS-Mann genannt, sondern den ... Schäuble?«

»Schädle.«

»Eben. Stellvertretend. Dann gehen wir eben noch eine Etage höher. Ist ja nur symbolisch.«

»Na gut«, sagte ich, »dann wird's wohl auf Bormann hinauslaufen.«

»Wen?«, fragte Sensenbrink.

»Bormann! Martin! Reichsleiter.«

»Nie gehört.«

Ich war kurz davor, ihm mal ordentlich die Meinung zu sagen, aber da fiel mir die Dame Bellini in den Arm.

»Ihre Sachkenntnis ist toll«, flötete sie, »das ist ganz groß, dass Sie diese ganzen Details kennen, das bringt sonst keiner! Aber wenn wir die Masse kriegen wollen, die ganz große Quote«, und da machte sie nicht ungeschickt eine kleine Pause, »dann können wir Ihren Assistenten nur aus einem kleinen Kreis aussuchen. Sehen Sie's mal realistisch: Wir können Goebbels nehmen, Göring, Himmler, vielleicht noch Heß ...«

»Heß nicht«, warf Sensenbrink ein, »da ist auch immer so ein Mitleidsfaktor mit drin. Armer alter Mann, ewig eingesperrt wegen der bösen Russen …«

»… ja, gut, sehe ich auch so«, fuhr die Dame Bellini fort, »das war's dann aber schon, was wir an Kandidaten haben. Sonst fragt in der Sendung jeder Zuschauer nach dreißig Sekunden, wer der seltsame Typ da neben dem Führer ist. Irritation ist gar nicht gut. Sie selber sind irritierend genug.«

»Goebbels würde mir nie die Tür aufmachen, wenn's klingelt«, sagte ich etwas trotzig, aber ich wusste natürlich, dass sie recht hatte. Und selbstverständlich hätte mir Goebbels die Türen aufgemacht. Goebbels hätte alles für mich gemacht. Ein bisschen wie damals mein Foxl im Schützengraben. Aber es war mir auch klar: Goebbels durfte es nicht werden. Sie hätten aus ihm einen Quasimodo gemacht, wie den buckligen Fritz in dieser sensationellen Frankensteinverfilmung mit Boris Karloff. Sie hätten aus ihm eine groteske Kreatur geformt und ihn jedes Mal dem Spott preisgegeben, sobald er über die Bühne schlurfte. Das hatte Goebbels nicht verdient. Göring und Himmler hingegen … Gewiss, sie hatten ihre Meriten, aber ein gerechter Zorn über ihren Verrat glomm immer noch. Andererseits hätten sie Aufmerksamkeit von mir abgezogen. Ich hatte ja gesehen, was mit Wizgür geschehen war.

»Und wenn wir den unbekannten Soldaten nehmen?« Das war vom Hotelreservierer Sawatzki gekommen.

»Wie meinen Sie das?«, fragte die Dame Bellini.

Sawatzki setzte sich aufrecht hin. »Einen großen, superblonden«, sagte er, »so ein SS-Typ.«

»Gar nicht schlecht«, meinte die Dame Bellini.

»Göring wäre der bessere Lacher«, sagte Sensenbrink.

»Wir wollen keine billigen Lacher«, sagte ich in einem Satz mit der Bellini.

Wir sahen uns an. Sie gefiel mir mit jedem Male besser.

»Schön, dass Sie da sind«, begrüßte ich Frau Künast und bot ihr einen Platz an. Sie setzte sich selbstbewusst, wie jemand, der die Kameras kennt.

»Ja, freut mich auch«, sagte sie spöttisch, »irgendwie.«

»Sie fragen sich vermutlich, warum ich Sie eingeladen habe.«

»Weil sonst keiner zugesagt hat ...?«

»Oh nein, wir hätten auch Ihre Kollegin haben können, die Frau Roth. Da fällt mir ein: Können Sie mir einen Gefallen tun?«

»Kommt drauf an.«

»Bitte eliminieren Sie diese Frau aus Ihrer Partei. Wie soll man mit einer Partei kooperieren, die so etwas Grauenhaftes beherbergt?«

»Also, das hat bisher weder die SPD gehindert noch die CDU ...«

»Nicht wahr, das hat Sie auch gewundert?«

Sie war für einen ganz kurzen Moment irritiert.

»Ich möchte mal hier festhalten, dass die Claudia Roth eine ausgezeichnete Arbeit macht und ...«

»Sie haben ja recht, vielleicht genügt es, wenn man sie einfach von den Kameras fernhält, in einem fensterlosen Kellerraum, schallgeschützt – aber da sind wir schon beim Thema: Ich habe Sie eingeladen, weil ich natürlich in die Zukunft planen muss, und wenn ich es recht sehe, braucht man für eine Machtergreifung parlamentarische Mehrheiten ...«

»Parlamentarische Mehrheiten?«

»Ja, sicher, wie 1933, da habe ich noch die DNVP gebraucht. Das könnte in absehbarer Zukunft ähnlich laufen. Aber leider gibt es die DNVP nicht mehr, und jetzt dachte ich, ich prüfe mal, wer so infrage kommt für eine neue Harzburger Front ...«

»Und da kommen Sie als Ersatz ausgerechnet auf die Grünen?«

»Warum denn nicht?«

»Ich sehe da ja wenig Möglichkeiten«, sagte sie stirnrunzelnd.

»Ihre Bescheidenheit ehrt Sie, aber stellen Sie Ihr Licht nicht unter den Scheffel. Ihre Partei ist geeigneter, als Sie vielleicht glauben!«

»Da bin ich aber neugierig.«

»Ich nehme an, wir haben vereinbare Visionen für die Zukunft. Verraten Sie mir bitte: Wo sehen Sie Deutschland in fünfhundert Jahren?«

»In fünfhundert?«

»Oder in dreihundert Jahren?«

»Ich bin keine Prophetin, ich halte mich eher an Realitäten.«

»Aber Sie werden ja wohl ein Konzept für Deutschland haben?«

»Doch nicht für dreihundert Jahre. Niemand weiß, was in dreihundert Jahren sein wird.«

»Ich schon.«

»Ach? Was wird denn in dreihundert Jahren sein?«

»Die Grünen suchen in ihren Zukunftskonzepten Rat beim Führer des Deutschen Reiches – ich sagte Ihnen doch, dass eine Kooperation gar nicht so unvorstellbar ist ...«

»Behalten Sie's für sich«, ruderte Künast eilig zurück, »die Grünen kommen ganz gut ohne Sie klar ...«

»Also schön, wie viele Jahre in die Zukunft reicht denn Ihre Planung überhaupt? Hundert?«

»Das ist doch Quatsch.«

»Fünfzig? Vierzig? Dreißig? Zwanzig? Wissen Sie was? Ich zähle runter und Sie sagen einfach ›Stopp!‹.«

»Kein Mensch kann seriös sagen, dass er kommende Entwicklungen weiter abschätzen kann als sagen wir zehn Jahre.«

»Zehn?«

»... oder meinetwegen fünfzehn.«

»Also gut: Wo sehen Sie Deutschland in einer Viertelstunde?«

Künast seufzte.

»Wenn Sie unbedingt meinen: Ich sehe Deutschlands Zukunft als umweltfreundliches, energiepolitisch nachhaltig versorgtes Hochtechnologieland vor allem für Umwelttechnik, eingebettet in ein friedliches Europa unter dem Dach von EU und UN ...«

»Haben Sie das, Werner?«, fragte ich meine Ordonnanz.

»... eingebettet in ein friedliches Europa unter dem Dach von EU und UN«, notierte Werner brav.

»Dass es die EU bis dahin noch gibt, wissen Sie aber?«, fragte ich.

»Selbstverständlich.«

»Sind da die Griechen noch dabei? Die Spanier? Die Italiener? Die Iren? Die Portugiesen?«

Künast seufzte: »Wer kann das heute schon sagen?«

»In der Energiepolitik können Sie das! Da denken Sie in meinen Dimensionen! Wenige bis keine Importe, vollständige Autarkie aus nachwachsenden Rohstoffen, aus Wasser, Wind, das ist energiepolitische Sicherheit auch in hundert, zweihundert, tausend Jahren. Sie können ja doch ein wenig in die Zukunft sehen. Und was soll ich sagen – es ist das, was ich auch immer schon forderte …«

»Moment! Aber aus völlig falschen Gründen!«

»Was haben denn die Gründe mit nachhaltiger Energiewirtschaft zu tun? Es gibt gute Windräder und es gibt schlechte Windräder?«

Sie sah mich ärgerlich an.

»Verstehe ich Sie recht«, hakte ich nach, »zur artgerechten Haltung von Delphinen darf man die gute, gesunde Sonnenenergie verwenden, aber wenn man die ukrainischen Ackerböden mit germanischen Wehrbauern besiedelt, kriegen die nur Braunkohlestrom? Oder Atomenergie?«

»Nein«, protestierte Künast, »dann besiedelt man sie mit Ukrainern. Wenn man sie überhaupt besiedelt!«

»Und die Ukrainer dürfen dann aber Windenergie nutzen? Oder haben Sie da auch spezielle Vorstellungen? Haben Sie für die Energiearten und ihre korrekte Verwendung eigentlich ein Verzeichnis?«

Sie lehnte sich zurück. »Sie wissen genau, dass das so nicht gemeint ist. So wie Sie argumentieren, könnten Sie ja gleich fragen, ob die Ermordung von Millionen Juden mit Solarenergie besser gewesen wäre …«

»Interessant«, sagte ich, »aber das Thema Juden ist nicht witzig.«

Für einen Moment hörte man gar nichts im Studio.

»Stille im Fernsehen ist immer eine Verschwendung kostbarer Volksfrequenzen«, sagte ich. »Machen wir in der Zwischenzeit lieber etwas Werbung.«

Das Licht wurde etwas gedämpft. Einige Mitarbeiter aus der Maske kamen und erneuerten unsere Gesichter. Künast deckte mit der Hand ihr Mikrofon ab.

»Das ist ganz schön an der Grenze, was Sie hier veranstalten!«, sagte sie gedämpft.

»Ich kenne natürlich die Befindlichkeiten Ihrer Partei«, sagte ich, »aber Sie müssen zugeben – ich habe nicht mit den Juden angefangen.«

Sie überlegte kurz. Dann ging das Licht wieder an. Ich wartete den Applaus ab, dann fragte ich: »Begleiten Sie mich bitte zum Kartentisch?«

Wir hatten im Studio rechts außen den alten Kartentisch aus der Wolfsschanze nachgebaut. Ich hatte eine schöne große Reliefkarte der Welt bestellt. »Warum«, fragte ich beim Hinüberschlendern, »verzichtet Ihre Partei in letzter Zeit eigentlich auf die Erfahrung, auf das Wissen eines Mannes wie des früheren Kriegsministers Fischer?«

»Joschka Fischer war nie Verteidigungsminister«, entgegnete Künast brüsk.

»Da haben Sie recht«, pflichtete ich ihr bei, »ich habe ihn auch nie als Verteidigungsminister gesehen. Verteidigen kann man nur Reichsgebiete, und da gehört das Kosovo ja nun nicht unmittelbar dazu. Eine Annexion hätte angesichts der Entfernung auch keinen Sinn gemacht – oder sehen Sie das anders?«

»Eine Annexion des Kosovo stand doch nie zur Debatte! Es ging um die ethnischen Säuberungen ... also, ich erkläre Ihnen doch jetzt nicht die Sache mit der Intervention im Kosovo. Da konnte man einfach nicht wegsehen!«

»Niemand hat dafür mehr Verständnis als ich«, sagte ich ernst. »Sie haben völlig recht, es gab da gar keine Alternative, ich kenne das noch von 1941. Was macht denn dieser Fischer eigentlich jetzt so?«

Ihre Augen pendelten zwischen den aktuellen Befindlichkeiten des Herrn Fischer und einer vergleichenden Betrachtung der Balkanpolitik der letzten siebzig Jahre. Sie entschied sich für Ersteres.

»Wichtig ist, dass die Grünen sich um Talente in den eigenen Reihen keine Sorgen machen müssen. Joschka Fischer war und ist eine wichtige Person in der Geschichte der grünen Bewegung, doch jetzt sind andere an der Reihe.«

»Wie zum Beispiel Sie?«

»Wie – unter vielen anderen – auch ich.«

Wir waren inzwischen beim Kartentisch angekommen. Ich hatte die Einsatzorte der »Bundeswehr« mit Fähnchen markieren lassen.

»Darf ich Sie fragen, wie die Grünen den Einsatz in Afghanistan siegreich beenden möchten?«

»Was heißt siegreich beenden – der Militäreinsatz muss dort möglichst rasch beendet werden. Das führt nur zu weiterer Gewalt ...«

»In Afghanistan gibt es für uns nichts zu gewinnen, das sehe ich ähnlich. Was sollen wir dort?«

»Moment«, sagte sie, »aber ...«

»Jetzt sagen Sie bitte nicht, Sie haben wieder Bedenken wegen meiner Motive«, sagte ich. »Sagen Sie bitte nicht, dass nur Sie sich aus Afghanistan zurückziehen dürfen, und ich müsste drinbleiben!«

»Ich bin nicht sicher, ob ich überhaupt noch was sage«, meinte sie und irrte mit den Augen durchs Studio. Ihr Blick blieb unter dem Kartentisch hängen.

»Da steht noch eine Aktentasche«, sagte Künast süffisant, »gehört das so?«

»Die hat wohl jemand vergessen«, sagte ich abwesend, »wo ist eigentlich Stauffenberg?«

Die Sache mit der Aktentasche unter dem Kartentisch war wiederum meine Idee gewesen. Tatsächlich ist mir der ganze Vorfall beim Besuch der Wolfsschanze wieder so recht eingefallen. Ich habe dann auch vorgeschlagen, man könnte das als festes Element in die Sendung nehmen. Neben dem Gang zum Kartentisch. Die Aktentasche, fand ich, sollte man bei jeder Sendung für jeden Gast neu verstecken.

»Nachdem wir uns auf den Abzug aus Afghanistan geeinigt haben«, sagte ich über den Tisch gebeugt, »verraten Sie uns zum Schluss bitte noch: Wenn die Grünen die Regierungsgewalt in diesem Lande bekommen – welches Land werden Sie als Erstes annektieren?«

»Die Tasche tickt«, sagte Künast entgeistert.

Das war Sensenbrinks Idee gewesen. Er hatte sie ganz kurz vor mir.

»Seien Sie nicht albern«, mahnte ich. »Eine Tasche tickt nicht. Eine Tasche ist kein Wecker. Welches Land, sagten Sie?«

»Kommt da jetzt Konfetti raus? Oder Mehl? Ruß? Farbe?«

»Mein Gott, dann sehen Sie doch nach!«

»Das würde Ihnen so passen. Ich bin ja nicht verrückt!«

»Dann werden Sie es wohl nie erfahren«, sagte ich. »Wir hingegen haben einiges Interessante über Ihre sehr sympathische Partei erfahren. Vielen Dank, dass Sie bei uns waren – Frau Renate Künast!«

Ich blickte unter dem Applaus hinter die Kulissen. Dort standen Sensenbrink und die Dame Bellini. Sie klatschten abwechselnd und streckten mir dazwischen ihre Fäuste mit aufgerichteten Daumen entgegen.

Es war ein gutes Gefühl.

XXXI.

Das Wichtigste, was ich in meiner Laufbahn als Politiker gelernt habe, ist die richtige Einschätzung repräsentativer Pflichten. Ich habe es im Grunde immer verachtet, dieses Angewiesensein auf Gönner, und dennoch muss der Politiker um der Zukunft des Landes willen in dieser Hinsicht häufiger über seinen Schatten springen. Es mag sein, dass öffentliches Händeschütteln, die Hochachtung der Spitzen der Gesellschaft für jene Kaste der Politikdarsteller einen Anreiz darstellt, für Menschen, die das Leben *in* der Öffentlichkeit verwechseln mit einem Leben *für* die Öffentlichkeit, für die Nation, für den kleinen Mann, der sich das Brot und die Kleidung vom Munde abspart. Und wer im Fernsehapparat sich auch nur fünfzehn Minuten den Nachrichten widmet, der wird mit tödlicher Sicherheit mindestens ein halbes Dutzend von jenen Mensch gewordenen Bücklingen sehen, die vor irgendwelchen wichtigen Personen kriechen. Ich habe derlei immer mit Ekel verfolgt und habe diverse Höflichkeitsbesuche nur um der Sache willen gequält auf mich genommen, um der Partei willen, etwa für das deutsche Volk, für die Erhaltung der Rasse oder einen neuen Mercedeswagen.

Gut, und für die Vierhundert-Quadratmeter-Wohnung am Prinzregentenplatz.

Und von mir aus letzten Endes auch für den Obersalzberg.

Es waren all dies aber Anschaffungen, die letztlich mit der Attraktivität des Führers auch die der Partei und damit der Bewegung steigerten. Wenn ich allein an die Besucherströme am Berghof denke, da kann keiner behaupten, das hätte irgendetwas mit Erholung zu tun gehabt! Oder der Besuch von Mussolini, grauenhaft! Es darf sich eben ein Führer nicht aus der Öffentlichkeit zurückziehen, oder nur zeitweise, sagen wir. Wenn seine Reichshauptstadt in Trümmern liegt, dann kann er schon einmal für eine geraume Zeit in einen Führerbunker gehen. Sonst aber gehört der Führer zu seinem Volke. Weshalb ich mich auch sehr über die Einladung aus München freute.

Es hatte mir bereits im späten August eine namhafte Gesellschafts-Zeitschrift geschrieben, die Schriftleiterin bat mich, ihrem Magazin anlässlich des wieder zu »Oktoberfest« zurückgetauften ehemaligen Großdeutschen Volksfests einen Besuch abzustatten. Bei Flashlight riet mir jeder zum Besuche dieser Veranstaltung, ich war zunächst zögerlich. Ich bin im ersten Abschnitt meiner Laufbahn niemals dort gewesen, allerdings hatten sich die Zeiten geändert und damit auch die Bedeutung dieser knapp zweiwöchigen Traditionsveranstaltung. Wie mir mehrfach bestätigt wurde, war aus dem Oktoberfest inzwischen ein Volksfest geworden, das ohne allzu große Beteiligung der Bevölkerung auskam. Wer in einem jener Festzelte sitzen und etwas zu sich nehmen wollte, musste Monate, manchmal Jahre vorher dafür einen Platz reservieren oder aber den Besuch auf Tageszeiten verschieben, zu denen ein anständiger Deutscher niemals dorthin gehen würde.

Nun würde selbstverständlich kein geistig gesunder Mensch eine Harmlosigkeit wie einen Volksfestbesuch Monate oder Jahre vorher planen. Die Folge war, so erfuhr ich, dass sich dort vormittags und des frühen Nachmittags vor allem unanständige Deutsche und von der Aura des berühmten Fests angezogene Ausländer und Touristen herumtrieben, die erbittert versuchten, schon zur Mittagszeit den Tag zum Abend zu machen. Zu dieser Zeit, so riet mir die Dame Bellini genauso wie Herr Sensenbrink, empfehle es sich, dort nicht zu erscheinen, weil das Erscheinen zu solchen Zeiten auf eine unbedeutende, ja entbehrliche Persönlichkeit schließen ließ. Die Abende hingegen gehörten ebenfalls nicht der örtlichen Bevölkerung, sondern den Konzernen jedweden Industriezweigs. Praktisch jede halbwegs namhafte Firma fühlte sich verpflichtet, für ihre Kunden oder die Presse sogenannte Wiesnbesuche zu arrangieren, manche Presseorgane waren jedoch aus Unzufriedenheit mit den Firmenereignissen oder den dort vorhandenen Gästen dazu übergegangen, sich selbst gleich einen passenden Wiesnbesuch zurechtzuschnitzen, ein, wie ich fand, sehr kluges, eigentlich regelrecht goebbelshaftes Vorgehen. Manche dieser Treffen, so versicherte man mir, konnten zwischenzeitlich an Bedeutung durchaus mit einem Opernballe mithalten. Und zu jenen qualitativ hochwertigen Treffen gehörte jenes des Magazins. Meine Zusage entpuppte sich obendrein als propagandistisch besonders wirksam, weil aufgrund meines vorherigen Fernbleibens von dem Feste gleich mehrere Boulevardzeitungen auf ihre Titelseiten schrieben: »Hitler zum ersten Mal auf der Wiesn«. Angesichts dieser Reibungslosigkeit, so dachte ich nicht unzufrieden, rückte die Organisation eines neuen »Völkischen

Beobachters« zunehmend und immer weiter in den Hintergrund.

Ich war gegen Mittag in der Stadt angekommen und hatte die Zeit genutzt, einige lieb gewonnene Orte aufzusuchen. An der Feldherrnhalle verweilte ich kurz in Gedenken an das hier vergossene Blut treuer Kameraden, ich spazierte rührselig am Hofbräukeller vorbei, dann ging ich, ein wenig bange, zum Königsplatz. Doch wie jubelte mein Herz, als es all die herrlichen Bauten dort unversehrt sah: die Propyläen! Die Glyptothek. Die Antikensammlung! Und – ich hatte es kaum zu hoffen gewagt – auch der Führerbau und der Verwaltungsbau standen nach wie vor und wurden sogar noch genutzt! Dass der Königsplatz durch diese begnadeten Bauten erst vollendet wurde, war also nicht einmal diesen demokratischen Gesinnungsrichtern entgangen. Ich schlenderte frohgemut ein wenig durch Schwabing, wie von selbst führten meine Schritte in die Schellingstraße – und dort zu einem unverhofften Wiedersehen. Man kann sich kaum meine übergroße Freude vorstellen, als mich dort das Schild der Osteria Italiana begrüßte – hinter der sich nicht weniger verbarg als mein altes Stammlokal, die Osteria Bavaria. Ich wäre zu gerne eingekehrt, um eine Kleinigkeit zu mir zu nehmen, ein frisches Mineralwasser – allein, die Zeit war bereits stark fortgeschritten, und es galt, ins Hotel zurückzukehren, wo mich des Abends eine Droschke abholte.

Die Ankunft an der Theresienwiese war ernüchternd. Polizei sperrte das Gelände großräumig ab, jedoch sorgte sie weder für Sicherheit noch für Ordnung. Ich konnte kaum aus dem Auto steigen, schon taumelten zwei extrem angetrunkene Gestalten auf mich zu und an mir vorbei auf die Rücksitze.

»Brrralleeiiiinschraaaße!«, murmelte einer von beiden, während der andere schon im Halbschlaf schien. Der Chauffeur, ein kräftiger Mann, entfernte daraufhin zunächst die beiden Trinker mit den Worten »Raus da, des is koa Taxi!« aus seinem Fahrzeug, bevor er mich zum Veranstaltungsort begleiten konnte. »Entschuldigen 'S'«, sagte er zu mir, »des is halt immer des mit dera Scheißwiesn.«

Wir gingen die wenigen Meter über die Straße zum Festgelände. Mein Eindruck: Es war kaum zu fassen, dass jemand auf die Idee kommen konnte, hier irgendeine Zusammenkunft von gesellschaftlicher Relevanz zu inszenieren. An den umzäunten Grundstücken rundum lehnten Betrunkene, die anhaltend auf die andere Seite des Zauns urinierten. Auf manche dieser Gestalten warteten Frauen gleich unsicheren Zustands, die sichtlich gerne dasselbe getan hätten, es aber wohl aus einem unterbewussten Rest Anstand heraus nicht wagten. Ein Pärchen versuchte, an eine Litfasssäule gelehnt Zärtlichkeiten auszutauschen. Er intendierte offenbar, ihr die Zunge in den Mund zu schieben, fand diesen jedoch nicht, weil sie nach unten wegglitt, und begnügte sich dann mit ihrer Nase. Sie öffnete, seine Zudringlichkeiten erwidernd, den Mund und rührte mit der Zunge planlos in der Luft. Dann rutschten beide erst langsam, dann rascher werdend, der Rundung der Säule folgend zu Boden. Sie lachte dabei kreischend und versuchte etwas zu sagen, konnte sich jedoch wegen fehlender Konsonanten nicht verständlich machen. Er kam unter ihr zu liegen, wühlte sich hervor, setzte sich kurz auf und versenkte dann wortlos eine Hand in ihrem Ausschnitt. Es war nicht gewiss, ob sie selbst es bemerkte, drei benachbarte Italiener hingegen sahen es mit Interesse und beschlossen, die Vorgänge aus größerer Nähe zu verfolgen. Für weiteres Aufsehen sorgte das entwürdigende Mühen nicht, auch und gerade nicht bei der Polizei, die damit beschäftigt war, Bewusstlose aufzulesen, von denen es reichlich gab.

Die Theresienwiese besitzt – entgegen ihres Namens – wenige bis gar keine Grünflächen, allein bei den kreisrund sie umgebenden Bäumen sind einige Fetzen Wiese, es hat sich dies seit meinem ersten Aufenthalte hier nicht geändert. In praktisch jedem dieser Wiesenfetzen fand sich, soweit ich das beobachten konnte, ein bis zur Bewusstlosigkeit Betrunkener, und wo noch keiner war, dort sah das Auge ohne große Mühe bereits jemanden hinstreben, wo er sofort zusammenbrach oder sich übergab oder auch beides. »Ist das immer so?«, fragte ich den Chauffeur.

»Freitags ist's schlimmer«, sagte der Chauffeur gleichmütig. »Scheißwiesn!«

Ich kann es nicht erklären, aber plötzlich fiel mir siedend heiß der Grund für dieses menschliche Debakel ein. Es konnte sich nur um eine Entscheidung der NSDAP von 1933 handeln, die natürlich dazu gedacht gewesen war, die Beliebtheit der Partei beim Volke noch weiter zu steigern – man hatte seinerzeit den Bierpreis festgeschrieben. Anscheinend hatten sich seither allerdings auch andere Parteien auf diese Weise die Beliebtheit sichern wollen.

»Das sieht diesen Idioten ähnlich«, platzte ich heraus. »Haben die denn den Bierpreis nicht erhöht? 90 Pfennige für die Maß sind doch heute ein Witz!«

»Wieso 90 Pfennige?«, fragte der Chauffeur. »Die Maß kostet neun Euro! Mit Trinkgeld zehn.«

Ich sah im Vorübergehen die erstaunlichen Klumpen

der Bierleichen. Irgendwie mussten diese Parteien bei aller Misswirtschaft doch einen unerwarteten Wohlstand zuwege gebracht haben. Nun ja, keinen Krieg zu führen sparte natürlich schon den einen oder anderen Betrag. Andererseits: Wenn man den Zustand des Volkes hier sah, musste selbst der Verblendetste zugeben, dass die Deutschen im Jahre 1942 oder 1944, ja selbst in bittersten Bombennächten besser beieinander gewesen waren als an diesem Septemberabend zu Beginn des dritten Jahrtausends.

Wenigstens körperlich.

Ich folgte kopfschüttelnd dem Chauffeur, der mich am Eingang des Festzeltes einer jungen blonden Dame überantwortete und dann zu seinem Fahrzeug zurückkehrte. Sie hatte Kabel am Kopfe, ein Mikrofon vor dem Mund und sagte lächelnd: »Hallo, ich bin die Tschill – Sie sind …?«

»Schmul Rosenzweig«, sagte ich, schon wieder ein wenig genervt. War ich denn so schwer zu erkennen?

»Danke. Rosenzweig … Rosenzweig …«, wiederholte sie, »hab ich hier gar keinen auf der Liste.«

»Himmel noch mal«, fluchte ich, »sehe ich aus wie ein Rosenzweig? Hitler! Adolf!«

»Bitte, sagen Sie das doch gleich«, klagte sie so vibrierend, dass mir meine Bemerkung fast schon wieder leidtat. »Was glauben Sie, wer hier alles herkommt – ich kann doch auch nicht alle kennen! Wenn dann auch noch jeder einen falschen Namen sagt. Vorhin hab ich die Frau vom Becker mit seiner letzten Freundin verwechselt, der hat mich schon total rund gemacht …«

Bedauern ist mir nicht fremd. Ein echter Führer fühlt mit jedem seiner Volksgenossen wie mit einem eigenen Kinde. Aber Mitleid hat noch niemandem geholfen.

»Jetzt nehmen Sie mal Haltung an«, sagte ich scharf. »Sie stehen auf diesem Posten, weil sich Ihr vorgesetzter Offizier auf Sie verlässt! Geben Sie Ihr Bestes, dann wird auch er Ihnen seine Unterstützung nicht versagen!«

Sie sah mich etwas verwirrt an, fasste aber – wie es im Schützengraben nicht selten vorkommt – gerade durch die barsche Ansprache etwas Mut, nickte und führte mich hinein zu der Veranstaltung in der oberen Etage des Zelts, wo ich sogleich der Schriftleiterin zugeleitet wurde. Es handelte sich um eine gereifte blonde Dame in einem Dirndl, mit blitzenden, blauen Augen, die ich mir dank ihrer aufgeweckten Art jederzeit als Büroleiterin in der Parteizentrale vorstellen konnte. Eine Zeitschrift hätte ich ihr nicht notwendigerweise anvertraut, obwohl, eine Klatschpostille mit Gesundheitstipps und Strickmustern, wer weiß, das mochte gerade angehen. Zudem war ihr vermutlich auch an Ansprache gelegen, sie sah aus, als habe sie schon vier oder fünf Kinder großgezogen und wäre wohl inzwischen reichlich einsam zu Hause.

»Ah«, strahlte sie, »der Herr Hitler!« Und ihre Augenwinkel blitzten verschmitzt, als hätte sie einen ganz ausgezeichneten Scherz gemacht.

»Richtig«, sagte ich.

»Mei, das ist aber schön, dass Sie da sind.«

»Ja, ich freue mich auch außerordentlich, gnädige Frau«, sagte ich, und bevor ich mehr antworten konnte, überzog sie ihr Gesicht mit einem noch glänzenderen Strahlen und drehte sich zur Seite, woraus ich schloss, dass nun wohl ein obligatorisches Foto gemacht würde. Ich blickte ernst in dieselbe Richtung, dann gab es einen Blitz und meine Audienz war beendet. Ich entwarf rasch einen kleinen Vierjahresplan, der vorsah, dass die Schriftleiterin schon im nächsten Jahr hier mindestens fünf Minuten mit mir plaudern würde und in dem darauf zwanzig – selbstverständlich nur theoretisch, denn bis dahin hatte ich vor, auf Einladungen wie diese dankend verzichten zu können. Da würde sie dann mit jemandem wie Göring vorliebnehmen müssen.

»Wir sehen uns ja sicher später noch«, flötete die Schriftleiterin, »ich hoffe, Sie haben ein bisschen Zeit für uns.« Worauf mich eine junge, volkstümlich gekleidete Frau weiterzerrte zu mehreren volkstümlich gekleideten Frauen.

Das war überhaupt eine der furchtbarsten Sitten, die mir jemals untergekommen war: Nicht nur die Schriftleiterin oder jene junge Frau, schlicht jede Frau in der gesamten Örtlichkeit fühlte sich verpflichtet, sich in ein Kleid zu pressen, das bemüht dem der Landbevölkerung nachempfunden war, das aber schon der erste Blick als geradezu schauerliche Imitation entlarvte. Nicht, dass man im Bund Deutscher Mädel nicht in eine vergleichbare Richtung gearbeitet hatte, allerdings hatte es sich dabei, wie der Name schon sagt, um Mädel gehandelt. Hier hingegen waren in überwiegender Mehrheit Damen versammelt, deren Mädelalter schon mindestens ein Jahrzehnt zurücklag, wenn nicht mehrere. Ich wurde an einen Biertisch geführt, an dem bereits mehrere Personen saßen.

»Was darf ich bringen?«, fragte eine Kellnerin, deren Dirndl wenigstens die Authentizität einer ehrlichen Arbeitskleidung besaß. »Eine Maß?«

»Ein stilles Wasser«, bat ich.

Sie nickte und verschwand.

»Oho, ein Profi«, sagte ein beleibter Farbiger am Tischende, der neben einer blassen Blonden saß, »aber du mussen bestellen in ein Maßkrug! Das sieht besser aus fur die Fotografen. Glaub mir, ich mach das jetzt seit funfzig Jahre.« Dabei grinste er unglaublich breit und enthüllte unbegreifliche Zahnmengen. »Wie sieht das denn aus – auf der Wiesn mit ein Wasserglas?«

»Ach was, stille Wasser sind tief«, sagte mir gegenüber eine etwas verlebt wirkende Dirndlträgerin, die – wie mir später zu Ohren kam – ihren Lebensunterhalt in einer jener hingeschluderten Spielserien verdiente. Das heißt, wenn sie nicht gerade in einer anderen Sendung mitwirkte, die, wenn ich recht gehört hatte, darin bestand, dass man mit anderen Figuren gleichartiger Drittklassigkeit in einen Urwald ging und sich dabei beobachten ließ, wie man in Gewürm und Exkrementen watete.

»Sie machen ja lustige Sachen, ich hab schon einiges von Ihnen gesehen«, sagte sie, nahm einen Schluck aus ihrem Maßkruge und beugte sich vor, um mir einen Einblick in ihren Ausschnitt zu gewähren.

»Sehr erfreut«, sagte ich, »ich habe auch schon ein oder zwei Dinge von Ihnen gesehen.«

»Muss ich Sie kennen?«, fragte ein junger blonder Mann schräg vis-à-vis.

»Aber sicher«, sagte der Maßkrugneger, während er einem anderen jungen Mann mit einem dicken Filzstift ein Foto signierte, »das ist der Hitler vom Wizgür. Freitags bei MyTV! Oder nein, der hat jetzt ein eigene Sendung. Mussdu gucken, du schmeißt dich weg.«

»Aber ganz anders als sonst, das ist irgendwie auch politisch«, sagte der verlebte Ausschnitt, »das ist fast wie Harald Schmidt!«

»Mit dem kann ich ja nicht so viel anfangen«, sagte der Blonde und wandte sich zu mir. »Sorry, das ist jetzt nicht persönlich, aber Politik, ich finde, wir ändern hier doch eh nichts. Diese ganzen Parteien und so, das ist doch alles eine Suppe.«

»Sie sprechen mir aus der Seele«, sagte ich, während die Kellnerin mein Mineralwasser vor mich stellte. Ich nahm einen Schluck und blickte über den Tisch hinweg hinunter in den Hauptsaal des Festzelts, um dem örtlichen Schunkeln zuzusehen. Niemand schunkelte. Alles stand auf den Biertischen und Bänken, mit Ausnahme derer, die gerade herunterfielen. Man schrie nach einem Anton. Ich versuchte mich zu erinnern, ob Göring nach seinen Festbesuchen jemals von einer derartigen Massenverwahrlosung berichtet hatte, fand aber in meinem Gedächtnis keinerlei Hinweise darauf.

»Wo kommen Sie her«, fragte die verlebte Dame. »Sie sind aus Süddeutschland, nicht wahr?« Der Ausschnitt wurde mir erneut hingehalten wie ein Klingelbeutel.

»Aus Österreich«, sagte ich.

»Wie der echte!«, sagte der Ausschnitt.

Ich nickte und ließ meinen Blick durch den Raum schweifen. Man hörte ein Kreischen, dann versuchten einige der Damen in ihren lachhaften Kleidern ebenfalls auf Bierbänke zu steigen und andere zum Mitmachen zu bewegen. Es hatte wenig Animierendes, diese Damen in ihrer zwanghaft guten Laune, die zugleich etwas furchtbar Verzweifeltes ausstrahlte. Vielleicht trog der Schein auch, und es lag nur an den häufig stark geschwollenen Lippen, die den Mundpartien allen Anstrengungen zum Trotz einen schmollenden, sogar leicht beleidigten Zug angedeihen ließ. Ich besah beiläufig die Lippen des verlebten Ausschnitts gegenüber. Sie wirkten normal, immerhin.

»Ich mag die Aufspritzerei auch nicht«, sagte der Ausschnitt.

»Verzeihung?«

»Sie haben doch auf meinen Mund gesehen, oder?«

Sie nahm einen Schluck Bier. »Ich mag da keinen Arzt ranlassen. Obwohl ich mir manchmal denke, ich hätte es damit leichter. Man wird ja nicht jünger.«

»Einen Arzt? Sind Sie krank?«

»Sie sind süß«, sagte der Ausschnitt und beugte sich über den Tisch, dass man den Inhalt hätte auffangen mögen. Sie griff an meine Schulter und drehte sie so, dass wir beide in dieselbe Richtung sahen. Sie roch deutlich nach Bier, wenn auch noch nicht im unangenehmen Ausmaße. Dann begann sie mit dem leicht schwankenden Zeigefinger der Rechten von links nach rechts die verschiedensten Damen abzudeuten: »Mang. Gubisch. Mang. Prag. Weißnich. Mang. Mühlbauer, schon länger her. Weißnich, weißnich. Mühlbauer. Tschechien. Mangmang. Irgend'n Pfuscher, dann Mang, und bezahlt hat die Reparatur RTL 2 oder Pro Sieben oder die Produktionsfirma, für irgend so einen Report.« Dann ließ sie sich wieder auf ihren Sitz sinken und sah mich an.

»Sie haben doch auch was machen lassen, oder?«

»Ich habe was machen lassen?«

»Diese Ähnlichkeit, ich bitte Sie! Die ganze Branche rätselt schon, wer das hingekriegt hat. Obwohl«, und hier nahm sie einen weiteren großen Schluck Bier, »wenn Sie mich fragen: Man sollte den Kerl verklagen.«

»Gnädige Frau, ich habe keine Ahnung, wovon Sie reden!«

»Von Operationen«, sagte sie genervt. »Und tun Sie nicht so, als hätte es keine gegeben. Das ist doch albern!«

»Selbstverständlich gab es Operationen«, sagte ich irritiert. Sie war auf ihre Art nicht unsympathisch. »Seelöwe, Barbarossa, Zitadelle ...«

»Nie gehört. Waren Sie zufrieden?«

Unten im Saal spielte man »Flieger, grüß mir die Sonne«. Das stimmte mich wohlwollend nostalgisch. Ich seufzte. »Anfangs war es ganz in Ordnung, aber dann gab es Komplikationen. Nicht, dass die Engländer besser gewesen wären. Oder die Russen … Aber trotzdem.«

Sie musterte mich. »Man sieht keine Narben«, sagte sie fachmännisch.

»Ich will nicht klagen«, sagte ich, »die tiefsten Wunden schlägt das Schicksal in unseren Herzen.«

»Da haben Sie recht«, sagte sie lächelnd und hielt mir ihr Bier entgegen. Ich erwiderte ihren Gruß mit meinem Mineralwasser. Ich versuchte weiterhin, die seltsame Gesellschaft zu durchschauen. Generell war hier die Jugend kaum vertreten, es galt jedoch, sich so zu benehmen, als sei man gerade erst zwanzig. Daher rührte wohl die Dekolleté-Parade, aber auch das Benehmen Einzelner. Es war befremdlich. Sobald mich einmal dieser Eindruck befallen hatte, ließ er mich nicht mehr los. Es waren all diese Männer, die nicht in der Lage waren, den körperlichen Verfall mannhaft zu ertragen und mit geistiger Arbeit oder auch nur wenigstens einer gewissen Reife zu kompensieren. All diese Frauen, die sich nicht nach getaner Aufzucht ihrer Kinder für das Volk zufrieden zurücklehnten, sondern gebärdeten, als hätten sie jetzt und nur jetzt die unwiederbringliche Gelegenheit, ihre verblühte Jugend für wenige Stunden zurückzufordern. Man hätte jede dieser Figuren am Kragen packen und anschreien mögen: »Reißen Sie sich zusammen! Sie sind eine Schande für sich und für Ihr Vaterland!« Solcherart grübelte ich, als jemand auf den Tisch zutrat und mit den Fingerknöcheln darauf klopfte.

»Gudn Aamd«, sagte er mit dem unverkennbaren Dialekt, der mich immer so sehr an die wunderschöne Stadt Streichers erinnerte. Er hatte lange dunkle Haare, er mochte Mitte vierzig oder älter sein und hatte offenbar seine Tochter dabei.

»Der Lothar!«, sagte der verlebte Ausschnitt und rückte etwas zur Seite. »Setz dich her!«

»Naa«, sagte Lothar, »i bin ner blos ganz kurz do. Ich wolld aber amal sagn, des is fei guud, was du da machsd. Ich hobb die Nummer am letztn Freidooch gsehn, des is scho lusdich, obber des is auch einfach wahr, was du sagsd. Des mit Eurobba un dem ganzn Zeuch! Und in der Wochn dervor, des middi Sozialdings ...«

»Sozialschmarotzer«, ergänzte ich.

»... genau«, sagte er, »des und des middi Kinder. Die Kinder sin ja wirglich unser Zuckumbfd. Du bringsd es echd affn Bunkt. Des wolld i der blous amal sagn.«

»Danke«, sagte ich. »Das freut mich. Unsere Bewegung braucht jede Unterstützung. Es würde mich freuen, auch Ihr Fräulein Tochter zu den Unterstützern rechnen zu dürfen?«

Er wirkte plötzlich wütend, dann lachte er hell auf und wandte sich zu seiner Tochter. »Er widder. Und immer so knübblhardd! Genau dou hie, wo's richdich weh dudd.« Dann klopfte er wieder mit den Knöcheln auf den Tisch: »Tschau, mir sehng sich!«

»Sie wissen aber, dass das nicht seine Tochter ist, oder?«, fragte der Ausschnitt, als Lothar gegangen war.

»Ich habe es angenommen«, sagte ich, »natürlich nicht biologisch, rein rassisch geht das ja nicht, ich nehme an, er hat das Mädchen adoptiert. Ich habe das schon immer befürwortet, bevor so ein armes Ding elternlos im Waisenhaus aufwächst ...«

Der Ausschnitt rollte mit den Augen.

»Können Sie auch mal was ganz Normales sagen?«, seufzte sie. »Ich muss mal für kleine Mädchen! Laufen Sie nicht weg! Sie sind vielleicht furchtbar, aber Sie sind wenigstens nicht langweilig.«

Ich nahm einen Schluck Wasser. Ich überlegte, wie ich diesen Abend bewerten sollte, als ich hinter mir eine größere Unruhe spürte, eine Dame mit einem größeren Pulk an Bildberichterstattern. Die Dame schien eine der Hauptattraktionen des Ereignisses zu sein, da sie praktisch ununterbrochen Fotografen und Fernsehkameras anzog. Sie hatte einen südländischen Teint, was ihr Dirndl besonders seltsam wirken ließ, und ihr Dekolleté war geradezu grotesk gefüllt. Konnte man die Gesamterscheinung jedoch noch als ansehnlich in einem sehr vulgären Sinn betrachten, versiegte der Eindruck sofort, sobald sie den Mund öffnete. Sie sprach in einer Tonhöhe jenseits aller mir bekannten Kreissägen. Da man dies auf Fotografien nicht hört, war den Bildberichterstattern derlei natürlich gleichgültig. Sie war gerade dabei, etwas in eine Kamera zu kreischen, als ein Fotograf mich in ihrem Hintergrund erblickte und die Dame an meinen Tisch bugsierte, offenbar um ein Bild von uns gemeinsam zu machen. Der Dame schien dies unangenehm.

Ich kenne diesen Gesichtsausdruck. Man konnte sehen, wie hinter den vordergründig lachenden Augen eine erbarmungslose Rechenmaschine kalkulierte, ob dieses Foto ihr nun einen Vorteil zu sichern vermochte oder nicht. Was mir half, dies zu durchschauen, war, dass in meinem Kopfe dieselbe Kalkulation ablief, allerdings erheblich schneller, zudem mit negativem Ausgange. Sie hingegen schien noch immer zu keinem Ergebnis gekommen, man spürte es an ihrem Zögern. Ihr schienen die Folgen ungewiss und daher ein Risiko, dem sie sich lieber mit einem Scherzwort entzogen hätte. Doch hatte zu diesem Zeitpunkt einer der hinzugekommenen Fotografen bereits das Schlagwort »Die Schöne und das Biest« in die Schlacht geworfen, worauf die Meute der Bildberichterstatter nicht mehr aufzuhalten war. Also trat die exotische Rechenmaschine die Flucht nach vorne an und stürzte sich mit einem kreischenden Lachen auf mich.

Dieser Typ Frau ist nicht neu, es gab ihn bereits vor siebzig Jahren, wenn auch nicht derart prominent. Es waren und sind dies damals wie heute Frauen von maßlosem Geltungsdrang und geringem Selbstwertgefühl, das sie beschwichtigen möchten, indem sie eifrig all ihre vermeintlichen Mängel zu verbergen suchen. Aus unbegreiflichen Gründen hält jener Typus Frau dazu immer nur eine Methode für geeignet – sie versuchen, das Geschehen ins Lächerliche zu ziehen. Es ist der gefährlichste Typ Frau, der einem Politiker begegnen kann.

»Mensch, du«, quietschte sie auf und versuchte sich an meinen Hals zu werfen, »das ist ja supi! Darf ich Adi zu dir sagen?«

»Sie dürfen Herr Hitler zu mir sagen«, erwiderte ich nüchtern.

Manchmal genügt das, um die Leute zu vertreiben. Doch sie setzte sich stattdessen auf meinen Schoß und sagte: »Du, das ist ja dufte, Herr Hitler! Was machen wir beide denn jetzt für die lustigen Fotografen? Hmmmduuu?«

Man hat in Situationen wie diesen alles zu verlieren und nichts zu gewinnen. Und neunundneunzig von hundert Männern hätten hier die Nerven verloren und den Rückzug angetreten, unter Vorwänden wie »Frontbegradigung« oder »Neuaufstellung der Truppenteile«. Ich habe das oft genug beobachtet, damals im russischen Winter 1941, der mit minus 30 Grad, minus 50 Grad so überraschend über meine Soldaten hereingebrochen ist. Damals hat es auch nicht an Leuten gefehlt, die sagten: »Zurück, zurück!« Ich allein habe die Nerven behalten und habe gesagt: Nichts da, keinen Meter zurück! Wer weicht, wird erschossen. Napoleon hat versagt, aber ich allein habe die Front gehalten, und im Frühjahr haben wir die krummbeinigen sibirischen Bluthunde gehetzt wie die Hasen, über den Don, bis Rostow, bis nach Stalingrad und dann so weiter, ich will da jetzt nicht unnötig ins Detail gehen.

Jedenfalls kam ein Rückzug damals nicht infrage und auch nicht in dieser unangenehmen Bierzeltsituation. Die Lage ist niemals aussichtslos, wenn man den fanatischen Willen zum Sieg hat. Man denke nur an das Wunder des Hauses Brandenburg 1762. Zarin Elisabeth stirbt, ihr Sohn Peter schließt Frieden, Friedrich der Große ist gerettet. Hätte Friedrich vorher kapituliert, hätte man kein Wunder, kein Königreich Preußen, kein gar nichts, nur eine tote Zarin. Viele sagen, mit Wundern kann man nicht rechnen. Ich sage: doch! Man muss nur so lange warten, bis sie auch kommen. Bis dahin gilt es eben, in der Stellung auszuharren. Eine Stunde, ein Jahr, ein Jahrzehnt.

»Sehen Sie, gnädige Frau«, sagte ich, um Zeit zu gewinnen, »ich freue mich ja so, wieder hier zu sein, hier im schönen München, in meiner Hauptstadt der Bewegung – wussten Sie das?«

»Nein, wie interessant«, quietschte sie ratlos und hob bereits ihre Arme, um mir durch die Frisur zu fahren. Es ist für solche Frauenzimmer weniges leichter, als Autoritäten herabzuwürdigen, indem man deren Äußeres beschädigt. Ich fand, wenn die Vorsehung ein Wunder in ihrer Planung bereithielt, war es jetzt an der Zeit.

Plötzlich hielt mir jemand aus der Reihe der Fotografen einen dicken schwarzen Stift unter die Nase.

»Signieren Sie doch das Dirndl«, sagte er.

»Das Dirndl?«

»Aber klar!«

»Ja! Super!« Letzteres kam aus den Reihen seiner Kollegen.

Die niedersten Instinkte des Menschen sind die zuverlässigsten Verbündeten, vor allem wenn man sonst keine hat. Selbstverständlich hatte die fragwürdige Frau kein Interesse an einem signierten Kleid. Die Fotografen jedoch drängten darauf, weil sie eine Variante des üblichen anzüglichen Ausschnittfotos witterten. Und gegen deren Begehr konnte sie nur begrenzt ankämpfen. Wer durch das Schwert lebt, wird durch das Schwert fallen, selbst wenn das Schwert nur ein Fotoapparat ist. Sie nickte daraufhin mit einem quietschenden »Super!«. Ich dachte, es wäre auf jeden Fall eine Möglichkeit, den Feind hinzuhalten, vielleicht gar neue Truppen heranzuführen.

»Sie gestatten, gnädige Frau?«

»Aber nur auf den Stoff«, quietschte sie zögerlich. »Und nicht so groß.«

»Gewiss«, sagte ich und machte mich ans Werk. Jede Sekunde Zeitgewinn zählte doppelt, also ergänzte ich meine Unterschrift noch durch einige Schmuckelemente. Ich kam mir schon selbst blöd vor, ich musste schließlich aufhören, sonst hätte es ausgesehen wie bei kleinen Mädeln, die sich Bildlein ins Poesiealbum malen.

»Fertig«, sagte ich bedauernd und setzte mich auf.

Irgendein Fotograf sagte »Uiuiui«. Die Dame folgte seinem Blick.

Ich sah überrascht, wie sie entsetzt die Augen aufriss.

»Verzeihen Sie«, sagte ich, »die Winkel sind wohl etwas unsauber geworden. Auf einem herkömmlichen Zeichenblock wäre das natürlich nicht passiert. Wussten Sie, dass ich einmal Maler werden ...«

»Sind Sie wahnsinnig?«, kreischte sie und sprang von meinem Schoße auf. Ich konnte es kaum glauben. Das Wunder der Theresienwiese.

»Entschuldigung, gnädige Frau«, sagte ich, »ich verstehe nicht recht?«

»Ich kann doch nicht mit einem Hakenkreuz auf der Brust über die Wiesn rennen!«

»Aber selbstverständlich können Sie das«, sagte ich beschwichtigend, »wir haben ja nicht mehr 1924. In diesem Lande gibt es vielleicht keine vernünftige Regierung, aber auf die Meinungsfreiheit lassen diese parlamentarischen Schwätzer ja nichts kommen und ...«

Sie hörte schon überhaupt nicht mehr zu und rieb zeternd derart heftig an ihrem Ausschnitt herum, dass es beinahe frivol wirkte. Und auch wenn mir die Verzweiflung nicht ganz nachvollziehbar war, schien doch die Lage gerettet. Auf den Fotos war sie diejenige, die nicht gut aussah. Die Fernsehbeiträge waren genau genommen noch besser, man konnte gut verfolgen, wie sie hochschnellte und mit einem unschön verzerrten Gesicht und einer Flut von Beschimpfungen nicht im Mindesten mehr heiter wirkte. Die meisten Beiträge endeten im Übrigen damit, wie sie wenige Minuten später entrüstet in einer Droschke abfuhr, erstaunliche Kraftausdrücke verschleudernd.

Insgesamt hätte ich freilich einen etwas würdevolleren Auftritt bevorzugt. Allerdings war das Resultat unter den gegebenen Umständen mehr als akzeptabel, die eigenen Verluste schienen mir in jedem Falle geringer als die des Gegners. Das Volk liebt stets noch den wehrhaften Sieger, der sich zu verteidigen weiß, der eine solche Person mit nicht mehr Aufwand vertreibt als eine lästige Fliege.

Ich wollte mir gerade ein weiteres Mineralwasser bestellen, als schon eines auf den Tisch gestellt wurde. »Mit einem schönen Gruß von dem Herrn dort«, sagte die Kellnerin und wies in eine Richtung. Ich blickte durch das Durcheinander von Menschen und sah etliche Tische entfernt eine blonde Gestalt mit der Gesichtsfarbe eines Wiesnhendls. Die Falten im Gesicht verliehen der Gestalt das Aussehen eines sehr alten Luis Trenker und ergaben zusammen genommen so etwas wie ein bizarres Grinsen. Als er meinen Blick aufnahm, hob jener Herr seinen Arm zu einer Winkbewegung, die in einer Faust mit aufgerichtetem Daumen endete, dazu versuchte er so verzweifelt wie vergeblich, das ledrige Grinsen noch zu verbreitern.

Ich rieb mir die Augen und beschloss, so bald als möglich aufzubrechen. Es war denkbar, dass die Getränke hier verunreinigt waren. Denn direkt neben jenem Herrn saß eine exakte Kopie jener Frau, die doch soeben mit dem Hakenkreuz auf der Brust das Zelt verlassen hatte.

XXXII.

Es ist erstaunlich, welche Wege die Vorsehung findet, um an ihr Ziel zu gelangen. Sie sorgt dafür, dass der eine im Schützengraben fällt, der andere hingegen überlebt. Sie lenkt die Schritte eines einfachen Gefreiten zur Tagung einer kleinen Splitterpartei, auf dass er sie später zu Millionen Mitgliedern führen kann. Sie sorgt dafür, dass mancher zu Höherem Bestimmte inmitten seiner Arbeit zu, sagen wir, einem Jahr Festungshaft verurteilt wird, damit er dort endlich die Muße findet, ein großes Buch zu schreiben. Sie sorgt auch dafür, dass ein unentbehrlicher Führer in der Sendung eines Türkenkobolds landet, um diesen anschließend derart zu überragen, dass man ihm eine eigene Sendung förmlich aufdrängt. Und daher bin ich sicher, dass auch die Vorsehung es so eingerichtet hat, dass das Fräulein Krömeier nichts von Rasierklingen versteht.

Denn wieder einmal galt es innezuhalten. Zwar hatte ich stets an die Sinnhaftigkeit meiner Wiederkehr geglaubt, doch war unter dem Ansturm der aktuellen Ereignisse die Ermittlung jenes eigentlichen Sinnes vorübergehend in den Hintergrund getreten. Und eine größere Dringlichkeit zeichnete sich zunächst nicht ab, schien doch das Volk gröberer Nöte und Demütigungen fürs Erste enthoben. Doch nun beschloss das Schicksal wie einst in Wien, mir ein zweites Mal die Augen zu öffnen.

Ich war bislang mit dem alltäglichen Leben recht wenig in Berührung gekommen, die kleinen Erledigungen hatte mir Fräulein Krömeier abgenommen. Erst nach und nach stellte sich heraus, wie sehr sich doch mancherlei gewandelt hatte, als ich beschloss, auch selbst einige Besorgungen zu machen. Ich hatte gerade in der letzten Zeit meinen guten alten Rasierapparat besonders vermisst. Bislang musste ich notdürftig mit einem jener Kunststoffapparate zurande kommen, deren Vorzug darin bestand, mehrere ungenügende Klingen zu kombinieren, um die Haut gleich mehrfach unangenehm abzuraspeln. Wie ich der Packung entnehmen konnte, hielt man dergleichen für einen gewaltigen Fortschritt, vor allem im Vergleich zur alten Version, die eine Klinge weniger beinhaltete. Ich jedoch konnte noch immer keinen Vorteil erkennen gegenüber einer vernünftigen guten alten einzelnen Klinge. Ich hatte vergeblich versucht, dem Fräulein Krömeier zu beschreiben, wie eine solche wohl aussah und zu funktionieren hätte. Insofern machte ich mich notgedrungen selbst auf den Weg.

Das letzte Mal richtig eingekauft hatte ich so etwa 1924 oder 1925. Damals ging man zu einem Kurzwarenhändler oder zu einem Seifengeschäft. Heute musste man dazu in die Drogerie, zu der mir das Fräulein Krömeier den Weg beschrieben hatte. Dort angekommen, musste ich feststellen, dass sich das Erscheinungsbild der Drogerie doch sehr gewandelt hatte. Früher gab es eine Theke, und dahinter waren die Waren. Heute gab es eine Theke, aber sie war nahe an den Ausgangsbereich gerückt. Dahinter befand sich überhaupt nichts außer der Innenseite des Schaufensters. Die eigentlichen Waren standen für jedermann zugänglich in endlosen Reihen von Regalen. Zuerst nahm ich an, es gäbe hier

Dutzende Verkäufer, die alle in zwangloser Kleidung erschienen waren. Es stellte sich heraus, dass dies die Kunden waren. Der Kunde holte sich alles selbst und rannte dann damit zur Theke. Es war überaus befremdlich. Selten zuvor hatte ich mich derart unhöflich behandelt gefühlt. Es war, als hätte mir jemand gleich am Eingang zu verstehen gegeben, dass ich mir meine paar lumpigen Rasierklingen gefälligst selbst zusammensuchen sollte, die Herrschaften Drogisten hätten nun einmal Besseres zu tun.

Erst allmählich erschloss sich mir der Zusammenhang: In wirtschaftlicher Hinsicht hatte dies mehrere Vorteile. Der Drogist konnte zunächst große Teile seines Verkaufslagers zugänglich machen und hatte damit mehr Verkaufsfläche. Des Weiteren konnten sich hundert Kunden selbst natürlich schneller bedienen, als zehn oder gar zwanzig Verkäufer es gekonnt hätten. Und zu guter Letzt sparte man sich auch diese Verkäufer. Der Vorteil lag auf der Hand: Bei einer flächendeckenden Einführung dieses Prinzips, so schätzte ich überschlägig, konnten in der Heimat sofort rund 100–200 000 Einsatzkräfte für den Fronteinsatz freigemacht werden. Das war derart beeindruckend, dass ich auf Anhieb sofort dem genialen Drogisten gratulieren wollte. Ich stürzte zu einer der Theken und fragte nach dem Herrn Rossmann.

»Welcher Herr Rossmann?«

»Na der, dem diese Drogerie gehört!«

»Der is nich da.«

Das war schade. Andererseits erübrigte sich die Gratulation, weil ich rasch herausfand, dass der kluge Herr Rossmann leider meine Rasierklingen nicht verkaufte. Ich wurde zu einem anderen Geschäft geschickt, dem eines Herrn Müller.

Um mich kurz zu fassen: Auch Herr Müller hatte die geniale Idee des Herrn Rossmann schon umgesetzt. Meine Rasierklingen hatte er jedoch ebenso wenig, was auch für den Herrn Schlecker galt, dessen reichlich verwahrlost wirkendes Geschäft nach einem noch weitergehenden Prinzip geführt wurde: Dort war nicht einmal die Kasse besetzt. Was nur konsequent war, weil es ja auch hier meine Rasierklingen nicht gab. Letzten Endes ließ sich diese Erfahrung dahingehend zusammenfassen, dass in Deutschland immer weniger Verkäufer keine Rasierklingen verkauften. Das war nicht erfreulich, aber wenigstens effizient.

Ratlos schlenderte ich weiterhin durch die Einkaufspassagen. Es erwies sich wieder einmal als richtig, den schlichten Straßenanzug gewählt zu haben, so bekam ich erneut unverfälscht die wahre Situation der Bevölkerung, ihre Ängste, Sorgen und Rasierklingennöte aus der nächsten Nähe mit. Und einmal darauf aufmerksam geworden, stellte sich heraus, dass nicht nur die Drogisten nach jenem wunderlichen Arbeitsprinzip organisiert waren, sondern die ganze Gesellschaft. Jedes Bekleidungsgeschäft, jede Buchhandlung, jedes Schuhgeschäft, jedes Kaufhaus, auch und gerade Lebensmittelhandlungen, sogar Restaurants, alles war praktisch ohne Personal. Geld, so stellte sich heraus, gab es nicht mehr bei der Bank, sondern an Automaten. Genauso verhielt es sich mit Fahrkarten, mit Briefmarken, hier war man bereits dazu übergegangen, die Postfilialen samt und sonders zu beseitigen. Auch Pakete wurden in einen Automaten geschoben, an dem sie sich der Empfänger dann gefälligst selbst zu holen hatte. Angesichts dessen hätte die neue Wehrmacht über ein Millionenheer verfügen müssen. Tatsächlich aber hatte die Wehrmacht mit

Ach und Krach gerade die doppelte Mannschaftsstärke des Versailler Schandvertrages. Es war rätselhaft.

Wo waren all diese Menschen?

Zunächst war ich davon ausgegangen, dass sie wohl Autobahnen bauten, Sümpfe trockenlegten und dergleichen mehr. Dem war allerdings nicht so. Sümpfe galten neuerdings als seltene Rarität und wurden eher nachgegossen als ausgetrocknet. Und Autobahnen bauten nach wie vor polnische, weißrussische, ukrainische und andere Fremdarbeiter, zu Löhnen, die für das Reich rentabler gewesen wären als jeder Krieg. Hätte ich damals gewusst, wie billig der Pole zu haben ist, ich hätte das Land genauso gut überspringen können.

Man lernt eben nie aus.

Kurz kam mir die Möglichkeit in den Sinn, das deutsche Volk könnte zwischenzeitlich einfach derart geschrumpft sein, dass all diese eingesparten Menschen ganz natürlich nicht mehr vorhanden waren. Die Statistik sagte hingegen, dass es noch immer 81 Millionen Deutsche gab. Man wundert sich hier auch vermutlich, weshalb mir der Gedanke mit den Arbeitslosen nicht früher gekommen ist. Der Grund ist, dass mir das Bild des Arbeitslosen anders in Erinnerung geblieben war.

Der Arbeitslose, den ich von früher kannte, hängte sich Schilder um den Hals mit der Aufschrift »Suche Arbeit jeder Art«, und damit ging er dann auf die Straße. Wenn er lange genug erfolglos mit diesem Schild herumgelaufen war, legte er das Schild ab, nahm eine rote Fahne in die Hand, die ihm ein herumlungernder Bolschewik in die Hand drückte, und dann ging er mit dieser Fahne auf die Straße. Ein Millionenheer zorniger Erwerbsloser war die ideale Voraussetzung für jede radikale Partei, und die radikalste von allen hatte glücklicherweise ich. Aber in den Straßen der neuen Gegenwart sah ich keinen Arbeitslosen. Hier protestierte niemand. Und auch die naheliegende Vermutung, man hätte die Menschen in einem Arbeitsdienste oder einer Form von Arbeitslager konzentriert, bewahrheitete sich nicht. Stattdessen hatte man, wie ich herausfand, die eigenwillige Lösung eines Herrn Hartz gewählt.

Dieser Herr hatte herausgefunden, dass man sich die Arbeiterschaft nicht nur durch höhere Löhne oder dergleichen gewogen machen kann, sondern auch dadurch, dass man ihren Vertretern Geld und brasilianische Geliebte zukommen lässt. Diese Erkenntnis war nun mit mehreren Gesetzen auf die Erwerbslosen übertragen worden, freilich auf einem erheblich niedrigeren Niveau. Statt mehrerer Millionen gab es einen geringeren Betrag, statt richtiger Brasilianerinnen gab es ungarische oder rumänische Liebesdienerinnen per Bild aus dem Internetz, was nur voraussetzte, dass jeder Erwerbslose einen oder mehrere Computer besaß. So konnten sich die Herren Rossmann und Müller weiterhin in ihrem verkäufer- und rasierklingenlosen Gewerbe die Taschen füllen, ohne dass sie fürchten mussten, ein Erwerbsloser würde ihnen die Fensterscheiben einwerfen. Bezahlt wurde das Ganze dann von den Steuern des kleinen Mannes aus der Schrapnellfabrik. Und selbstverständlich deutete für den erfahrenen Nationalsozialisten hier alles auf eine Verschwörung des Kapitals, des Finanzjudentums hin: Mit dem Geld der Armen wurden die noch Ärmeren zum Wohle der Reichen derart beschwichtigt, dass sie in aller Ruhe ihre Krisengewinnlergeschäfte durchführen konnten. Darauf hinzuweisen wurden im Übrigen sogar linke Politiker nicht müde, wenn auch natürlich unter Fortlassung der jüdischen Komponente.

Doch tatsächlich griff diese Erklärung zu kurz. Hier musste fraglos nicht nur das Finanzjudentum, sondern auch das Weltjudentum bemüht werden – nur dann enthüllte sich die wahre Abgefeimtheit des ganzen Komplotts. Und das war, so wurde mir schlagartig klar, die Aufgabe, die mir die Vorsehung stellte. Schließlich konnte allein ich in dieser so liberalbürgerlich verblendeten Scheinwelt die Wahrheit erkennen und aufdecken.

Denn oberflächlich hätte man dem Herrn Hartz und seinen sozialdemokratischen Erfüllungsgehilfen ja durchaus eine Verwirklichung ihrer vorgeblichen Ziele bescheinigen können. Waren denn nicht ein Computer und eine weißrussische Bildröhrenfrau, waren denn nicht eine warme, trockene Wohnung und ausreichend Nahrung, war denn nicht all das eine Umverteilung im sozialistischen Sinne?

Nein, die Wirklichkeit erkannte nur, wer den Juden kannte, wer wusste, dass es hier kein Links und kein Rechts gibt, dass beide Seiten ewiglich und immerwährend Hand in Hand arbeiten, verschleiert zwar, doch unabänderlich. Und nur der klarsichtige, alle Schleier durchschauende Geist konnte erkennen, dass sich nichts geändert hatte am Ziel, die arische Rasse zu beseitigen. Der Endkampf um die knappen Ressourcen der Erde würde kommen, deutlich später als ich ihn prophezeit hatte, aber er würde kommen. Und das Ziel war so deutlich zu sehen, dass nur ein Narr es hätte leugnen können: Die jüdischen Horden planten mit ihren hässlichen Massen nach wie vor das Reich zu überschwemmen. Sie hatten nur aus dem letzten Kriege gelernt. Weil sie um ihre Unterlegenheit gegenüber dem deutschen Landser wussten, beschlossen sie, die Wehrfähigkeit des Volkes auszuhöhlen, zu mindern, zu vernichten. Sodass am Tage der Entscheidung den asiatischen Millionen nur verweichlichte Hartzmenschen gegenüberträten, die hilflos ihre Mausgeräte und ihre Fernsehspielapparate schwenkten.

Mir wurde kalt vor Entsetzen. Und mir wurde klar, worin meine Mission lag.

Es galt nun, entschlossen auf diesem Wege auszuschreiten. Als Erstes beschloss ich, eine neue Basis zu suchen. Nicht mehr das Hotel sollte meine Heimstatt sein – ich brauchte einen richtigen Heimatstandort.

xxxiii.

Mir schwebte etwas vor wie damals am Prinzregentenplatz in München. Eine Wohnung, groß genug für mich, für Gäste, für Personal, nach Möglichkeit in einer ganzen, abgeschlossenen Etage, aber nicht in einem einzelnen Hause. Eine Villa mit Garten, womöglich noch mit dichtem Buschwerk – derlei ist für den politischen Gegner viel zu leicht zu überwachen oder auch zu überfallen. Nein, ein großes Haus, stadtnah, in einer belebten, zentrumsartigen Gegend, das hat noch immer seine Vorteile. Und wenn sich direkt daneben noch ein Theater befinden sollte, sollte es mich nicht stören.

»Ihnen gefällt es wohl bei uns nicht mehr?«, hatte die inzwischen völlig ungehemmt korrekt grüßende Mitarbeiterin meines Hotels gefragt, mit scherzhaftem Untertone, aber zugleich mit einem deutlich spürbaren, ehrlichen Bedauern.

»Ich habe schon daran gedacht, Sie mitzunehmen«, antwortete ich. »Früher hat mir meine Schwester den Haushalt geführt, leider lebt sie nicht mehr. Wenn ich Ihnen Ihr Hotelgehalt zahlen könnte, würde ich Ihnen diese Tätigkeit gerne anbieten.«

»Danke«, meinte sie, »ich mag die Abwechslung hier. Ist aber trotzdem schade.«

Früher hätte sich jemand für mich um die Wohnungssuche gekümmert, jetzt musste ich es selbst in die Hand nehmen. Einerseits war das interessant, weil es mich der Gegenwart wieder und noch näher brachte. Andererseits war da dieses widerliche Maklergesocks.

Es zeigte sich rasch, dass man ohne Makler nicht an eine auch nur halbwegs repräsentative Wohnung von 400 bis 450 Quadratmetern kam. Es zeigte sich etwas weniger rasch, dass es auch mit diesem Maklergewürm fraglich war. Es war geradezu erschütternd, wie wenig diese Abgesandten der Miethölle von ihren eigenen Wohnungen wussten. Selbst nach sechzig Jahren Abwesenheit vom aktuellen Immobilienmarkt war ich jederzeit in der Lage, den Sicherungskasten in einem Drittel der Zeit zu entdecken, die der gesandte »Fachmann« benötigte. Ich ging nach der dritten Firma dazu über, auf sogenannte erfahrene Kollegen zu bestehen, weil man sonst überhaupt nur 16-Jährige in zu großen Anzügen bekam. Diese armseligen Buben sahen aus, als hätte man sie von der Schulbank weg zum Maklervolkssturm geholt.

Im vierten Anlaufe wurde mir tatsächlich ein passendes Objekt im Norden Schönebergs angeboten. Ein ausgedehnter Spaziergang von hier würde mich zum Regierungsviertel führen, auch das sprach für das Angebot – man konnte ja nicht wissen, wie schnell die Nähe dorthin nötig würde.

»Sie kommen mir bekannt vor«, sagte der ältere Makler, während er mir das Dienstbotenzimmer in der Nähe der Küche zeigte.

»Hitler, Adolf«, sagte ich knapp und inspizierte fachkundig ein paar leere Schränke.

»Richtig«, sagte er, »jetzt, wo Sie's sagen! Ohne Uniform – Sie müssen entschuldigen. Außerdem hatte ich immer gedacht, Sie nähmen den Bart ab.«

»Wieso denn das?«

»Na ja, nur so. Ich ziehe ja zu Hause auch als Erstes die Schuhe aus.«

»Und ich ziehe meinen Bart aus?«

»Hatte ich gedacht, ja …«

»Aha. Gibt es hier einen Sportraum?«

»Einen Fitnessraum? Die letzten Mieter hatten keinen, aber davor war hier ein Jurymitglied von einer Castingsendung eingemietet, der hat den Raum dort drüben genutzt.«

»Gibt es irgendwelche Dinge, die ich wissen sollte?«

»Wie zum Beispiel?«

»Bolschewistische Nachbarn?«

»Die gab's vielleicht in den dreißiger Jahren. Aber dann hat ja … dann haben ja Sie … wie soll ich sagen?«

»Ich weiß schon, was Sie meinen«, sagte ich, »und sonst?«

»Na ja, sonst …«

Ich dachte wehmütig an Geli. »Ich möchte keine Selbstmörderwohnung mehr«, erklärte ich bestimmt.

»Seit wir dieses Objekt verwalten, hat sich hier niemand umgebracht. Und vorher auch nicht«, gab der Makler eilfertig an. »Glaube ich jedenfalls.«

»Die Wohnung ist gut«, sagte ich trocken, »der Preis ist inakzeptabel. Sie gehen um 300 Euro herunter, dann sind wir im Geschäft.« Dann wandte ich mich zum Gehen. Es ging auf halb acht Uhr. Die Dame Bellini hatte mich nach meiner gelungenen Premiere mit Opernkarten überrascht: Man gab die »Meistersinger von Nürnberg«, und sie hatte dabei sogleich an mich gedacht. Sie hatte sogar versprochen, die Oper mit mir anzusehen –

mir zuliebe, wie sie betonte, denn sie lehne Wagner üblicherweise ab.

Der Makler versprach, Rücksprache über die Vermietung zu halten. »Abschläge sind da eigentlich nicht vorgesehen«, meinte er skeptisch.

»Derlei ist stets reversibel, wenn man einen Hitler zu seinen Kunden zählen kann«, sagte ich zuversichtlich, bevor ich mich auf den Weg machte.

Es war ungewöhnlich mild für den späten November. Der Himmel war längst düster, um mich herum brummte und rauschte die Großstadt. Für einen kurzen Moment bemächtigte sich wieder die alte Hektik meiner, die Furcht vor den asiatischen Horden, der dringende Wunsch, den Rüstungsetat zu erhöhen. Dann wich die Unruhe dem guten Gefühl, dass die Katastrophe in den letzten sechzig Jahren nicht über uns hereingebrochen war, dass die Vorsehung doch mit Sicherheit den richtigen Moment gewählt hatte, mich zur Tat zu rufen und mir dabei gewiss nicht so wenig Zeit belassen würde, dass ich nicht einmal zu Wagner in die Oper gehen könnte.

Ich knöpfte meinen Mantel auf und ging entspannt durch die Straßen. Manche Geschäfte ließen größere Mengen an Tannen- und Fichtenzweigen anliefern. Als mir der Trubel etwas zu viel wurde, wich ich in die kleineren Nebenstraßen aus. Ich dachte über Verbesserungen einiger Details meiner Sendung nach, schlenderte an einem beleuchteten Sportzentrum vorbei. Große Teile des Volkes waren körperlich in einer ausgezeichneten Verfassung – allerdings waren dies noch zu oft Frauen. Nun erleichtert ein wohltrainierter Körper zwar manche Geburt, er erhöht die Widerstandskraft und Gesundheit der Mutter, aber letzten Endes geht es ja nun wirklich nicht um die Aufzucht von Hunderttausenden von Flintenweibern. Der Anteil der jungen Männer in den Sportstätten musste eindeutig noch weiter erhöht werden. So sinnierte ich vor mich hin, als mir zwei Männer in den Weg traten.

»Du Judenschwein«, sagte der eine.

»Glaubst du, wir sehen einfach zu, wie du Deutschland beleidigst?«, fragte der zweite.

Ich nahm langsam den Hut ab und zeigte mein Gesicht im Lichte der Straßenlaternen.

»Zurück ins Glied, ihr Schweinehunde«, sagte ich ungerührt, »oder ihr endet wie Röhm!«

Einen Moment lang sagte niemand etwas. Dann stieß der zweite zwischen den Zähnen hervor: »Was musst du für ein krankes Schwein sein! Erst lässt du dir dieses aufrechte Gesicht hinoperieren, dann fällst du damit Deutschland in den Rücken!«

»Ein krankes, lebensunwertes Schwein«, sagte der erste. Jetzt blitzte etwas in seiner Hand auf. Mit erstaunlicher Geschwindigkeit raste seine Faust auf meinen Kopf zu. Ich versuchte Haltung und Stolz zu wahren, ich wich dem Schlag nicht aus.

Es war wie der Einschlag einer Kugel. Es gab keinen Schmerz, nur die Geschwindigkeit, nur den gewaltigen Aufprall, dann kam mit einem stillen Rauschen die Hauswand auf mich zu. Ich suchte Halt, etwas schlug hart gegen meinen Hinterkopf. Das Haus schob sich an mir vorbei nach oben, ich steckte tastend die Hand in den Mantel, ich griff nach den Karten für die »Meistersinger« und zog sie heraus, während die Einschläge um mich herum zunahmen. Die Engländer hatten wohl neue Geschütze, ein mörderisches Trommelfeuer, es wurde so dunkel, wie konnten sie nur so präzise zielen, unser Graben, wie das Ende der Welt, ich wusste nicht einmal mehr, wo mein Helm war, und mein treuer Hund, mein Foxl, mein Foxl, mein Foxl …

xxxiv.

Das Erste, was ich sah, war ein grelles Neonlicht. Was ich dachte, war: Hoffentlich hat sich jemand in der Zwischenzeit um die Armee Wenck gekümmert. Dann blickte ich mich im Raum um, und einige Apparate machten rasch deutlich, dass die Armee Wenck aktuell wohl keine besondere Dringlichkeit mehr genoss.

Neben mir befand sich eine Art Garderobenständer, an dem man mehrere Kunststoffbeutel befestigt hatte. Ihr Inhalt tropfte langsam in denjenigen Arm von mir, der nicht in einem starren Gipsmantel lag. Das zu erkennen war nicht ganz einfach, weil ich das Auge auf der Nicht-Gipsseite nicht öffnen konnte. Diese Tatsache machte mich stutzig, all das sah durchaus schmerzhaft aus, aber ich hatte keine Schmerzen bis auf ein ständiges Dröhnen im Kopf. Ich drehte ihn, um etwas mehr von meiner Lage mitzubekommen, dann hob ich ihn vorsichtig an, was einen sofortigen stechenden Schmerz im Brustkorbe nach sich zog.

Ich hörte, wie sich auf der anderen Seite meines Gesichts eine Tür öffnete. Ich beschloss, nicht nachzusehen. Der Kopf einer Krankenschwester tauchte vorsichtig über meinem Nasenrücken auf.

»Sind Sie wach?«

»…«, sagte ich. Das hätte die Frage nach dem gegenwärtigen Datum werden sollen, aber aus meinem Mund kam nur etwas zwischen Räuspern und Raspeln.

»Schön«, sagte sie, »schlafen Sie mal bitte nicht wieder ein, dann hole ich den Arzt.«

»…«, raspelte ich zur Antwort. Es war allerdings schon zu merken, dass hier wohl kein dauerhafter Schaden vorlag, nur eine gewisse Einrostung der Sprechmuskulatur infolge der offenbar längeren Nichtnutzung. Ich ließ das funktionsfähige Auge etwas weiter rotieren. Im Sichtfelde war ein kleines Tischlein, auf dem sich ein Telefon und ein Blumenstrauß befanden. Ich sah ein Gerät, das wohl meinen Puls überwachte. Ich versuchte, die Beine zu bewegen, ließ es dann aber rasch wieder bleiben, es war abzusehen, dass derlei mit Schmerzen verbunden sein würde. Stattdessen wechselte ich zu kleinen Sprachübungen, es war schließlich anzunehmen, dass ich die eine oder andere Frage an den behandelnden Doktor zu richten hätte.

Tatsächlich tat sich längere Zeit nichts. Ich hatte vergessen, wie es üblicherweise in Krankenhäusern zuging, wenn man nicht gerade Führer und Reichskanzler war. Der Patient soll sich erholen, doch im Grunde tut er nichts als warten. Er wartet auf Schwestern, Behandlung, auf Ärzte, alles geschieht vorgeblich »bald« oder »gleich«, tatsächlich bedeutet »gleich« so viel wie »in einer halben bis drei viertel Stunde«, und »bald« entspricht »in einer Stunde oder mehr«.

Ein dringendes Bedürfnis bemächtigte sich meiner, und ich spürte sogleich, dass auch in dieser Hinsicht eine gewisse Vorsorge getroffen worden war. Ich hätte nun wohl gerne ein wenig in den Fernsehapparat hineingesehen, allein die Bedienung desselben war mir so rätselhaft wie auch körperlich unmöglich. So starrte ich reglos an die Wand gegenüber und versuchte, die jüngsten Ereignisse zu rekonstruieren. Ich erinnerte mich an einen Moment in einem Krankentransportfahrzeug, an das kreischende Fräulein Krömeier, und irritierenderweise blitzte immer wieder jene Filmaufnahme durch meinen Kopf, bei der ich Frankreichs Kapitulation mit einem spontanen Freudentänzchen oder -hüpfer würdigte. Allerdings trug ich keine Uniform, sondern ein türkisfarbenes Ballettröckchen. Dann kam Göring auf mich zu, der zwei gesattelte Rentiere am Zaumzeuge führte und sagte: »Mein Führer, wenn Sie in Polen sind, bringen Sie bitte etwas Quark mit, ich koche uns dann heute Abend was Feines!« Ich sah an mir herab, ich blickte ihn fassungslos an, ich sagte: »Göring, Sie Rindvieh. Sie sehen doch, dass ich keine Taschen habe!« Daraufhin brach Göring in Tränen aus, und jemand rüttelte an meiner Schulter.

»Herr Hitler? Herr Hitler?«

Ich schreckte hoch, jedenfalls so hoch es gerade ging.

»Der Stationsarzt ist jetzt da!«

Ein junger Mann im weißen Kittel hielt mir die Hand hin, die ich notdürftig schüttelte.

»Na, geht doch«, sagte er, »ich bin Doktor Radulescu.«

»Für den Namen erstaunlich akzentfrei«, krächzte ich.

»Für Ihren Zustand erstaunlich redselig«, sagte der Importdoktor. »Wissen Sie, wie ich das mit dem Akzent hinbekommen habe?«

Ich schüttelte matt den Kopf.

»Dreizehn Jahre Schule, neun Semester Medizinstudium, zwei Jahre Auslandspraktikum, und dann habe ich meine Frau geheiratet und ihren Namen angenommen.«

Ich nickte. Dann hustete ich, versuchte sofort schmerzbedingt nicht mehr zu husten, dabei aber zugleich eine gewisse Stärke und Führungsfähigkeit auszustrahlen, mit dem Ergebnis, dass ich einige unschöne Kleinteile aus der Nase nicht hustete. Insgesamt fühlte ich mich unerfreulich.

»Eines vorweg: Es sieht mit Ihnen gesundheitlich weit weniger schlecht aus als optisch. Sie haben nichts, was nicht reparabel wäre oder sich mit etwas Zeit in Ordnung bringen ließe …«

»Mei-ne Stimme …?«, ächzte ich, »… bin Redner.«

»An der Stimme ist schon mal gar nichts, die ist nur ungeübt, dazu der trockene Hals. Sie müssen auf jeden Fall trinken ohne Ende. Wenn ich das richtig sehe«, meinte er nach einem Blick an den Rand meines Bettes, »müssen Sie sich derzeit ja nicht einmal um die Entsorgung bemühen. Mal sehen, was haben wir sonst? Sie haben einen hässlichen Jochbeinbruch, eine schwere Gehirnerschütterung, Sie haben mehrere harte Prellungen am Kiefer, dass der nicht gebrochen ist, ist überhaupt das Allererstaunlichste. Die Kollegen von der Notaufnahme haben sofort auf einen Schlagring getippt, wenn das stimmt, können Sie Ihrem Herrgott gleich mehrfach danken. Das zugeschwollene Auge ist zwar hässlich, wird aber wieder funktionieren. Darunter haben wir ein gebrochenes Schlüsselbein, einen gebrochenen Arm – ganz glatter Bruch, das ist ideal –, fünf gebrochene Rippen, und wir haben Sie aufschneiden müssen, damit wir den Leberriss wieder hinbekommen. Bei der Gelegenheit kann ich Ihnen versichern: Sie haben eine der schönsten Lebern, die wir je gesehen haben. Sie trinken nicht, stimmt's?«

Ich nickte schwach: »Und Vegetarier.«

»Sehr schöne Werte, wirklich. Mit denen können Sie hundertzwanzig werden.«

»Wird nicht reichen«, sagte ich abwesend.

»Na, na«, lachte er, »Sie haben ja noch viel vor. Ich sehe da keine Probleme, Sie müssen nur ein wenig warten.«

»Sie sollten wohl Anzeige erstatten«, sagte die Schwester.

»Das würde denen so passen!« Was hätte Röhm darum gegeben, wenn ich ihn angezeigt hätte …

»Ich bin ja nicht Ihr Anwalt«, meinte der rumänischnamige Doktor, »aber bei solchen Verletzungen …«

»Ich werde auf meine Art zurückschlagen«, sagte ich hustend, und dabei ging mir durch den Kopf, dass ich selten eine leerere Drohung ausgesprochen hatte. »Sagen Sie mir lieber, wie lang Sie mich noch hierbehalten werden!«

»Ein oder zwei Wochen, wenn es keine Komplikationen gibt, vielleicht auch etwas länger. So richtig alles zusammenwachsen lassen können Sie ja dann auch zu Hause. Und jetzt schlafen Sie noch ein bisschen. Und überlegen Sie sich das mit der Anzeige, da hat die Schwester vollkommen recht. Man soll zwar auch die andere Wange hinhalten, aber deswegen ist es noch lange nicht erlaubt, derart drauf einzudreschen.«

»Und überlegen Sie es sich mit der Speisekarte.« Das war die Schwester, die mir einen Plan hinschob. »Wir müssen wissen, was Sie während Ihres Aufenthaltes bei uns essen möchten.«

Ich schob den Plan zurück. »Keine Sonderbehandlung. Einfache Soldatenkost. Vegetarisch. Wie die alten Griechen.«

Sie sah mich an, dann seufzte sie, machte etwa ein

Dutzend Kreuzchen und schob den Plan wieder zu mir zurück. »Unterschreiben müssen Sie schon selbst.«

Kraftlos signierte ich mit der beweglichen Hand. Dann dämmerte ich wieder weg.

Ich stand an einer Bushaltestelle in der Ukraine, ich hatte eine riesige Schüssel mit Quark in den Händen.

Göring war nicht da, und ich weiß noch genau, wie sehr mich das ärgerte.

XXXV.

Tatsächlich ging mir der Gedanke an eine Anzeige doch kurz durch den Kopf, aber ich verwarf ihn so entschlossen wie unwiderruflich. Es widersprach all meinen Prinzipien. Der Führer passt nicht in eine Opferrolle. Er ist nicht von der Fürsprache oder Fürsorge so jämmerlicher Gestalten wie Staatsanwälten oder Polizeibeamten abhängig, er versteckt sich nicht hinter ihnen, er nimmt das Recht in die eigene Faust. Oder gibt es vielmehr in die glühenden Hände der SS, und die nimmt es dann in ihre vielen Fäuste. Wenn ich eine SS gehabt hätte, dann hätte ich dafür gesorgt, dass diese obskure »Parteizentrale« noch in der folgenden Nacht in Flammen stehen würde und jedes ihrer feigen Mitglieder innerhalb einer Woche in seinem eigenen Blute über die wahrhaftigen Prinzipien völkischen Denkens nachgrübeln konnte. Aber von wem konnte ich derlei in dieser friedfertigen, gewaltentwöhnten Zeit verlangen? Sawatzki war schlagfertig, aber nicht schlagkräftig, ein Arbeiter der Stirne, nicht der Faust. So blieb mir nur die Vertagung des Problems auf unbestimmte Zeit und die Aufgabe, durch die eine oder andere Verlegung innerhalb der Sanitätsräumlichkeiten dafür Sorge zu tragen, dass keine Fotoreporter zu mir durchdrangen, die unvorteilhafte Bilder anfertigten. Dennoch war die Tatsache des Zwischenfalles an sich nicht zu verheimlichen, und schon nach wenigen Tagen konnte man in den Zeitungen darüber lesen, dass ich ein Opfer »rechtsradikaler Gewalt« geworden war – es war freilich der gewöhnliche inkompetente Zeitungsunfug, diese dummbeuteligen Wachsfiguren auch noch unverdientermaßen als »rechtsradikal« zu adeln. Dennoch gibt es nichts, was nicht wenigstens zu irgendetwas gut wäre. Innerhalb weniger Tage, fast Stunden, hatte ich daraufhin etliche erstaunliche Telefonate mit Menschen, denen Fräulein Krömeier auf Anregung und mit dem Segen des Herrn Sawatzki die Nummer meines mobilen Telefonapparates gegeben hatte.

Das erste Gespräch, das nicht aus Besserungswünschen von Firmenmitarbeitern bestand, führte ich mit Frau Künast, die mir »von Herzen gute Besserung« wünschte, sich nach meinem Wohlergehen erkundigte und wissen wollte, ob ich eigentlich in irgendeiner Partei sei.

»Jawohl«, sagte ich, »in meiner eigenen.«

Künast lachte und meinte, die NSDAP sei ja nun doch wenigstens vorübergehend in einer Art Dämmerschlaf oder Ruhezustand, und bis sie wieder erwache, solle ich doch einmal überlegen, ob mir, der ich offenbar als Künstler mit Leib und Leben gegen rechte Gewalt einträte, die grüne Partei nicht eine Heimat bieten könnte, »wenigstens für eine gewisse Zeit«, wie sie nochmals lachend anbot.

Ich nahm den Anruf kopfschüttelnd zur Kenntnis und hätte ihn wohl als eine weitere wunderliche Ausgeburt parlamentarisch-demokratischer Träumereien bald vergessen, wäre nicht schon am folgenden Tage noch ein Anruf gekommen, der jenem nicht wenig ähnelte. Ich hatte einen Herrn am Apparat, der, wie ich mich dunkel erinnerte, entweder gerade eine Lehrstelle als Gesundheitsminister absolvierte oder absolviert hatte. Der Name ist mir auch nach längerem Nachdenken nicht wieder eingefallen, ich habe es bei dieser Partei inzwischen ohnehin endgültig aufgegeben zu versuchen, den Überblick zu behalten. Es wird ja auf den zuständigen Sendeplätzen häufig kolportiert, der einzig verbliebene ältere Herr der Verbindung sei ein hemmungsloser Trunkenbold. Ich glaube, man tut dem Manne unrecht, und gehe eher davon aus, dass es schier unmöglich ist, in diesem bizarren Ringelreihen auch nur eine Stunde mitzutun, ohne wie volltrunken zu wirken.

Der Gesundheitslehrling sagte mir, wie leid ihm dieser Übergriff tue, gerade jemand wie ich, der eine Lanze bräche für die weiteste und breiteste Meinungs- und Redefreiheit, habe in dieser schweren Zeit jegliche Unterstützung nötig. Ich kam kaum dazu zu betonen, dass bekanntlich der Starke am mächtigsten alleine sei, denn schon insistierte der Lehrling, er werde alles tun, um eine rasche Rückkehr von mir auf den Fernsehschirm zu ermöglichen, und für einen Moment fürchtete ich, er würde meine Behandlung selbst in die notorisch weichfingrig-inkompetente Hand nehmen. Stattdessen befragte er mich wie beiläufig nach meiner Parteizugehörigkeit, und ich antwortete ihm wahrheitsgemäß.

Der Lehrling lachte knabenhaft hell. Dann sagte er mir, ich sei köstlich, und nachdem die NSDAP ja derzeit auf dem Friedhof der Geschichte ruhe, könne er sich gut vorstellen, dass vielleicht die FDP für mich zu einer neuen politischen Heimat werden könne. Ich sagte ihm, dass er und seine Kollegen endlich aufhören sollten, meine Partei zu beleidigen, und dass ich keinerlei wie immer geartetes Interesse an seiner Ansammlung liberaler Politmaden hätte. Der Lehrling lachte erneut, sagte, dass ich ihm solcherart gefalle und schon bald ganz der Alte wäre, und versprach abschließend ungefragt, mir einen Aufnahmeantrag zukommen zu lassen. Das Telefon, so dachte ich in diesem Moment, ist einfach nicht das richtige Mittel der Verständigung für Leute ohne Ohren. Und ich hatte es kaum aus der Hand gelegt, als es erneut läutete.

Es stellte sich heraus, dass der Gesundheitslehrling und die grüne Künast keineswegs die Einzigen waren, die beschlossen hatten, aus meinem entschlossen erbrachten Blutzoll herauszulesen, was ihnen gerade beliebte. Gleich mehrere Anrufer diverser Parteien beglückwünschten mich zu meinem entschiedenen Eintreten für Gewaltfreiheit, das ihrer Beobachtung nach in meinem demonstrativen Verzicht auf Selbstverteidigung bestanden hatte, darunter befand sich auch die einzige Gruppierung, der ich vom Namen her Sympathie entgegenbringen konnte: Mit diesem Herrn von der Tierschutzpartei hatte ich ein sehr angenehmes Gespräch, im Verlauf dessen er mich dankenswerterweise auf einige unglaubliche Grausamkeiten gegen rumänische Straßenhunde aufmerksam machte. Ich beschloss, den empörenden Vorgängen in diesem Lande in näherer Zukunft besondere Aufmerksamkeit zu schenken.

Allerdings ließen sich die jüngsten Ereignisse in den Augen jener »professionellen« Politiker auch ganz anders interpretieren. Die »Bürgerrechtsbewegung Solidarität« erklärte mich zum Leidensgenossen des irgendwie verfolgten Parteigründers Larouche, eine seltsame Ausländerpartei namens BIG versicherte mir, dass in einem Lande, in dem man Ausländer nicht verprügeln dürfe, selbstverständlich auch Deutsche nicht verprügelt werden dürften, woraufhin ich sofort mit Nachdruck entgegnete, dass ich in einem solchen Lande nicht leben wollte, in dem man Ausländer nicht mehr verprügeln dürfe. Daraufhin wurde am anderen Ende der Leitung wieder einmal unverständlicherweise herzlich gelacht. Bei noch anderen galt ich nicht als Symbol für Meinungsfreiheit, sondern dagegen, jedenfalls gegen die falschen Meinungen, ich wurde nicht nur als Kämpfer gegen Gewalt gedeutet, sondern auch mehrfach als Kämpfer dafür (CSU, zwei Schützenvereine, ein Hersteller für Handfeuerwaffen) und einmal als Opfer von Gewalt gegen Senioren (Familienpartei). Mit besonderem Dilettantismus glänzte ein Aufruf der Piratenpartei, die in meinem Verhalten und insbesondere meinem Verzichte auf eine Anzeige einen Protest gegen den Überwachungsstaat und eine besondere Staatsferne und die »totale Piratendenke« erkannt zu haben glaubte. Der Wahrheit am nächsten kam noch eine Gruppierung namens »Die Violetten«, die in mir den Zeugen einer Welt jenseits des Nur-Materialistischen sehen wollte, der »seine Wiederkehr unter dem Banner der vollkommenen Friedfertigkeit mit allergrößter Duldsamkeit den härtesten Prüfungen unterworfen« hätte. Ich lachte derart dauerhaft, dass ich wegen meiner Rippen um mehr Schmerzmittel bitten musste.

Aus dem Büro brachte mir Fräulein Krömeier weitere Post. Auch sie war mehrfach angerufen worden, es handelte sich im Wesentlichen um andere Personen derselben Parteien und Gruppen, neu waren die Meldungen diverser Kommunistenverbände, die Begründung dafür ist mir zwischenzeitlich entfallen, sie wird wohl letztlich nicht zu weit entfernt gewesen sein von jener Stalins für seinen Pakt mit uns 1939. Allen diesen

Anrufern und Skribenten war gemein, dass sie mich zur Mitgliedschaft in ihrem Verbunde zu überreden gedachten. Tatsächlich gab es nur zwei Parteien, die sich nicht meldeten. Naivlinge hätten dahinter vermutlich Desinteresse gewittert, aber ich wusste es besser. Weshalb ich nach einem weiteren halben Tage, als eine mir unbekannte Berliner Nummer auf dem Telefon aufleuchtete, aufs Geratewohl hineinrief:

»Hallo? Ist da die SPD?«

»Äh, ja – spreche ich mit Herrn Hitler?«, sagte eine Stimme am anderen Ende.

»Aber ja«, rief ich, »ich habe schon auf Sie gewartet!«

»Auf mich?«

»Nicht speziell. Aber auf jemanden von der SPD. Wer spricht denn?«

»Gabriel, Sigmar Gabriel. Das ist ja wunderbar, dass Sie schon wieder so gut telefonieren können, ich habe die schlimmsten Dinge gehört und gelesen. Das klingt ja schon wieder richtig gut.«

»Das liegt nur an Ihrem Anruf.«

»Oh! Weil er Sie so freut?«

»Nein, weil er so spät kommt. In der Zeit, die vergeht, bis der deutschen Sozialdemokratie mal eine Idee kommt, könnte man auch zwei schwere Tuberkulosen ausheilen.«

»Haha«, machte Gabriel, und es klang erstaunlich natürlich. »Da haben Sie manchmal nicht unrecht. Sehen Sie, und gerade deshalb rufe ich an …«

»Ich weiß. Weil meine Partei gerade im Ruhezustand ist.«

»Welche Partei?«

»Sie enttäuschen mich, Gabriel! *Wie* heißt meine Partei?«

»Äh …«

»Na!«

»Sie müssen entschuldigen, ich glaube, ich stehe gerade etwas auf der Leitung …«

»N. S. D. A. …?«

»P?«

»P. Genau. Die ruht gerade. Und Sie wollen wissen, ob ich zufällig derzeit eine neue Heimat suche. In Ihrer Partei!«

»In der Tat hatte ich so etwas …«

»Schicken Sie Ihre Papiere ruhig in mein Büro«, plauderte ich.

»Sagen Sie, haben Sie gerade Schmerzmittel genommen? Oder einige Schlaftabletten zu viel?«

»Nein«, sagte ich und war schon drauf und dran hinzuzufügen, es habe aber gerade eine angerufen. Dann fiel mir ein, dass Gabriel möglicherweise recht hatte. Man weiß ja nie, was die Mediziner über diese Schlauchbeutel so alles verabreichen. Und mir fiel ein, dass diese SPD in ihrer gegenwärtigen Form nun wirklich keine Partei mehr war, die man hätte in ein Konzentrationslager sperren müssen. In ihrer Tranigkeit mochte sie gar noch zu mancherlei brauchbar sein. Also verwies ich sofort auf eine gewisse Medikamenteneinnahme und verabschiedete mich dann letztlich doch recht freundlich.

Ich lehnte mich in mein Kissen zurück und überlegte, wer wohl als Nächstes anrufen würde. Es fehlte eigentlich nur noch das Telefonat mit dem Kanzlerinnenwahlverein. Wer kam dafür wohl infrage? Die klumpige Matrone selbst schied natürlich aus. Aber diese Arbeitsministerin hätte mich gefreut. Ich hätte gerne gewusst, wieso sie die Fortpflanzung eingestellt hatte, nur ein Kind vom Mutterkreuz in Gold entfernt. Jener Guttenberg wäre auch interessant gewesen, ein Mann, der – obwohl dem jahrhundertetiefen Sumpfe adligen Inzests entstiegen – in großen Zusammenhängen zu denken vermochte, ohne sich dauernd mit kleinlich-professoralen Einwänden aufzuhalten. Aber dessen Blütezeit in der Politik schien mir überschritten. Wer blieb? Das ökologische Brillenbürschlein? Die Null von Fraktionschef? Der bemüht biedere Finanzschwabe im Rollstuhl?

Tatsächlich galoppierten nun schon wieder die Walküren. Die Nummer war mir unbekannt, die Vorwahl stammte jedoch aus Berlin. Ich entschied mich für den Windbeutel.

»Guten Tag, Herr Pofalla«, sagte ich.

»Wie bitte?« Das war unbestreitbar die Stimme einer Dame. Ich schätzte sie älter ein, vielleicht Mitte fünfzig.

»Verzeihung – wer spricht?«

»Golz ist mein Name, Beate Golz«, und sie nannte den Namen eines recht bekannten deutschstämmigen Verlags. »Und mit wem spreche ich?«

»Hitler«, sagte ich und räusperte mich, »entschuldigen Sie, ich hatte jemand anderes erwartet.«

»Rufe ich ungelegen an? Ihr Büro sagte mir, ich könnte nachmittags problemlos …«

»Nein, nein«, wehrte ich ab, »das ist schon in Ordnung. Bitte nur keine Fragen mehr nach meinem Wohlbefinden.«

»Geht's Ihnen noch so schlecht?«

»Nein, aber dennoch – man kommt sich schon vor wie die reinste Schellackplatte.«

»Herr Hitler… ich rufe an, weil ich Sie fragen möchte, ob Sie nicht ein Buch schreiben wollen?«

»Das habe ich schon«, sagte ich, »sogar zwei.«

»Ich weiß. Über zehn Millionen Exemplare. Wir sind sehr beeindruckt. Aber jemand mit diesem Potenzial darf doch nicht achtzig Jahre Pause machen.«

»Ja, sehen Sie, das lag nicht so ganz in meiner Hand ...«

»Sie haben natürlich recht, ich verstehe schon, dass man nicht so gut zum Schreiben kommt, wenn einem der Russe über den Bunker rollt ...«

»In der Tat«, sagte ich. Ich selbst hätte es kaum anders ausdrücken können. Ich war angenehm überrascht vom offenkundigen Einfühlungsvermögen jener Frau Golz.

»Aber jetzt ist der Russe ja wieder weg. Und sosehr wir alle Ihre wöchentliche Bilanz im Fernsehen genießen – ich denke, es ist an der Zeit, dass der Führer wieder einmal ein umfassendes Zeugnis seiner Weltsicht darlegt. Oder – bevor ich mich hier völlig zum Idioten mache – haben Sie längst anderweitige Verpflichtungen?«

»Nun, ich veröffentliche üblicherweise im Franz-Eher-Verlag«, sagte ich, aber dann fiel mir ein, dass der sich wohl momentan ebenfalls im Ruhezustand befand.

»Ich nehme an, Sie haben schon länger von Ihrem Verlag nichts mehr gehört, oder?«

»Das stimmt eigentlich«, sinnierte ich, »ich frage mich, wer in diesem Moment meine Tantiemen kassiert.«

»Das Land Bayern, wenn ich richtig informiert bin«, sagte Frau Golz.

»Frechheit!«

»Sie können natürlich klagen, aber Sie wissen ja, wie das bei Gerichten ist ...«

»Wem sagen Sie das!«

»Ich würde mich allerdings freuen, wenn Sie stattdessen den etwas einfacheren Weg gehen würden.«

»Und der sähe wie aus?«

»Sie schreiben ein neues Buch. In einer neuen Welt. Wir würden es gerne verlegen. Und weil wir hier unter Profis reden, kann ich Ihnen Folgendes anbieten.« Dann nannte sie neben diversen Werbemaßnahmen größeren Umfanges auch eine Vorschusszahlung in einer Höhe, die mir sogar in diesem fragwürdigen Eurogeld eine beträchtliche Anerkennung entlockte – was ich aber selbstverständlich vorerst für mich behielt. Zudem dürfte ich mir die Mitarbeiter frei aussuchen, auch deren Honorare würde der Verlag übernehmen.

»Unsere einzige Bedingung: Es muss die Wahrheit drinstehen.«

Ich rollte mit den Augen. »Sie wollen wohl auch wissen, wie ich heiße.«

»Nein, nein, Sie heißen selbstverständlich Adolf Hitler. Welchen Namen sollen wir denn sonst auf so ein Buch drucken? Moische Halbgewachs?«

Ich lachte. »Oder Schmul Rosenzweig. Sie gefallen mir.«

»Was ich meine ist: Wir wollen kein Comedy-Buch. Ich nehme an, das ist auch in Ihrem Sinne. Der Führer macht keine Witze, nicht wahr?«

Es war erstaunlich, wie simpel alles mit dieser Dame war. Sie wusste einfach, wovon sie redete. Und mit wem.

»Werden Sie drüber nachdenken?«, fragte sie.

»Lassen Sie mir etwas Zeit«, sagte ich, »ich werde mich melden.«

Ich wartete exakt fünf Minuten. Dann rief ich sie

zurück. Ich forderte eine beträchtlich höhere Summe. Im Nachhinein muss ich annehmen, dass sie damit gerechnet hatte.

»Na denn: Sieg Heil«, sagte sie.

»Darf ich das als Zusage verstehen?«, hakte ich nach.

»Sie dürfen«, lachte sie.

Ich antwortete: »Sie auch!«

XXXVI.

Es ist erstaunlich. Das erste Mal seit Langem macht mir der Schnee nichts aus, obwohl er so früh gefallen ist. Dicke Flocken sinken vor dem Fenster, das hätte mich noch 1943 in den Wahnsinn getrieben. Jetzt, da ich weiß, dass alles einen tieferen Sinn hat, dass die Vorsehung von mir nicht erwartet, einen Weltkrieg gleich beim ersten oder zweiten Versuch zu gewinnen, dass sie mir Zeit einräumt und auf mich vertraut, jetzt kann ich diese sanfte, vorweihnachtliche Ruhe nach anstrengenden Jahren endlich wieder so recht genießen. Und ich genieße sie fast so wie damals, als ich noch ein Kind war und mich mit Homers Trojanischem Kriege ganz klein in einer gemütlichen Ecke der Wohnstube zusammenkauerte. Was noch etwas stört, sind die Schmerzen im Brustkorb, aber es ist andererseits auch wiederum sehr ermutigend zu verfolgen, wie sie nachlassen.

Der Verlag hat mir ein Diktiergerät zukommen lassen. Sawatzki wollte, dass ich meinen mobilen Telefonapparat dazu nutze, aber letztlich ist das Diktiergerät doch viel einfacher zu bedienen. Ein Knopfdruck – es nimmt auf, ein Knopfdruck – es hört auf. Und niemand ruft währenddessen darauf an. Ich bin ja generell ein großer Gegner dieser unablässigen Aufgabenvermengung. Das Radio muss auch noch diese Silberscheiben abspielen, der Rasierapparat muss nass und trocken funktionieren, der Tankwart wird zum Lebensmittelhändler, das Telefon muss Telefon sein und Kalender dazu und ein Fotoapparat auch noch und überhaupt alles in einem. Das ist gefährlicher Blödsinn, der nur dazu führt, dass unsere jungen Leute auf der Straße dauernd in ihre Telefonapparate hineinglotzen und zu Tausenden überfahren werden. Es wird dies eines meiner ersten Vorhaben sein, solche Telefonapparate zu verbieten beziehungsweise nur noch für die verbliebenen rassisch minderwertigen Elemente zuzulassen oder vielleicht sogar verpflichtend vorzuschreiben. Die sollen dann meinethalben tagelang auf den Berliner Hauptverkehrsstraßen herumliegen wie überrollte Igel, da hat es dann auch wieder seinen praktischen Nutzen. Aber ansonsten: Unfug! Natürlich wäre es für die Staatsfinanzen günstiger, wenn die Luftwaffe auch die Aufgaben der Müllabfuhr mit übernehmen könnte. Aber was ergäbe das denn dann für eine Luftwaffe?

Ein guter Gedanke. Ich diktiere ihn sogleich in den Apparat.

Draußen im Flure haben sie eine umfangreiche Weihnachtsdekoration angebracht. Sterne, Tannenzweige und dergleichen mehr. An den Adventssonntagen gibt es Glühwein, der inzwischen auch in einer sehr angenehmen alkoholfreien Variante entwickelt worden ist, wenngleich ich meine Zweifel habe, ob derlei jemals in der Truppe akzeptiert sein wird. Nun gut, Landser bleibt Landser. Insgesamt jedoch kann ich nicht behaupten, dass die Weihnachtsdekorationen geschmackvoller geworden wären. Hier hat doch eine recht unerfreuliche Industrialisierung Einzug gehalten. Es geht mir nicht um Kitsch oder Nichtkitsch, denn in jedem Kitsch steckt immer auch ein Rest des Empfindens des einfachen Mannes, und von daher ist dabei stets noch die Möglichkeit einer Entwicklung zu wahrer, großer Kunst gegeben. Nein, was mich doch reichlich stört, ist, dass der Weihnachtsmann unverhältnismäßig an Bedeutung gewonnen hat, zweifellos infolge angloamerikanischer Kulturinfiltration. Die Kerze hingegen hat deutlich an Bedeutung verloren.

Möglicherweise kommt es mir auch nur so vor, weil man hier im Krankenhause Kerzen nicht zulässt, aus feuerpolizeilichen Gründen. Und sosehr ich den sorgsamen Umgang mit Volkseigentum zu schätzen weiß, ich kann mich nicht erinnern, dass unter meiner Regierung trotz der freizügigen Verwendung von Kerzen nennenswerte Mengen von Gebäuden beschädigt worden wären. Aber ich gebe zu: Ab 1943 ist die Statistik da natürlich wegen der allgemein zunehmenden Ermangelung von Gebäuden auch von schwindender Aussagekraft. Dennoch hat so ein Weihnachten einen eigenen Reiz. Frei von der Last der langfristig unvermeidlichen Regierungsverantwortung, das soll man genießen, solange es noch geht.

Ich kann sagen, dass das Personal sich ausgesprochen um mich bemüht. Ich spreche viel mit ihnen, über ihre Arbeitsbedingungen, über das Sozialwesen, das – wie ich mehr und mehr erfahre – in einem Zustand ist, dass man sich wundern muss, dass überhaupt noch Menschen geheilt werden können. Häufig kommen auch Mediziner zu mir. Sie haben dann den Kittel abgelegt und erzählen mir neue Dreistigkeiten vom derzeitigen unfähigen Darsteller des Gesundheitsministers. Sie sagen, dass sie von seinem Vorgänger genauso üble Unsinnigkeiten schildern könnten, und von seinem Nachfolger würden sie es mit Sicherheit auch können. Ich solle es in meiner Sendung klar ansprechen, es müsse sich unbedingt etwas ändern, unbedingt! Ich verspreche ihnen, mich bald mit ganzer Kraft dafür einzusetzen. Manchmal sage ich ihnen, dass es schon viel helfen würde, wenn weniger Ausländer hier in den Stationen behandelt würden. Dann lachen sie und sagen, so könne man es natürlich auch sehen, sagen kurz darauf »aber Spaß beiseite« und erzählen mir die nächste Ungeheuerlichkeit. Daran scheint es wirklich nicht zu mangeln.

Es gibt da im Übrigen auch eine ganz reizende Schwester, eine feurige Person, aufgeweckt, fröhlich, Schwester Irmgard heißt sie, um genau zu sein – aber ich muss hier eindeutig meine Kräfte einteilen. Wenn ich zwanzig Jahre jünger wäre, vielleicht …

Herr Sawatzki war gerade hier mit dem Fräulein Krömeier, dem ehemaligen Fräulein Krömeier natürlich, ich kann mich noch immer nicht so ganz daran gewöhnen: Frau Sawatzki. Vom bevorstehenden frohen Ereignis ist sie mittlerweile schon reichlich kugelrund. Sie sagt, es gehe noch, aber lange könne es nicht mehr dauern, bis ihr der Bauch ziemlich zur Last falle. Sie hat ein wenig Farbe bekommen – oder ein wenig Farbe weggelassen, das zu durchschauen fällt mir noch immer schwer. Ich muss aber sagen, dass beide fabelhaft zusammenpassen, und wenn sie sich ansehen, weiß ich, dass da in neunzehn, zwanzig Jahren einige stramme Grenadiere heranwachsen werden, einwandfreies Genmaterial für die Waffen-SS und später für die Partei. Sie haben mich gefragt, wo ich Weihnachten verbringe, und mich eingeladen, was mich außerordentlich freut, aber ich denke nicht, dass ich die beiden behelligen werde. Weihnachten ist ein Fest der Familie.

»Aber Sie gehören doch praktisch zur Familie!«, hat das Fräulein – hat Frau Sawatzki gesagt.

»Momentan«, habe ich gesagt, weil Schwester Irmgard gerade hereinkam, »momentan ist Schwester Irmgard meine Familie.«

Schwester Irmgard hat gelacht und gesagt: »So weit kommt's noch. Ich sehe hier nur kurz nach dem Rechten.«

»Dem geht's gut«, habe ich geschmunzelt, und sie hat so herzlich darüber gelacht, dass ich fast erwog, meine weitere politische Laufbahn ein wenig nach hinten zu verschieben.

»Frau Bellini und Herr Sensenbrink schicken beste Genesungsgrüße«, hat Sawatzki gesagt, »die Frau Bellini kommt morgen oder übermorgen vorbei, mit den Besprechungsergebnissen zum neuen Sendeplatz, zum neuen Studio …«

»Sie haben's doch schon gesehen«, habe ich vermutet, »wie ist Ihr Eindruck?«

»Sie werden nicht enttäuscht sein. Da steckt richtig Geld dahinter! Und von mir haben Sie's nicht: Der Etat ist noch längst nicht ausgeschöpft. Noch längst nicht!«

»Das reicht jetzt«, hat die jetzige Frau Sawatzki gebremst, »wir müssen noch zum Kinderwagenkaufen, bevor ich mich nicht mehr rühren kann.«

»Ist ja gut«, hat Sawatzki geantwortet, »aber denken Sie bitte noch über meinen Vorschlag nach.« Dann sind die beiden abgezogen. Und ich könnte schwören, ich hätte gehört, wie er beim Hinausgehen zu ihr so etwas sagte wie: »Hast du ihm eigentlich schon gesagt, wie der Kleine heißen soll?« Aber da kann ich mich auch irren.

Ja, sein Vorschlag. Er hat völlig recht, der Schritt ist absolut logisch. Wenn einen eine Handvoll Parteien fragen, ob man Mitglied werden möchte, ist man gut beraten, den Wert der eigenen Person nicht für andere Zwecke zu verschenken als die eigenen. 1919 wäre ich in einer anderen Partei untergegangen. Stattdessen habe ich eine bedeutungslose Kleinstpartei übernommen und nach meinem Wunsche geformt, was wesentlich effektiver war. In diesem Falle nun könnte ich mit dem Schwung einer Buchveröffentlichung und der zeitgleich startenden neuen Sendung eine Propagandaoffensive starten und dann eine Bewegung gründen. Er hat mir auch schon einige Entwürfe für Plakate auf den mobilen Telefonapparat geschickt. Sie gefallen mir gut, wirklich gut.

Sie zeigen mich und sind stark in Anlehnung an die alten Plakate gehalten. Damit fallen sie mehr auf als mit jeder noch so neuen Schrifttype, sagt Sawatzki, und er hat recht. Ich sollte auf ihn hören, er hat ein Händchen dafür. Er hat auch bereits einen neuen Wahlspruch geliefert. Er prangt unter allen Plakaten, als verbindendes Element. Er greift alte Verdienste auf, alte Zweifel, und hat obendrein ein humorvoll-versöhnliches Element, mit dem man die Wählerschaft dieser Piraten und anderen Jungvolks auf die eigene Seite ziehen kann. Der Slogan lautet:

»Es war nicht alles schlecht.«

Damit kann man arbeiten.

Was, wenn der Staat seine Bürger nicht mehr schützen kann? Muss es dann nicht jemand anderes tun?

Andreas Eschbach
TODESENGEL
Thriller
544 Seiten
ISBN 978-3-404-17238-2

Ein strahlend weißer Racheengel geht um in der Stadt, heißt es, der überall dort auftaucht, wo Unschuldige in Gefahr sind, und diejenigen, die ihnen Gewalt antun, brutal bestraft: Ist das wirklich nur die Schutzbehauptung eines alten Mannes, der Selbstjustiz geübt hat? Ein Journalist deckt auf: Es gibt diese Gestalt tatsächlich – er kann es beweisen. Und damit nimmt das Verhängnis seinen Lauf …
Selbstjustiz versus staatliches Gewaltmonopol – ein spannender Roman um ein kontroverses Thema von Bestsellerautor Andreas Eschbach

Bastei Lübbe

Ihr habt nie gelernt zu töten. Dieses Versäumnis werden wir jetzt nachholen

Max Rhode
DIE BLUTSCHULE
Roman
272 Seiten
ISBN 978-3-404-17267-2

Eine unbewohnte Insel im Storkower See
Eine Holzhütte, eingerichtet wie ein Klassenzimmer
Eine Schule mit den Fächern: Fallen stellen. Opfer jagen. Menschen töten.

Die Teenager Simon und Mark können sich keinen größeren Horror vorstellen, als aus der Metropole Berlin in die Einöde Brandenburgs zu ziehen. Das Einzige, worauf sie sich freuen, sind sechs Wochen Sommerferien, doch auch hier macht ihnen ihr Vater einen Strich durch die Rechnung. Er nimmt sie mit auf einen Ausflug zu einer ganz besonderen Schule. Gelegen mitten im Wald auf einer einsamen Insel. Mit einem grausamen Lehrplan, nach dem sonst nur in der Hölle unterrichtet wird ...

Bastei Lübbe

Werde Teil der Bastei Lübbe Welt
You Tube
www.lesejury.de
Lesen, rezensieren, Bücher gewinnen
Lerne Autoren, Verlagsmitarbeiter und andere Leser kennen